GWEL ᴵᴬᵁ
CYHOEDDUS

Y CASGLIAD CYFLAWN
O WEDDÏAU A DARLLENIADAU
AR GYFER ADDOLIAD CYHOEDDUS

CASGLWYD GAN
ALED DAVIES

CYHOEDDIADAU'R
GAIR

ⓗ y casgliad gwreiddiol *Gweddïau Cyhoeddus 1, 2 , 3*:
Cyhoeddiadau'r Gair 1996

Argraffiad newydd ⓗ 2005

Testun gwreiddiol wedi ei baratoi gan:
Carys Ann, Gareth Alban Davies, Saunders Davies, Roger Ellis Humphreys,
Casi Jones, Eric Jones, Dewi Morris, Elwyn Richards, Eifion A Roberts,
Ifan Roberts, Brian Wright, Owain Llyr Evans, Menna Green, Dafydd Hughes,
Geraint Hughes, Tecwyn Ifan, Eifion Jones, Trefor Jones Morris, John Owen,
Dewi Roberts, John Rice Rowlands, Robin Samuel, Peter Thomas,
Peter Davies, Gareth Huws, Iwan Llewelyn Jones, Meirion Morris,
Dafydd Roberts, Gwyn Thomas, Eric Williams, Graham Floyd,
John Lewis Jones, Geraint Roberts, John Treharne

Golygydd Cyffredinol: Aled Davies

ISBN 1 85994 535 X
Argraffwyd yng Nghymru.

Cyhoeddwyd gan
Cyhoeddiadau'r Gair, Cyngor Ysgolion Sul Cymru,
Ysgol Addysg, PCB, Safle'r Normal,
Bangor, Gwynedd, LL57 2PX.

CYNNWYS

RHAGAIR

O Sul i Sul drwy Gymru benbaladr mae yna filoedd ar filoedd yn dod ynghyd i addoli Duw. Mae yna aelodau o deulu Duw yn ymgynnull yn rheolaidd ar y Sul ac yn ystod yr wythnos i weddïo, gan gyflwyno offrymau o ddeisyfiad ac eiriolaeth, diolchgarwch a mawl. Nid yw hyn yn newyddion i'r un ohonom wrth gwrs, ond weithiau mae angen i ni atgoffa ein hunain o werth a grym gweddi, ac o ffyddlondeb y saint. Y mae yna 'weddill ffyddlon' niferus yn arwain a rhannu mewn addoliad yn ein heglwysi a'n capeli rhai yn medru gweddïo'n gyhoeddus, ac eraill yn teimlo'n llai hyderus i wneud hynny heb ganllaw ysgrifenedig.

Yn anffodus, stori gyffredin yw clywed am oedfaon yn cael eu 'gohirio' oherwydd nad yw'r 'pregethwr yn medru dod'. Diolch i'r cynulleidfaoedd lleol hynny sy'n ymdrechu i gynnal oedfa gan ddefnyddio eu doniau cynulleidfaol, ac i'r pwrpas hwnnw y cyflwynir y gyfrol hon. Ceir yma dros gant a hanner o weddïau, wedi eu gosod mewn 52 adran, gyda darlleniad pwrpasol i gyd fynd â phob gweddi. Dyma ddigon o ddeunydd felly am flwyddyn o Suliau.

Rhaid diolch i'r brodyr a'r chwiorydd hynny a gyfrannodd bum gweddi yr un i'r casgliad a hynny ynghanol prysurdeb a gofal gwaith llawn amser.

Wrth i ni gyflwyno'r casgliad i sylw'r eglwysi, ein gweddi yw y bydd i'r deunydd defosiynol yma fod yn gyfrwng i hybu a grymuso ein haddoliad ac yn fodd i ddyrchafu enw Duw.

Cyhoeddwyd y gweddïau yn y casgliad hwn yn wreiddiol yn 1996, a'u cyhoeddi mewn 3 cyfrol, yn dwyn y teitlau *Gweddïau Cyhoeddus 1, 2* a *3*. Mae'r tair cyfrol allan o brint ers amser bellach a nifer wedi bod yn gofyn am ail gyhoeddi. Felly, penderfynwyd mai da o beth fyddai hel y tair cyfrol i mewn i un gyfrol swmpus a dyma gyflwyno *Gweddïau Cyhoeddus*.

Aled Davies.
Hydref 2004

Dechrau Blwyddyn

Darlleniad: Salm 33

Arglwydd ein Duw, diolchwn i ti am gael camu i flwyddyn newydd
arall. Wrth edrych yn ôl ar y flwyddyn a aeth heibio, diolchwn i ti
am dy gariad a'th ofal trosom. Bu i ni fwynhau dy fendithion bob
dydd, 'bob bore y deuant o'r newydd, mawr yw dy ffyddlondeb'.
Cynorthwya ni i werthfawrogi dy roddion, ac i gydnabod mai ynot
ti yr ydym 'yn byw, yn symud ac yn bod'. Cydnabyddwn inni ar
brydiau dy anghofio a throi cefn arnat, ond ni wnest ti erioed ein
hanghofio ni na throi cefn arnom. Cynorthwya ni yn ystod y
flwyddyn hon i fod yn fwy gwerthfawrogol o'th roddion, yn fwy
ffyddlon i ti, ac i'n cysegru ein hunain yn llewyrch yn dy waith ac
mewn gwasanaeth i eraill.

A chan gofio profiadau ddoe, fe wynebwn ni yfory yn hyderus
gyda thi. Gwyddom y byddi eto yn trugarhau wrthym, ac yn gofalu
amdanom.
> 'Er maint y daioni a roddi mor hael,
> Tu cefn i'th drugaredd mae digon i'w gael;
> Llawenydd yw cofio, er cymaint a roed,
> Fod golud y nefoedd mor fawr ag erioed.'

Gweddïwn am dy fendith ar y flwyddyn hon. Gweddïwn am iechyd
i fwynhau breintiau bywyd. Gweddïwn am gyfiawnder a heddwch
yn ein byd. Gweddïwn dros y rhai sydd mewn awdurdod, dros
arweinyddion byd, ar iddynt lywodraethu yn unol â'th ewyllys di.
Gweddïwn dros ein cyd Gristnogion, gan gofio'n arbennig am y
rhai sy'n cael eu herlid oherwydd eu ffydd. Gweddïwn dros yr
Eglwys, ar i'r Eglwys fod yn offeryn effeithiol yn dy law i gario
efengyl Iesu Grist i bob cwr o'n byd.

Gweddïwn y byddwn ninnau fel dy ddilynwyr yn tyfu i fod yn
Gristnogion aeddfetach, fel y gall eraill weld Iesu ynom.
Gweddïwn am i ti dywallt dy Ysbryd Glân i'n calonnau, oherwydd

heb rym dy Ysbryd ni allwn wneud dy waith.

Gwared ni, ein Tad, rhag bod yn hunanol gyda'th roddion. Mae dy fendithion di i'w rhannu gyda phawb o bobl y byd. Gweddïwn y byddwn fel unigolion yn barotach yn ystod y flwyddyn hon i rannu, ac y bydd llywodraethau'r byd yn cydweithio fwyfwy â'i gilydd i ddileu newyn a thlodi, ac i ddarparu ar gyfer yr amddifad, y digartref a'r diwaith. Arglwydd, paid â gadael inni fynd 'heibio o'r ochr arall'; boed inni dosturio ac ymgeleddu.

Ein Tad, cysegrwn ein hunain o'r newydd i ti, ac i waith dy Eglwys. Gwna ni'n well disgyblion i Iesu Grist.

> 'O na allwn garu'r Iesu
> Yn fwy ffyddlon, a'i wasnaethu;
> Dweud yn dda mewn gair amdano,
> Rhoi fy hun yn gwbl iddo.' Amen.

Ifan Roberts

Dechrau Blwyddyn

Darlleniad 1 : Josua 1: 1 9, 3: 1 4
Darlleniad 2 : Rhufeiniaid 12: 9 21

Wrth droi atat, Arglwydd ein Duw, ein Craig a'n Prynwr, ar ddechrau blwyddyn arall, argyhoedda ni o'r newydd ein bod ni, sydd mor gaeth i amser, yn cael braint wrth agosáu atat ti, y Duw diamser. Na foed inni anghofio fod un diwrnod yn dy olwg di fel mil o flynyddoedd, a mil o flynyddoedd fel doe cyn geni'r mynyddoedd, a chyn esgor ar y ddaear a'r byd, o dragwyddoldeb hyd dragwyddoldeb. Ti sydd Dduw. Wrth feddwl mai dros amser yn unig yr ydym yn tramwyo'r ddaear, dysg inni gyfrif ein dyddiau, inni gael calon ddoeth.

Derbyn ein diolch am dy gysgod yn y gorffennol. Bu dy ddaioni a'th drugaredd yn ein canlyn. Wrth ddiolch am fendithion bywyd a fu'n ein cynnal, wrth ddiolch am dy haelioni a ddaeth bob bore o'r newydd, cofiwn a meddyliwn am y rheiny sydd, ar ddechrau blwyddyn arall, yn cael anhawster i gredu ynot ti o gwbl. Pobl a'u hamgylchiadau wedi eu chwerwi. Pobl o bob oed a'u gobeithion wedi troi'n lludw. Pobl wedi edrych am bethau gwych i ddyfod, ond croes i hynny wedi digwydd. Pobl wedi gobeithio am y melys ond wedi cael wermod. Gweddïwn yn arbennig dros bobl fel hyn, Arglwydd. Pâr i'r flwyddyn newydd ddod â rhyw orfoledd iddynt, rhyw dangnefedd a chysur o'r newydd na fedr y byd ei roddi. Planna obaith yn eu calonnau.

Wrth inni sylweddoli mai yn dy law di y mae ein hamserau, helpa ni i gofio er hynny dy fod yn gosod cyfrifoldeb mawr arnom ni. Gad inni dreulio'r flwyddyn newydd yn nes atat ti. Diolchwn dy fod yn gwybod ein defnydd ni; yr wyt wedi ein chwilio a'n hadnabod, yn gwybod ein meddyliau o bell. Gwnawn addunedau fil ond methwn â'u cadw. Y flwyddyn hon eto, byddwn yn gwneud y pethau na ddylem, ac yn esgeuluso gwneud y pethau y dylem eu gwneud.

Byddwn fel defaid yn troi, bawb i'w ffordd eu hun. Byddwn yn hunanol yn meddwl amdanom ein hunain yn unig. Arglwydd trugarog, ar ambell adeg o leia yng nghanol ein prysurdeb materol, cwyd ein meddyliau ni uwchlaw cymylau amser, i geisio meddwl am egwyddorion dy deyrnas di.

Ar ddechrau blwyddyn newydd gweddïwn dros blant ein gwlad. Cyflwynwn hwynt i ti. Mae'r dyfodol o'u blaen hwy. Dyfodol, fel pob dyfodol erioed, sydd yn ansicr. Mae yna demtasiynau fil yn mynd i'w hwynebu. Bydd peryglon ar bob llaw. Cadw hwy yn ddiogel, O! ein Duw, oddi wrth bob math o gyffuriau sydd mor niweidiol, oddi wrth ddrygioni o bob math. Meddyliwn am blant heb ddiogelwch cariad, na chartref lle mae mam a thad yn ofalus ohonynt. Am blant sy'n cael eu magu mewn tlodi, hyd yn oed mewn gwlad fel ein gwlad ni. O! Dduw, cymer drugaredd ar ein dyddiau.

Gweddïwn dros ein pobl ifainc. Llawer ohonynt mewn anobaith oherwydd diffyg gwaith. Llaweroedd yn cael bywyd yn ddiflas a dibwrpas. Gweddïwn dros y rhai sy'n alluog ac yn cael bywyd yn rhwydd, ar iddynt gael eu hargyhoeddi o gymaint sydd ganddynt i'w gyfrannu i gymdeithas.

Ar ddechrau blwyddyn newydd gweddïwn yn arbennig iawn dros yr Eglwys pob cangen ohoni. O! na fyddai'r flwyddyn newydd yn dod â ni'n nes at ein gilydd, i fod yn un. Diolchwn am yr efengyl yr efengyl y daeth dy Fab Iesu Grist â hi'n byd. Ar ddechrau blwyddyn, diolchwn fod Iesu Grist, fel ei efengyl, yr un ddoe, heddiw ac am byth. Hiraethwn am weld yr efengyl yn cael ei lle o'r newydd yng nghalonnau a bywydau pobl. O! ein Duw, galw eto fyrddiynau ar dy ôl.

Rho dy fendith ar y flwyddyn newydd hon. Cymer ni yn dy law. Gofynnwn y cwbl yn enw ein Harglwydd, ein Prynwr, ein Gwaredwr, Iesu Grist. Amen.

Gareth Alban Davies

Dechrau Blwyddyn

Darlleniad 1 : Mathew 6: 25 34
Darlleniad 2 : Salm 110

Ein Tad tragwyddol, diolchwn i ti am gyfle i droi atat gyda'n gilydd ar ddechrau blwyddyn arall. Cyfaddefwn ein bod yn edrych i'r gorffennol a'r dyfodol. Wrth wneud hynny, ni allwn beidio â theimlo'n bychander yn wyneb treiglad amser. Byr ac ansicr yw'n heinioes ni ond yr wyt ti'n Dduw 'o dragwyddoldeb hyd dragwyddoldeb'. Eto, at bwy yr awn ni ond atat ti yn Iesu Grist, oherwydd gennyt ti y mae geiriau bywyd tragwyddol.

Ceisiwn dy gymorth yn ostyngedig i'n sefydlogi ni'n hunain ac i allu canolbwyntio ein meddyliau arnat ti. Gwibiog ac ansefydlog yw ein meddyliau ni ar y gorau, ond yn arbennig felly ar ddechrau blwyddyn. Symudwn o hyd rhwng ddoe ac yfory. Nid ydym yn fodlon ar y gorffennol a phryderwn am y dyfodol. Ni allwn newid dim ar y gorffennol ac ni wyddom beth a all ddigwydd yn y dyfodol. Dyro inni brofiad y Salmydd mai 'ti Arglwydd, fuost yn breswylfa i ni ym mhob cenhedlaeth'. Trwy dy gynhaliaeth di y daethom cyn belled â hyn ac ni allwn gamu allan o'th ofal a'th gynhaliaeth.

Diolchwn i ti, O! Dduw, am brofiad cyfoethog y Salmydd ac am iddo'i groniclo mewn cerdd afaelgar. Ni wyddom ddim amdano nac am amgylchiadau ei fyw. Ni wyddom pryd yr oedd ef yn teithio'r ddaear hon. Ond gwyddom iddo yntau yn ei dro deimlo'i fychander a'i ansicrwydd a'th gael di'n breswylfod iddo. Dyro i ninnau heddiw ymwybyddiaeth o'th fawredd anchwiliadwy ac o'th agosrwydd diarwybod atom. Dyro i ninnau allu mynegi yn ein bywydau yr hyn a fynegodd y Salmydd yn ei gerdd.

Yn ein hymwybyddiaeth ohonom ein hunain, galluoga ni i archwilio'n calonnau a'n meddyliau. Dyro inni ddwyster a gonestrwydd i wneud hynny, fel y gwaeth eraill ar hyd y canrifoedd.

     'Chwilia f'enaid, gyrrau 'nghalon,
     Chwilia'i llwybrau maith o'r bron,

Chwilia bob ystafell ddirgel,
Sydd o fewn i gonglau hon:
Myn i maes bob peth cas
Sydd yn atal nefol ras.'

Gwna ni'n ymwybodol na allwn guddio dim rhagot. 'Gosodaist ein hanwiredd ger dy fron, ein dirgel bechodau yng ngoleuni dy wyneb.' Cryfha'n hymddiriedaeth ynot fel y gallom ein mynegi ein hunain ger dy fron.

O! Arglwydd, cyn inni gychwyn ar flwyddyn newydd dyro inni geisio cael gwared â'r flwyddyn sydd wedi mynd heibio. Diolchwn am y cyfan a gawsom mewn gwybodaeth a phrofiad ac am bob datblygiad mewn meddwl ac ysbryd. Trysorwn y profiadau a gawsom yn ein perthynas â'n gilydd ac yn ein perthynas â thydi, profiadau a fydd yn gymorth inni yn y dyfodol. Ond dyro inni gael gwared â'r pethau sy'n ein caethiwo ac yn ein darostwng, yn ein perthynas â'n gilydd ac yn ein perthynas â thi. Dyro inni gael gwared â'r pethau sy'n faich ac yn rhwystr ac na allwn eu cario ymhellach. Boed inni eu bwrw ymaith rhagfarnau, geiriau cas, eiddigedd, anffyddlondeb, methiant i gymodi, a llu mawr o wendidau eraill y cawn hi'n anodd eu cyffesu a'u cydnabod ger dy fron ac y gwyddom dy fod ti wedi eu maddau. Dyro inni o'r newydd brofiad yr emynydd:

'Mi dafla 'maich oddi ar fy ngwar
Wrth deimlo dwyfol loes;
Euogrwydd fel mynyddoedd byd
Dry'n ganu wrth dy Groes.'

Dyro inni gael gwared â beichiau a gofidiau y flwyddyn a aeth heibio. Gweddïwn am arweiniad yr Ysbryd Glân i ymgyflwyno i Iesu Grist gan sylweddoli mai 'Ef yw'r ffordd, y gwirionedd a'r bywyd'. Ynddo ef, ac iddo ef a thrwyddo ef y gallwn fyw'n llawn. Gwna ni'n fwy anturus dros Iesu Grist yn ein cenhadaeth. Gwna ni'n fwy ffyddlon iddo yn ein byw. Gwna ni'n fwy didwyll yn ein haddoliad. Gwna ni'n fwy tebyg iddo. Trwy hyn oll, dyro inni allu byw'n llawnach, yn ffyddlonach ac yn helaethach, fel plant i ti. Dyro inni allu rhedeg ein gyrfa gan edrych ar Iesu, pentywysog a pherffeithydd ein ffydd, er gogoniant i'th enw. Amen.

John Owen

Gŵyl Ddewi

Darlleniad: Ecclesiasticus 44: 1 15

Diolchwn i ti, ein Tad, am greu amrywiaeth yn dy fyd   amrywiaeth cenhedloedd, pobl, ieithoedd, traddodiadau a diwylliant. Maddau inni ein bod wedi defnyddio'r amrywiaeth hwn fel esgus dros genfigen a chynnen. Dysg ni i barchu cenhedloedd, ieithoedd a diwylliant ein gilydd, a'u gweld yn bethau sy'n cyfoethogi bywyd ein byd. Nid oes ffafr yn dy olwg di. Mae pob cenedl, lliw ac iaith yn gyfartal. Gad inni felly roi'r un urddas a'r un gwerth ar ein gilydd ag yr wyt ti wedi ei roi arnom ni.

Diolch am greu Cymru a'i phobl. Diolch fod gennym iaith a diwylliant unigryw, a bod yr iaith a'r diwylliant hwnnw'n gallu sefyll yn gyfochrog ag ieithoedd a diwylliannau eraill sydd bellach yn rhan o fywyd Cymru.   Gwared ni rhag troi cefn ar y pethau hynny sydd wedi ein gwneud ni'n genedl, a chynorthwya ni i gario gyda ni o'r gorffennol y pethau hynny sy'n mynd i gyfoethogi ein dyfodol. Gwna ni'n falch o'n traddodiadau, yn falch ein bod yn Gymry, nid am ein bod yn well nag unrhyw genedl arall, ond am ein bod yn caru Cymru a'i phobl, ac am weld parhau'r genedl hon, gan y byddai ei diflaniad yn tlodi bywyd y byd.

Diolchwn i ti am draddodiad Cristnogol cyfoethog Cymru, ac am y rhai a weithiodd ar hyd y canrifoedd i sicrhau fod efengyl Iesu Grist yn dod i glyw pobl ein gwlad. Yr ydym heddiw'n cofio ac yn diolch yn arbennig am fywyd Dewi Sant. Diolch am ei dduwioldeb, ei dosturi, ei ddyfalbarhad, a'i sêl dros yr efengyl. Gwna ni'n debyg i Dewi, yn eiddgar i gyflwyno Iesu a'i neges i bobl Cymru heddiw. Dyro inni'r ysbryd cenhadol oedd mor amlwg ym mywyd Dewi a'i gydweithwyr, yr ysbryd hwnnw a'i gyrrodd ar hyd a lled Cymru i ddweud wrth eraill am Iesu Grist. Cynorthwya ni heddiw i ymateb i alwad Iesu, i fynd a gwneud disgyblion o'r newydd iddo ef.

Gweddïwn yn arbennig dros blant ac ieuenctid Cymru ar iddynt gael cyfle i ddod i adnabod Iesu Grist a'i garu. Dyro i ni fel eglwysi, O! Dad, faich dros y genhedlaeth newydd sy'n codi yng Nghymru heddiw. Dyro inni hefyd weledigaeth fel y gallwn gyflwyno'r efengyl iddynt mewn iaith a chyfrwng y maent yn eu deall.

Ein gweddi, O! Dad, yw y bydd Cymru eto'n dir ffrwythlon i'r efengyl, oherwydd fe wyddom fod ar Gymru a'i phobl angen Iesu Grist, a bod y genedl hon, fel pob cenedl arall, ar ei gorau pan yw'n byw'n agos atat ti.

> 'Pâr i'n cenedl annwyl rodio
> Yn dy ofn o oes i oes,
> Gyda'i ffydd yng ngair y cymod,
> Gyda'i hymffrost yn y groes.' Amen.

Ifan Roberts

Gŵyl Ddewi

Darlleniad 1 : Salm 80
Darlleniad 2 : Actau 10: 34 48

Ar ŵyl arbennig yn ein hanes fel cenedl trown o'r newydd atat ti, Arglwydd pob cenedl. 'Dros Gymru'n gwlad, O! Dad, dyrchafwn gri.' Diolchwn am ei gorffennol hi a'r hyn a gawsom ar hyd y canrifoedd. Bendigwn dy enw mawr fod yr efengyl wedi dod yma'n gynnar yn ein hanes. Addolwn di am ddylanwad yr efengyl ar ein broydd. Cofiwn am y cewri a fu'n tystiolaethu i Iesu Grist. Wrth feddwl am Ddewi Sant, diolchwn am bob hanes amdano   ei esiampl sy'n ddieithr i ddyddiau fel ein dyddiau ni. Cymer drugaredd ar ein gwlad, dyddiau addoli Mamon, dyddiau dihiraeth am efengyl sy'n achub. Adfer ni i ti, O! Dduw. Bydded llewyrch dy wyneb arnom, a gwareder ni. Gofala, Arglwydd, am y winwydden hon   y mae baedd y coed yn ei thyrchu ac anifeiliaid gwyllt yn ei phori. O! ein Tad, adfywia ni, fel y gallwn fyw er dy enw.

Diolchwn am gewri fel yr Esgob Morgan, a lafuriodd heb yr un ddyfais fodern i ni gael dy Air yn ein hiaith. Y Gair sy'n sôn am y Gair a ddaeth yn gnawd ac yn oleuni i ni. Diolchwn am ddiwygiadau   y cyfnodau o ddeffro mawr sydd wedi digwydd yn ein hanes. Y deffro'n codi ein Cymru ar ei thraed. Y deffro a roddodd ruddin i enaid ac a fu'n gyffro i wella corff yn ogystal. Diolch am argyhoeddiad John Penry; am salmau cân Edmwnd Prys; am Gannwyll y Ficer Prichard; am dröedigaeth Howell Harris; am emynau Williams Pantycelyn; am bregethu Daniel Rowland; am ysgolion Griffith Jones. Diolch am dorf o bobl na wyddom eu henwau a ddaeth i arddel enw Iesu Grist, a rhoi glendid yn ein dyffrynnoedd. Diolch am weddïau'r tadau a fu   gwerinwr yn plygu glin; gwraig yn adrodd salm ac emyn; plant yn cael eu harwain i ffyrdd purdeb a moes.

Gwared ni, er hyn, O! Arglwydd, rhag gwyngalchu ein doe yn

ormodol a meddwl mai dim ond düwch sydd yn y dyfodol. Yr un wyt ti o hyd. O ganol ein bodoli gwacsaw, dysg ni i gredu, O! greawdwr y greadigaeth, dy fod ti'n Dduw. Ynghanol malltod oed, nertha ni i godi'n golygon i Galfaria, a gweddïo ar y Crist a ddioddefodd hoelion y stanc i roddi inni urddas yn ôl. Tywallt, O! Iesu, olud dy waed i enaid ein gwlad; tro ni'n ôl i addoli wrth allor fel y cawn ni, fel y ddau ar ffordd Emaus, dy adnabod o'r newydd ar doriad y bara; fel y cawn ni wrth yfed y gwin gofio'r gost inni gael maddeuant am bechod a bai.

Diolch i ti, ein Tad, am wlad mor hardd ac mor dlos. Diolch am bob mynydd a bryn, dyffryn ac afon. Diolch i ti am dechnoleg fodern sy'n ysgafnhau beichiau bywyd. Diolch i ti am ein hysgolion ac am ein colegau sy'n cyfrannu addysg. Diolch, Arglwydd, fod gennym lan a chapel o hyd; fod gennym bregethu'r Gair a chanu mawl ac Ysgol Sul. Ar waetha'r drain a'r ysgall, diolch am bob ymdrech i wneud ein gwlad yn wlad i ti.

Wrth feddwl am ein gwlad, ac yn arbennig wrth ddathlu gŵyl ein nawddsant, gad inni gofio'n barhaus nad wyt ti'n dangos ffafr. Rwyt yn Dduw pob gwlad a chenedl. Wrth ddiolch i ti am fendithion ein gwlad, cofiwn yn wylaidd am y gwledydd hynny sy'n dioddef oherwydd creulondeb pobl at ei gilydd; y gwledydd lle mae tywallt gwaed yn ffordd o fyw; y gwledydd lle na chaiff plant bach diniwed brofi beth yw blas bwyd maethlon na difyrrwch chwarae plentyn. Maddau i ni fel gwlad gyfoethog na wnawn fwy i helpu ein cyfeillion diamddiffyn.

Dduw Iôr, a thad ein Gwaredwr annwyl Iesu Grist, cymer drugaredd arnom. Gofynnwn hyn yn ei enw ef. Amen.

Gareth Alban Davies

Gŵyl Ddewi

Darlleniad 1 : Salm 33: 12 22
Darlleniad 2 : Galatiaid 6: 1 10

Clodforwn di, O! Dduw a Thad yr oesoedd. Gelwi rai o hyd i'th wasanaethu. Diolchwn am dy ffyddlondeb i Gymru. Canmolwn di am y modd bu iti lefaru a gweithredu drwy Dewi Sant. Hefyd, cofiwn am y neges a drosglwyddaist drwyddo inni fel Cymry.

Gad inni sylweddoli ein bod yn freintiedig, a lle bynnag y mae yna freintiau, fod yna gyfrifoldebau hefyd.

> 'Â chalon wresog rhoddwn glod
> I'th enw di ar ddydd ein Sant.
> Rho inni flas ar eiriau'r nef
> Yn iaith ein gwlad, i'w hachub hi.'

Gwerthfawrogwn dy fod wedi'n galw ni i wasanaethu'n hoes. Boed inni, O! Dad, drwy dy ras, weithredu fel y gweithredodd Dewi. Deisyfwn ar i'r Arglwydd a arddelai Dewi, gael ei arddel eto fel Arglwydd yng Nghymru. 'Gwyn ei byd y genedl y mae'r Arglwydd yn Dduw iddi,' medd y Salmydd.

Trwy dy Ysbryd Glân, argyhoedda ni fel cenedl o bechod, cyfiawnder a barn. Plyga ni mewn edifeirwch. Maddau inni am roi ein hymddiriedaeth mewn pethau yn hytrach nag yn y person Iesu. Gwared ni rhag ysbryd balch, cul a hunangyfiawn. Helpa ni i gyfaddef ein gwendidau ein hunain a gwerthfawrogi ein galluoedd ein gilydd fel y gallom gyd dynnu a chydweithio er budd a lles Cymru.

Gyda diolch, O! Dad, cofiwn i'r Arglwydd Iesu ddod i'r byd hwn, i'n mysg, i wasanaethu a bod yn Waredwr inni. Gweddïwn am ras i gario beichiau ein gilydd, ac felly gyflawni 'Cyfraith Crist,' gan gofio dy fod di yn dy drefn wedi sicrhau 'beth bynnag y mae dyn yn ei hau, hynny hefyd y bydd yn ei fedi.'

Cyflwynwn iti deulu'r ffydd, ein brodyr a'n chwiorydd yng Nghrist yng Nghymru heddiw. Deisyfwn am ras i fod yn llawen, cadw'r ffydd a'r gred, a gwneud y pethau bychain.

O! am 'ymddwyn yn unol â'r safon yr ydym wedi ei chyrraedd' yng Nghrist. Gwared ni rhag diystyru 'dydd y pethau bychain', ein Tad. Cynorthwya ni i fod yn ffyddlon yn y lleiaf. Na foed inni fod yn rhy fawr i gymryd sylw o'r unigolyn, a'i wasanaethu lle bynnag y cawn ein hunain yn dy wasanaethu.

Bydded i ninnau fedru dweud a gweithredu fel dy was, Job; ein bod yn gwneud i galon y weddw lawenhau; ein bod yn llygaid i'r dall; ein bod yn draed i'r cloff; ein bod yn dad i'r tlawd; a'n bod yn chwilio i achos y sawl nad adwaenom.

'Pâr i'n cenedl annwyl rodio
Yn dy ofn o oes i oes,
Gyda'i ffydd yng ngair y cymod,
Gyda'i hymffrost yn y Groes.'

'Er mwyn dy Fab a'i prynodd iddo'i hun,
O! crea hi yn Gymru ar dy lun,
A'n heniaith fwyn â gorfoleddus hoen
Yn seinio fry haeddiannau'r addfwyn Oen.'

O! Dad, cynorthwya ni i ddibynnu ar dy allu di i ddefnyddio'r hyn a roddwn ar allor dy wasanaeth i'th bwrpas tragwyddol ar gyfer y genedl hon y bu i Dewi Sant ei gwasanaethu mor ffyddlon yn ysbryd dy annwyl Fab Iesu. Boed hyn oll yn gyfle i'th ogoneddu di, ac yn fodd i ymestyn dy deyrnas a'th lywodraeth di yng Nghymru. Yn enw Iesu, yr hwn a ddyrchafwn yn ben, a'r un y plygwn yn ostyngedig ger ei fron. Haleliwia! Amen.

Gareth Hughes

Y Gwanwyn

Darlleniad: Caniad Solomon 2: 11 13

'O Arglwydd, ein Iôr, mor ardderchog yw dy enw ar yr holl ddaear!'

Canmolwn di, O! Dduw, am dy greadigaeth, ac am i ti osod trefn odidog ar yr hyn a greaist. Mae'r tymhorau'n dod yn eu tro, a rhoddaist bwrpas arbennig i bob tymor. Wedi oerni a seibiant y gaeaf, daw'r gwanwyn a'i fywyd newydd i lonni'r greadigaeth, ac mae'r blagur ar y coed yn ernes fod tyfiant a ffrwyth i ddilyn maes o law. Diolch am gael teimlo gwres yr haul unwaith eto, a mwynhau golau dydd sy'n ymestyn o ddydd i ddydd. Diolch am gael clywed cân yr adar ar fore braf, a gweld anifeiliaid wedi deffro eto o drymgwsg y gaeaf.

Arglwydd, y mae'r gwanwyn hefyd yn adeg paratoi'r tir a hau'r had. Bendithia'r paratoi a'r hau eleni, nid yn unig yng Nghymru ond trwy'r byd i gyd, fel bod cnwd digonol ar gyfer dyn ac anifail. Gwyddom mai ti, O! Arglwydd, sy'n peri tyfiant, ond ni ddaw tyfiant chwaith oni bai fod yna hau. Dyro dy fendith ar waith yr amaethwr, a phâr fod cynnyrch y tir yn cael ei rannu'n deg fel na fydd newyn yn ein byd. Diolch i ti, ein Tad, am obaith newydd y gwanwyn.

Ond, Arglwydd, yr ydym yn dyheu hefyd am weld gwanwyn arall yng Nghymru gwanwyn ysbrydol. Bu'r gaeaf yn hir; mae'r oerni wedi gafael ynom. Yn wir, mae rhai wedi digalonni am na welant arwyddion fod gwanwyn ysbrydol wrth law. Gweddïwn am wanwyn ysbrydol. Deffra ni o'n trymgwsg, ein Tad, fel dilynwyr Iesu Grist, a phâr fod gwres yr Ysbryd yn gafael ynom. Anfon ni i baratoi'r tir, ac i hau had yr efengyl yn naear Cymru. Dangos inni, Arglwydd, nad oes gobaith am gynhaeaf ysbrydol oni bai fod yr hau yn digwydd. Dyro i ni obaith am adnewyddiad, a bywyd newydd yr Ysbryd.

'Ysbryd y Gwirionedd, tyred,
Yn dy nerthol ddwyfol ddawn;
Mwyda'r ddaear sech a chaled,
A bywha yr egin grawn;
Rho i Seion
Eto wanwyn siriol iawn.'

Gweddïwn hyn yn enw Iesu Grist. Amen.

Ifan Roberts

Y Gwanwyn

Darlleniad 1 : Deuteronomium 8: 1 14
Darlleniad 2 : Marc 16: 1 8

Ein Tad, yr hwn wyt yn y nefoedd, wrth sylweddoli mai sôn am haf a gaeaf y mae dy Air di, sôn am oerni a gwres, amser hau ac amser medi, diolch i ti er hynny am bedwar tymor ein gwlad. Diolch am wanwyn a gobaith y gwanwyn y gaeaf a'i stormydd, ei rew a'i eira'n cilio a rhyw ysbryd newydd i'w synhwyro ar bob llaw.

Diolch i ti am aroglau'r gwanwyn. Aroglau'r ddaear yn deffro, a choed a llwyn yn dangos bywyd newydd. Tosturiwn, Arglwydd, wrth bobl ein dinasoedd mawr nad ydynt yn medru profi bendithion gwanwyn yn dod i'r tir; plant na chânt gyfle i werthfawrogi gwennol yn dod yn ôl i'w bondo; pobl o un flwyddyn i'r llall heb glywed y gog na gweld nyth aderyn.

Diolchwn am brysurdeb y ffermwr yn y gwanwyn ei egni gyda'r aradr yn rhwygo'r gwanwyn o'r tir, ei brysurdeb yn hau er mwyn i'r bwytawr gael bara. Diolch i ti am foreau tyner y tymor hwn, a'r adar bach a'u canu fel un côr. Bendigwn dy enw am foreau tawel, hyfryd, a chân ehedydd yn esgyn fry i'r entrych digwmwl nes mynd o olwg byd a'i boenau. Gweddïwn dros y rheiny sydd heb lygad i weld rhyfeddodau'r gwanwyn; dros y rheiny sydd heb glust i glywed cri'r gylfinir yn codi o'i nyth. Diolch am weld y lili wen fach gyntaf yn gwthio drwy galedwch y pridd, am y daffodil melyn yn siglo'n hamddenol yn yr awel. Diolch am wynder blodau'r llwyni drain. Diolch am y dolydd yn glasu, nant yn ymdroelli heb ruthr llif y storm. Diolch am y praidd sy'n geni'r ŵyl, a'u prancio a'u rhedeg ras yn peri i ias fynd drwy'r cnawd.

Gweddïwn, ein Tad, dros y rheiny sy'n teimlo ynni'r gwanwyn yn difa eu nerth; y rheiny sy'n wynebu'r dirgelwch mawr bod tymor mor llawn o fywyd yn dod â'i ddigalondid a'i ddiffrwythdra, ei dristwch a'i ysbryd isel. Ein Tad, gweddïwn dros y rheiny sy'n gorfod mynd drwy gyfnod anodd fel hyn. Gweddïwn dros bawb mewn afiechyd sy'n methu mwynhau breintiau'r gwanwyn.

Diolchwn am ŵyl fawr y gwanwyn y Pasg. Cofiwn am y griddfannau yn yr ardd; cofio'r llu o filwyr yn dal yr Oen diniwed. Wrth sôn am oen yn prancio ar ddôl, Arglwydd, cofiwn am yr Oen a gafodd ei ladd ar y bryn. Diolch am y gwaith a gyflawnwyd ar y bryn bythgofiadwy hwnnw unwaith ac am byth. Diolch am drefn i faddau pechod. Diolch nad y bedd oedd diwedd yr hanes. Diolch am yr atgyfodiad mawr a ddaeth â gwawr bywyd newydd i ni. Torrodd y wawr. Daeth y cadarn yn rhydd. Cododd y Ceidwad. Gogoniant i'th enw di, ein Tad mae Iesu'n fyw.

Ond wrth feddwl am y gwanwyn a'r gobaith sydd yn yr efengyl, meddyliwn am gyflwr dy Eglwys di yn ein hoes a'n dydd. Mae gaeafau'n mynd heibio ac nid ydym fel gwlad wedi ein hachub. Mae'r ych yn nabod ei berchennog, a'r asyn breseb ei feistr, ond nid yw'r bobl yn dy gydnabod di, O! Dduw. Dysg ni i ofyn fel dy broffwyd gynt, onid oes balm yn Gilead? Onid oes yno ffisigwr? Gad i ni ddyheu am ddeffroad newydd am fod Seion yn llwfrhau. O! ein Tad, pâr fod yna ddeffro'n dod i'n calonnau ni ac i'n heglwysi. Pâr fod y nerth sydd i'w weld ar bob llaw yn ein tir yn nhymor y gwanwyn yn cerdded hefyd drwy ein heneidiau trist. Am dy wanwyn di, O! Dduw, dros anial gwyw dynolryw deffro'n llef; a dwg yn fuan iawn i'n clyw y sŵn o'r nef.

Dyro inni drachefn orfoledd dy iachawdwriaeth. Amen.

Gareth Alban Davies

Y Gwanwyn

Darlleniad 1 : Salm 34: 11 22
Darlleniad 2 : Luc 2: 41 52

Arglwydd, creawdwr a chynhaliwr y tymhorau ydwyt. O'th ddoethineb, daw pob un ohonynt yn ei dro gyda'i bwrpas arbennig ei hunan. Yn wir, clodforwn di nid yn unig am dy ddoethineb, ond hefyd am dy drefnusrwydd.

'Daw'r gwanwyn â newyddion da.' Diolch i ti am sicrhau y tymor hwn o obaith inni. Diolch am gael gweld croth natur yn agor i roi bywyd ifanc a thyfiant wedi'r gaeaf. Dotiwn, O! grëwr hael, at y grym, yr egni a'r ffresni. Dotiwn hefyd at y ffaith fod y bywyd newydd yma yn dod i'r golwg mor ddi stŵr. Clod i ti fod byd natur mewn ufudd dod i ti ac, oherwydd ei ufudd dod, yn foliant i ti. Maddau inni ein hanufudd dod i ti. Rhaid inni gydnabod ein bod yn dioddef canlyniadau echrydus ein gwrthryfela i'th erbyn. Anhrefnus yw ein bywydau, ac o ganlyniad anhrefn welwn o'n cwmpas.

Diolchwn, O! Dad, nad oes unrhyw sefyllfa yn anobeithiol gyda thi. Pâr inni sylweddoli hynny gyda dyfodiad y gwanwyn fel hyn. 'Dechreuad doethineb yw ofn yr Arglwydd,' medd dy Air. Dywed yr emynydd:

> 'Bydd llai o ddagrau, llai o boen,
> Pan gaiff yr Oen ei barchu.'

Cofiwn gyda chlod a diolch i ti y tymor hwn fod 'yr Oen di fai fu farw dros y byd', wedi dod allan o'r bedd yn fyw y trydydd dydd! Haleliwia! Mawrygwn di am y gobaith mae Ef wedi sicrhau i'r sawl a gredo ynddo.

Gwerthfawrogwn, ein Tad, wanwyn ein bywydau a'r cychwyniad gawsom mewn awyrgylch Cristnogol. Diolch i ti am ffyddlondeb y rheiny ddaliodd ati i hau hadau'r ffydd Gristnogol yn ein bywydau.

Clodforwn di am iti ein harwain at y bywyd newydd yng Nghrist drwy dy Ysbryd Glân. Gweddïwn y byddi, trwy'r un Ysbryd, yn ein cadw'n iraidd ac egniol er mwyn Iesu sy'n rhoi blas i fywyd ac ar fyw.

Pâr inni sylweddoli fod yna werth i'r amser tawel pryd y deuwn 'yn fwy tebyg i Iesu Grist yn byw', wrth inni 'ddal cymundeb' â thi fel y gwnâi efe. Bendigwn di am yr arferion da byddai Iesu yn eu cadw. Difrifola ni i'r ffaith mai ni sy'n gwneud ein harferion, ac y bydd yr arferion hynny, ymhen amser, yn ein gwneud ni.

A hithau'n dymor yr hau a'r plannu, gweddïwn am ras i wneud hynny'n ffyddlon, gyda gobaith ac amynedd, nid yn unig ym myd natur, ond hefyd ym myd yr Ysbryd gan ymddiried y cynhaeaf i'th ofal di.

Boed i'r plant a'r ieuenctid yr ydym ni mewn cysylltiad â hwy ein cael yn ffyddlon iddynt ac yn amyneddgar yn ein hymwneud â hwy. Helpa ni i weld y potensial ynddynt yn hytrach na'u gweld fel problem.

Clod i ti dy fod wedi sicrhau nad 'yw dwylo plentyn yn rhy wan' i waith dy deyrnas. Deuwn felly â'r rheiny sydd yng ngwanwyn eu dyddiau i'th ofal tirion a thadol. Helpa hwy i ddewis yn ddoeth; i ofalu am eu cyrff; i ddefnyddio'u gwybodaeth i ddibenion cywir ac adeiladol; i fod yn gyfrifol i'r naill a'r llall; ac i dyfu mewn ffafr gyda thi.

Pan wnawn gamgymeriadau, diolch dy fod yn barod i faddau a rhoi cychwyn newydd, ffres inni. Boed i'r rheiny sy'n teimlo ei bod hi wedi mynd i'r pen arnynt brofi dy wanwyn newydd di yn Iesu Grist, a hwnnw'n symbyliad a gobaith iddynt i ddal ati gyda phwrpas. Yn enw Iesu, y 'ffordd a'r gwirionedd a'r bywyd.' Amen.

Gareth Hughes

Y Grawys

Darlleniad: Luc 4: 1 13

Arglwydd ein Duw, trown atat ar ddechrau'r Grawys, gan ofyn am dy fendith a'th arweiniad yn ystod y tymor pwysig hwn.

Diolchwn am yr hanes a ddarllenwyd sy'n sylfaen i'r Grawys, a helpa ni i fyfyrio o'r newydd ar y digwyddiadau.

Cofiwn fod yr Ysbryd a fu'n arwain Iesu yn yr anialwch yn dymuno ein harwain ninnau, wrth i ni wynebu profiadau amrywiol yr anialwch a ddaw i gwrdd â ni yn ein bywydau. Yn ein hunigrwydd, ein siom, ein diflastod, ein dryswch, ein hanobaith, ein gofidiau a'n hanawsterau, helpa ni i sylweddoli dy fod ti yn Arglwydd ar yr anialwch hefyd, ac yn drech na holl amgylchiadau dyrys bywyd.

Meddyliwn yn arbennig am ddisgyblaeth Iesu dros y deugain niwrnod a gweddïwn am gymorth i ninnau ymddisgyblu. Rhaid i ni gydnabod, Arglwydd, ein bod ni'n gallu bod yn ddiffygiol yn ein hymroddiad i'r bywyd Cristnogol ac yn annheilwng o gael ein galw'n ddilynwyr a disgyblion i Iesu. Mor aml y byddwn yn crwydro oddi wrthyt mewn meddwl a gair a gweithred.

Cawn ein hannog gan y Gair i ganolbwyntio ar y gwir a'r anrhydeddus, y cyfiawn a'r pur, yr hawddgar a'r canmoladwy, ar bob rhinwedd sy'n haeddu clod, ond eto gwyddom ein bod yn cael ein denu mor rhwydd at y gau a'r anurddasol, yr anhaeddiannol a'r amhur.

Cawn ein hannog gan y Gair i atal y tafod rhag drwg a'r gwefusau rhag llefaru celwydd, i gyfrannu bendith a gweddïo dros bawb, ond eto gwyddom mor rhwydd y llithra allan y geiriau angharedig a'r saethau miniog i glwyfo a dilorni.

Cawn ein hannog gan y Gair i garu'n gilydd, nid ar air ac ar dafod yn unig, ond mewn gweithred a gwirionedd, ond gwyddom mor rhwydd y gadawn i gyfle fynd heibio a methu gwneud unrhyw beth dros y lleiaf o dy blant di.

Trugarha wrthym, Arglwydd, yn ein methiant, ac adnewydda ni â'th faddeuant.

Yn ystod y Grawys hwn, cynorthwya ni i roi ein hunain o'r newydd o dan iau Iesu a dysgu ganddo ef. Cyfeiria ni'n gyson at lwybrau defosiwn, i astudio'r Gair ac offrymu gweddi, fel y gallwn ddyfnhau ein bywyd ysbrydol a gwrthsefyll pob temtasiwn, fel y gwnaeth Iesu.

Mewn byd sy'n ymwrthod â phob disgyblaeth ac sy'n mynnu troi rhyddid yn benrhyddid, bydded i ni ddangos gwerth y bywyd disgybledig a'r bendithion sydd i'w cael o fyw o fewn terfynau dy fwriad a'th ewyllys.

Fel y bu i Iesu ddefnyddio'r anialwch yn gyfnod o baratoi ar gyfer ei waith yn achub y byd, boed i ninnau wneud y defnydd gorau o'r tymor hwn i'n paratoi ein hunain ar gyfer y Pasg. Boed i'n golygon ni edrych ymlaen tuag at y Groes, a'n myfyrdodau ni ganolbwyntio ar yr aberth mawr trosom ni, fel y bydd ein hymroddiad dros yr efengyl a'n gwaith dros y deyrnas o'r radd flaenaf. Bydded i'n Grawys ni fod yn deilwng o'th Basg di, y cariad a roddodd ei hunan yn llwyr er mwyn rhoi bywyd i'r byd.

Yn enw ac yn haeddiant dy Fab, ein Gwaredwr Iesu Grist, Amen.

Robin Samuel

Y Grawys

Darlleniad 1 : Mathew 4: 1 44
Darlleniad 2 : Ioan 12: 20 32

Ein Tad nefol, wrth inni droi atat, cynorthwya ni i wybod beth i'w ddweud dyro drefn ar ein meddyliau, dyro rym i'n llefaru; anfon dy Ysbryd Glân i eiriol drosom ac i agor ein calonnau i ti. Gwêl ni'n plygu ger dy fron, O! Dad. Tosturia wrthym y munudau hyn yn dy annwyl Fab, Iesu Grist.

O! Grist a droediodd ffordd unig yr anial, cynorthwya ni i ymwrthod â themtasiynau. Dysg ni nad trwy rym y byd y mae canfod ffordd i fywyd, ond trwy gydnabod Duw yn Dad cariadus inni, a thrwy wneud ei Air yn sail i'n perthynas ni ag ef, ac â'n gilydd. Cynorthwya ni, O! Grist, i'th ganlyn drwy anialwch ein hoes, i'r bywyd sydd ar gael yn y Tad. Agor ein llygaid i'th weled; agor ein clustiau i'th glywed; agor ein calonnau i'th adnabod, er mwyn ein cadw rhag profedigaeth a'n gwared rhag yr un drwg.

O! Grist a gerddodd ffordd unig gwrthwynebiad a chasineb, nertha ni â'th Ysbryd ar gyfer pob brwydr a ddaw i ran y rhai sy'n barod i'th ganlyn di i'r pen. Yn ein hymdrech rho inni'r nerth i ymwrthod â dulliau'r byd o weithredu ysbrydola ni â geiriau grasol a chariad. Agor ein llygaid i'th weled; agor ein clustiau i'th glywed, agor ein calonnau i'th adnabod, fel y gallwn adnabod a gwrthod drygioni a charu'r drwgweithredwr fel ni ein hunain.

O! Grist a wynebodd ffordd ddioddefaint ac ing, cryfha'r rhai sy'n cael eu llethu gan bryder a phoen, ofn, ac unigrwydd yr enaid. Cofia'r rhai sy'n gorfod wynebu penderfyniadau dirdynnol ac anodd. Caniatâ inni bwyso arnat ac i ganolbwyntio ein myfyrdodau ar dy brofiadau ingol di yng ngardd Gethsemane. Agor ein llygaid i'th weld, agor ein clustiau i'th glywed, agor ein calonnau i'th adnabod, fel y gallwn, gyda thi, wynebu ein hofnau dyfnaf, a chanfod y ffydd i ddweud, 'Eithr nid yr hyn a fynnaf fi ond yr hyn a fynni di'.

O! Grist a weddnewidiwyd, ledia'r ffordd i lawr o esmwythyd a llonyddwch copa'r mynydd; deffro ni ac arwain ni i ganol realiti'r byd a'i anghenion. Cynorthwya ni i beidio â cherdded o'r tu arall heibio pan welwn angen yn rhythu arnom. Boed i'th weddnewidiad di droi'n weddnewid cyson a pharhaol ynom ni   yn fywyd a goleuni newydd ynom. Agor ein llygaid i'th weld, agor ein clustiau i'th glywed, agor ein calonnau i'th adnabod, i'n gwneud fel lefain byw ym mlawd y byd.

O! Grist buddugoliaeth y Groes, bydd yn ddrych cyson inni yn ein pechod a'n trueni. Cynorthwya ni i ganfod mai yn dy aberth di ar Groes Calfaria y mae ein hunig obaith i ganfod y ffordd at gariad Duw; mai ynot ti y mae'r fuddugoliaeth dros angau a'r bedd. Agor ein llygaid i'th weld, agor ein clustiau i'th glywed, agor ein calonnau i'th adnabod fel y gallwn ymglywed â'th eiriau grasol di dy hun: 'O! Dad, maddau iddynt, oherwydd ni wyddant beth y maent yn ei wneud'.

O! Dad, diolchwn i ti am aberth dy Fab, am iddo ymwrthod â ffordd y byd, am iddo wynebu rhwystrau a dioddefaint, am ei weddnewidiad, am ffordd y Groes   y cyfan er mwyn i bob un sy'n credu ynddo ef beidio â mynd i ddistryw, ond cael bywyd tragwyddol. O! Dad, diolchwn i ti am y cyfan, a gofynnwn i ti faddau ein pechodau, yn Iesu Grist. Amen.

Dafydd Hughes

Y Grawys

Darlleniad 1 : Salm 139: 23 24
Darlleniad 2 : Ioan 13: 31 35

'Arweinydd pererinion', diolchwn i ti am sicrhau nod, pwrpas ac ystyr i fywyd ar y ddaear. Dwyt ti ddim am i neb ohonom grwydro'n ddiystyr a dibwrpas.

'Tyrd atom ni, O! Dad ein Harglwydd Iesu,
I'n harwain ato ef.'

Ie, tyrd â ni i'r man rwyt ti am inni ddod iddo yn Iesu, yr hwn sydd yn gwaredu, bendigaid Fab y nef. 'Dwg ni i ffordd llesâd' yn y gwasanaeth hwn heddiw.

Fel y nesawn atat, diolchwn y bydd i tithau nesáu atom ni. Trwy dy ras, pâr i'r Grawys hwn fod yn amser o ddisgyblaeth a pharatoi ysbrydol inni ar gyfer y Groglith a'r Pasg.

'Moliannwn di, O! Arglwydd,
Wrth feddwl am dy ras
Yn trefnu ffordd i'n gwared
O rwymau pechod cas:
Wrth feddwl am y gwynfyd
Sydd yna ger dy fron
I bawb o'r gwaredigion,
'N ôl gado'r fuchedd hon.'

Haleliwia! Clod i ti am i ti yn Iesu ddod atom lle rydym, i ganol ein cyflwr a'n hangen fel pechaduriaid colledig. Allan o gariad atat ti, ac allan o ufudd dod i ti, y Tad tragwyddol, daeth yr Arglwydd Iesu, yr un perffaith, atom ni, yr amherffaith. Yn ifanc, cymerodd y llwybr a arweiniodd i'r Groes. A diolchwn i ti am iddo ef wneud i'r ychydig flynyddoedd y bu yma gyfrif a bod o werth. Diolchwn i ti ei fod ef wedi medru defnyddio pob dim a ddaeth i'w ran. Diolch mai ef oedd y meistr ar yr amgylchiadau, ac nad oedd yr amgylchiadau'n feistr arno ef.

Y Grawys hwn, O! am weld fod yr Arglwydd Iesu'n ein gwahodd i fynd yr holl ffordd gydag ef. Ydym, O! Dad, rydym fel aelodau dy Eglwys am gael archwiliad manwl gennyt y Grawys hwn. Ymdawelwn yn dy bresenoldeb sanctaidd yn awr. Ac wrth i ninnau ymdawelu, amlyga dithau'r pethau hynny sy'n groes i'th ewyllys, sy'n atal gwaith dy ras ac sy'n rhwystro dy deyrnas rhag ehangu.

Cyfnod o dawelwch

Rydym yn euog o hunan dyb a mympwy. Maddau inni. Rydym yn euog o goegni a gweld beiau; rydym yn llawn hunanddiddordeb. Maddau inni. Rydym yn euog o lwfrdra moesol; rydym yn golchi'n dwylo o'n cyfrifoldebau fel Cristnogion. Maddau inni. Rydym yn euog o adweithio yn anghristnogol yn hytrach na gweithredu yn Gristnogol. Maddau inni. Rydym yn agos at Iesu, ond eto'n euog o'i fradychu a'i wadu. Maddau inni. Rydym yn euog o ariangarwch. Maddau inni. Rydym yn euog o hwyluso pethau ar draul eraill er ein mantais ein hunain. Maddau inni. Rydym yn euog o falchder. Maddau inni. Rydym yn euog o gamddefnyddio Iesu er mwyn ein bwriadau hunanol. Maddau inni. Rydym yn euog o droi addoliad yn adloniant. Maddau inni.

Helpa ni i gerdded gyda'r Gwaredwr Iesu i Galfaria, gan fyfyrio'n dawel uwch yr hyn a olygai'r daith boenus honno iddo. Ydym, rydym am fynd yr holl ffordd gydag ef, gan ein hildio ein hunain iddo'n llwyr, fel y medr ef gymryd trosodd ynom. Clod i ti ei fod ef, O! Dad, wedi ei roi ei hun yn llwyr trosom er mwyn i ni, yr annheilwng rai, fedru bod yn eiddo llwyr iddo Ef am byth.

> 'Dim ond calon lân all ganu,
> Canu'r dydd a chanu'r nos.'

Caner tragwyddol glod i ti, ein Tad, yr un wnaeth y 'ffordd yn rhydd i'r nefoedd wen'. Yn enw ac yn haeddiannau Iesu. Amen.

Gareth Hughes

29

Sul y Blodau

Darlleniad: Luc 19: 28 44

'Bendigedig yw'r un sy'n dod yn frenin yn enw'r Arglwydd;
yn y nef, tangnefedd, a gogoniant yn y goruchaf.'

Fel y dyrfa ar strydoedd Jerwsalem yr ydym ninnau, Iesu, yn dy
groesawu'n frwdfrydig i'n hoedfa. Cydnabyddwn mai ti yw'r
Brenin, ac mai ti'n unig sy'n hawlio ein gwrogaeth a'n haddoliad
ni.

Ond diolch nad brenin rhyfelgar wyt ti, yn marchogaeth ar farch a
mintai'n dy ddilyn, ond un a ddaeth ar ebol gan gyhoeddi teyrnas a
ffordd tangnefedd. Fel y bu i ti wylo dros Jerwsalem, credwn dy fod
ti o hyd yn wylo dros gyflwr ein byd. Maddau i ni nad ydym eto fel
byd wedi gwrando ar dy neges a gweithredu; maddau nad ydym eto
wedi dysgu dilyn ffordd tangnefedd. Gweddïwn y bydd y rhai
treisgar a'r rhai sy'n caru rhyfel yn cael eu darostwng, ac y bydd
cymod a thangnefedd rhwng pobl a chenhedloedd ein byd.

Ar ddechrau wythnos y Pasg, pâr ein bod yn dwyn ar gof yr hyn a
ddigwyddodd, ac yn sylweddoli o'r newydd cymaint a gostiodd i ti,
O! Iesu, i ddwyn gobaith a bywyd newydd i'n byd. Cawn ein
hatgoffa, Arglwydd, pa mor anwadal ydym fel pobl, a bod y dyrfa
oedd yn dy groesawu ddechrau'r wythnos yn dy watwar a'th
wrthod erbyn ei diwedd. Gwared ni rhag bod yn rhan o'r dyrfa sy'n
dy wrthod ac yn cefnu arnat heddiw. Helpa ni i roi croeso i ti yn
ein bywyd, nid yn unig ar wyliau arbennig, ond bob dydd o'n hoes.
Ac oherwydd ein bod yn dy adnabod, Iesu, fel ein Gwaredwr a'n
Harglwydd, gallwn ninnau hefyd floeddio 'Hosanna, Haleliwia'.

'Hosanna, Haleliwia,
Fe anwyd Brawd i ni;
Fe dalodd ein holl ddyled
Ar fynydd Calfari;
Hosanna, Haleliwia
Brawd ffyddlon diwahân;
Brawd erbyn dydd o g'ledi
Brawd yw mewn dŵr a thân.'

Gweddïwn hyn yn enw Iesu Grist. Amen.

Ifan Roberts

Sul y Blodau

Darlleniad 1 : Eseia 50: 4 9
Darlleniad 2 : Mathew 21: 1 13

O! Dduw, ein Tad trugarog, yr un sy'n marchogaeth cymylau ein hamser ac sydd â'i law ar benffrwyn y byd, bydd gyda ni, y rhai sydd â'u dyddiau wedi eu ffrwyno ac sy'n ceisio marchogaeth y ddaear yn ôl ein heisiau ein hunain. Wrth inni droi atat, trugarha wrthym yn ein trueni a'n hangen, drwy Iesu Grist ein Harglwydd a'n Gwaredwr.

Cofiwn eiriau Iesu, 'Y mae'r sawl sydd wedi fy ngweld i wedi gweld y Tad'. Ac felly, O! Dad nefol, er na fu i'r un ohonom dy weld, cymorth ni i'th ganfod a'th amgyffred ym mywyd a gweinidogaeth Iesu. A heddiw, O! Dad, wrth i ymdaith fuddugoliaethus Iesu ddod i'r cof, ceisiwn, wrth blygu ger dy fron, ddygymod â'r hyn a ddigwyddodd, a'n hatgoffa ein hunain o arwyddocâd ei ddyfodiad rhyfedd. Bydd gyda ni, O! Dad, wrth inni dy geisio yn yr ymdaith hon.

Gad inni, yn Iesu, weld un sy'n dod yn ddistadl i ddinas ein profiad, yn llawn tangnefedd a chariad, yn dod i wasanaethu ac i'w roi ei hun yn bridwerth dros lawer. Cofiwn eiriau Iesu gyda diolch yn ein calonnau:

'Cymerwch fy iau arnoch a dysgwch gennyf oherwydd addfwyn ydwyf a gostyngedig o galon ac fe gewch orffwystra i'ch eneidiau.'

Diolch i ti am ddangos inni trwy Iesu Grist mai Duw addfwyn a gostyngedig o galon wyt ti.

> 'Iesu gaiff y clod i gyd
> Ymaith dug bechodau'r byd;
> Rhoes ei hunan yn ein lle,
> Bellach beth na rydd Efe?
> Haleliwia, llawenhewch!
> Dewch, moliennwch, byth na thewch.'

Cynorthwya ni felly, O! Dad, i werthfawrogi dyfodiad Iesu ac i ystyried o ddifrif ystyr y gair 'Hosanna'. Gwared ni rhag inni gael ein camarwain, a rhag ein camarwain ein hunain yn fwy na dim. Maddau inni ein diffygion, O! Dad, yn arbennig:

ein hanwadalwch, a byrhoedledd ein croeso i Iesu yn ein bywyd; am inni geisio ynddo yn unig yr hyn sy'n boddhau ein syniadau a'n safbwyntiau ni ein hunain, yn hytrach na'th ddibenion di; ein dallineb a'n diffyg deall wrth ei weld yn dod i'n plith; ein hamharodrwydd i dderbyn Iesu'n Arglwydd ar ein bywyd cyfan.

Yn y gras cyfiawn hwn a amlygwyd yn Iesu, maddau i ni a rhyddha ni o rwymau ein pechod a'n trueni.

Wrth inni edifarhau a throi atat a chael ein derbyn gennyt, caniatâ inni dy gwmni ar hyd gweddill taith bywyd. Arwain ni yn awr o Fethania ein trueni ar hyd y ffordd a ddangosodd Iesu inni y ffordd atat ti a'th dangnefedd. Cydia'n dynn yn ein dwylo a thywys ni gyda thi i ddinas sanctaidd dy ewyllys. Cynorthwya ni i wynebu holl brofiadau'r daith, o gamau anesmwyth yr asyn i'r dringo dirdynnol ar Fryn Calfaria. Cymorth ni i gofio'r croeso a'r gwawdio, y derbyn a'r gwadu, y llawenydd a'r tristwch, yr 'Hosanna!' a'r 'Croeshoeliwch ef!' Dyro inni'r nerth a'r ffydd i wynebu holl realiti'r daith gan adnewyddu'r teimlad fod Iesu wedi ei cherdded o'n blaenau. Er ein breuder a'n hannheilyngdod, defnyddia ni, O! Dad ymddiried ynom ni, lestri pridd, dy drysor di dy hun.

A chyflwynwn i ti heddiw arweinyddion y gwledydd. Cynorthwya'r cyfryw rai i ganfod mai'r daith ddistadl a gymerodd Iesu yw'r unig wir ffordd i dangnefedd yn ein byd. Agor eu llygaid a'u calonnau i weld y gwirionedd hwn a amlygwyd yn ystod ei ymdaith i Jerusalem Caer Tangnefedd. Amen.

Dafydd Hughes

Sul y Blodau

Darlleniad 1 : Salm 2: 1 12
Darlleniad 2 : Ioan 12: 12 26

Greawdwr pob harddwch, diolchwn heddiw am brydferthwch y blodau. Diolchwn hefyd am y synhwyrau sydd gennym i'w gweld a'u hogleuo. Canmolwn di eu bod yn arwyddion o anwyldeb a gwerthfawrogiad. Maent wedi bod yn gyfryngau i ddod â llonder i ni sydd wedi'u derbyn a'r rheiny y cawsom y fraint o'u rhoi iddynt.

Y cyfan fedrwn ni ei wneud, O! Dad, yw eu plannu a'u trin. Ti sy'n peri iddynt dyfu. Ac mae'n peri syndod inni fod i bob blodyn ei arbenigrwydd ei hun. Dotio wnawn wrth feddwl amdanat yn creu'r holl harddwch, ac wrth sylweddoli bod yna bwrpas i'r cyfan rwyt ti wedi ei ddarparu ar ein cyfer yn y byd hwn. Does arnat ti ddim un ddyled inni, mewn gwirionedd, ac eto rwyt yn rhoi popeth inni. Maddau inni am gymryd cymaint yn ganiataol yn lle eu derbyn gyda diolch.

Mae arnom ni ddyledion lawer i ti, ac eto, ychydig a roddwn iti. Maddau inni ein bod mor ddigywilydd. A hithau'n Sul y Blodau, cofiwn gyda diolch, O! Dad, am daith dy unig anedig Fab, Iesu, i Jerwsalem. Hosanna! Haleliwia! Seiniwn yn uchel yma heddiw. Roedd ei wyneb ef tua Jerwsalem. Ni fedrai dim ei atal. Mynnnai fynd yr holl ffordd. Dim troi'n ôl. Dim anwadalwch. Dim llwfrdra. O! am olwg newydd ar ei fawrhydi a'i fawredd y Sul hwn.

Byddwn yn ei arddel a'i ganmol, ein Tad, pan fydd hi'n flodeuog yn ein hanes. Gweddïwn am ras i ddal i'w ddilyn, ei arddel a'i ganmol pan nad yw hi mor flodeuog. Gwared ni rhag bod yn anwadal a llwfr. Yn hytrach, gad inni fod yn Gristnogion sy'n benderfynol o ddilyn yr Arglwydd Iesu costied a gostio.

Er mawr gywilydd inni fel Cristnogion, rydym wedi gwneud a dweud llawer o bethau na ddylem fod wedi'u gwneud na'u dweud.

Edifarhawn am hynny. Fel Cristnogion hefyd, nid ydym wedi gwneud na dweud llawer o bethau y dylem fod wedi'u gwneud a'u dweud. Bu inni golli'r cyfle. Edifarhawn am hyn eto. Clodforwn di am Iesu, 'Lili'r Dyffryn'. Clod i ti am ei enedigaeth 'wyrthiol', 'ei febyd gwyn', 'ei fywyd pur, dihalog', ac 'am Galfaria fryn.' Clodforwn di am mai ef yw'r un harddaf yng ngardd yr Atgyfodiad. Haleliwia! Clodforwn Di am Iesu, 'Rhosyn Saron':

> 'Rhosyn Saron yw ei enw,
> Gwyn a gwridog, teg o bryd;
> Ar ddeng mil y mae'n rhagori
> O wrthrychau penna'r byd:
> Ffrind pechadur,
> Dyma'r Llywydd ar y môr!'

Rydym yn ymwybodol, O! Dad, fod drain a rhosod yn mynd gyda'i gilydd. Diolchwn, felly, fod 'Rhosyn Saron,' Iesu, wedi bod yn barod i wisgo'r goron ddrain drosom ni.

Gweddïwn am gael bod yn debyg i Iesu, 'Lili'r Dyffryn' a 'Rhosyn Saron', yn bur, hardd ac atyniadol, gan ddod â llawenydd a chysur i'r rheiny a gyfarfyddwn yn ein bywyd bob dydd a chan daenu ar led bersawr yr adnabyddiaeth ohono.

> 'Gad inni beunydd fyw
> Dan wlith cawodydd Duw
> Yn iraidd hardd;
> Dy awel dyner di,
> Wrth ddod o Galfari,
> A wnelo'n bywyd ni
> Fel nefol ardd.'

Mae Iesu o'n tu. Dad sanctaidd, boed iddo ef ein cael ni o'i du ef. Deisyfwn i dyrfa ddi rif ddod o'i du a dod trosodd i'w ochr y Sul y Blodau hwn.

Yn 'd'enw pur', Arglwydd arglwyddi a Brenin brenhinoedd. Amen.

Gareth Hughes

Y Groglith

Darlleniad: Eseia 53: 1 12, 55: 1 5

O! Dduw, ein Tad nefol, wrth inni gofio digwyddiadau mawr y Groglith, rydym yn diolch i ti o'r newydd am dy gariad mawr tuag atom yn yr Arglwydd Iesu Grist.

Rydym yn diolch i ti o'r newydd heddiw nad cariad rhad y cylchgronau, nad rhamant rhwydd y llyfrau clawr papur na chariad heulwen haf sy'n darfod yw dy gariad di, ond cariad amhrisiadwy.

Rydym yn diolch heddiw dy fod ti wedi ein cymryd o ddifrif, dy fod wedi ein caru o ddifrif, dy fod wedi plymio i ddyfnder ein hangen o ddifrif.

Rydym yn diolch heddiw fod yr Arglwydd Iesu Grist wedi dod i ganol y profiad o fod yn ddynol i faddau ac i dosturio, i achub ac i iacháu.

Rydym yn cofio heddiw ei ddioddefaint ef sy'n ein rhyddhau ni, a'i glwyfau ef sy'n ein hiacháu.

> Wrth inni feddwl am gorff drylliedig ein Harglwydd,
> Myfyriwn ar ddelw ddrylliedig y ddynoliaeth;
> Meddyliwn am hunanoldeb a balchder ein bywydau,
> Meddyliwn am gasineb a thwyll,
> 　 trais a lladd yn ein gwlad a'n byd...

(Saib o dawelwch)

> O! Dduw ein Tad, er i ti ein creu ar dy ddelw
> Cyffeswn nad ydym yn debyg i ti;
> Er i ti ein caru fel dy blant,
> Cyffeswn inni dy anwybyddu fel dieithryn;
> Er i ti dosturio wrthym a maddau i ni,
> Cyffeswn inni galedu'n calonnau yn erbyn ein cyd ddyn
> 　 a gwrthod maddau i eraill;
> Er i ti wneud cymaint drosom er ein lles,
> Cyffeswn inni'n aml esgeuluso lles ein cymydog.
> Cofiwn heddiw am y rhai mewn dicter a gwallgofrwydd

sydd wedi dolurio neu ddinistrio bywyd pobol eraill;
Cofiwn heddiw am y rhai sydd wedi camddefnyddio grym
   i reoli a chaethiwo eraill gyda bygythiadau ac ofn ...

(Saib o dawelwch)

Dyro inni weld o'r newydd yn y Crist ar y Groes
Cymaint yw dy gariad a'th drugaredd di.
Diolch am yr Iesu sy'n cymryd ein heuogrwydd ni,
Sy'n estyn ei faddeuant amhrisiadwy i ni o'r Groes.
Wrth inni feddwl am ddioddefaint Iesu ar y Groes,
Myfyriwn am bobl ddioddefus ein byd:
Y rhai sy'n sâl mewn corff, meddwl neu ysbryd,
Yr unig, y rhai gorthrymedig, y rhai sy'n galaru.
Meddyliwn yn arbennig am rai rydym ni yn eu hadnabod ...

(Saib o dawelwch)

O Dduw ein Tad nefol, er i ti ein creu i gael cyflawnder
bywyd,
Cydnabyddwn y rhwystrau sy'n cadw pobl rhag ei
fwynhau:
Er i ti ein creu i iechyd, mae llawer mewn afiechyd;
Er i ti ein creu i lawenydd, mae llawer yn galaru;
Er i ti ein creu yn gyfartal, mae llawer yn byw dan ormes;
Er i ti ein creu i ffydd, mae llawer yn cael eu bwrw i
amheuaeth.
Cofiwn heddiw am gleifion yn yr ysbyty neu yn eu cartrefi;
Cofiwn heddiw am rai sy'n galaru mewn hiraeth am
anwyliaid;
Cofiwn heddiw am rai sy'n dioddef dan ormes
ac anghyfiawnder ...

(Saib o dawelwch)

Dyro inni weld o'r newydd, yn y Crist ar y Groes,
Cymaint yw dy gydymdeimlad a'th dosturi di.

Diolch i ti am yr un a archollwyd am ein troseddau,
Ac a gymerodd ein dolur a'n gwaeledd arno'i hun,
Ein Harglwydd a'n Gwaredwr Iesu Grist. Amen.

Casi Jones

Y Groglith

Darlleniad 1 : Eseia 52: 13 53
Darlleniad 2 : Ioan 19: 17 27

'Daethom o sŵn y byd
I'th demel dawel di,
I brofi yno ryfedd rin
Y gwin a'n cynnal ni.

O fewn dy dŷ, ein Duw,
Y mae tangnefedd drud
A'n nertha ni i droi yn ôl
I'r llym herfeiddiol fyd.'

O! Dad, y dydd arbennig hwn, diwrnod yr awr dywyllaf cyn y
wawr, cydia ynom â'th Ysbryd di dy hun drwy ein harwain o
gysgodion tywyll i oleuni ein gobeithion ynot ti. Rwyt ti'n Dduw
sy'n gwneud yr annisgwyl yn y mannau annisgwyl; sy'n dy
ddatguddio dy hun yn annisgwyl mewn llawer dull a modd. Mewn
perth yn llosgi ac mewn cwmwl; mewn tywyllwch ac mewn
tawelwch; yn y corwynt ac mewn goleuni; mewn breuddwydion ac
mewn gweithredoedd; yn rhaniad y môr ac ar doriad y bara.
Daethost i'n byd yn faban bach diniwed i fam ddibriod, yn dlawd
heb feddu na choron na chadfridog   Duw yr annisgwyl sy'n
ddigon mawr i adael i bechadur o ddyn ei ddedfrydu fel troseddwr
i'w ladd, fel oen i'r lladdfa. Diolch i ti am y weithred aberthol hon
yn Iesu Grist; am i ti ein caru gymaint nes rhoi ohonot dy unig Fab
er mwyn i bob un sy'n credu ynddo ef beidio â mynd i ddistryw,
ond cael bywyd tragwyddol.

Fel y bendithiaist Mair yn y dyddiau cynnar a rhyfedd hynny, wrth
ei galw yn yr Ysbryd i fod yn llestr i gynnal dy waredigaeth i ni,
bendithia ninnau, lestri pridd ddiwedd yr ugeinfed ganrif ryfedd
hon.   Defnyddia ni, er mor anfoddog ac annheilwng, i gynnal a
lledaenu'r newyddion da am Iesu. Gwna ni'n llestri ac arnynt ôl

dwylo anghenus y byd, a chadw ni rhag ymlonyddu ar silffoedd moethus ein byd lle y gall y llwch a'r gwe bylu'r weledigaeth a ddaeth i'n rhan. Defnyddia ni yn dy waith ymhlith dynion, i gofio am yr anghenus a'r digartref, y rhai sy'n garcharorion cydwybod, neu sydd dan ddedfryd o ganlyniad i ddallineb dynion anghyfiawn.

Ac wrth inni syllu i gyfeiriad y Groes, a'r milwyr yno ar ddyletswydd, pâr inni gofio mai trwy weini a gwasanaethu'n gilydd, heb ddisgwyl dim yn ôl, y down yn wir aelodau o'th deyrnas di yn frenhinoedd tlawd yn nheyrnas gyfoethog dy gariad di.

Yng nghysgod y Groes cyflwynwn i'th ddwylo di y dydd hwn bawb sy'n ei chael hi'n anodd ar daith bywyd; y rhai sy'n dioddef artaith a phoen corff a meddwl; yn ifanc neu'n hen, mewn ysbyty neu gartref. Caniatâ inni hefyd o'r cysgodion hyn, O! Dad, lawenhau â'r rhai sydd bob amser yn barod i godi croes Iesu trwy roi eu hysgwydd i gario beichiau eraill.

Derbyn ein gweddïau crwydredig, O! Dad; a maddau inni ein holl bechodau, yn arbennig am inni wrthod dy Fab, ac am inni fod mor amharod i dderbyn ei eiriau. Trugarha wrthym a chaniatâ i'r llen sy'n mynnu dod rhyngom gael ei rwygo ymaith gan gariad a geiriau Iesu oddi ar y Groes: 'O! Dad, maddau iddynt oherwydd ni wyddant beth y maent yn ei wneud'.

Clyw ein gweddi, a derbyn hi, am ein bod yn ei chyflwyno i ti yn enw'r un a roddodd y cyfan trosom, yr un hwnnw a'n dysgodd hyd yn oed ar yr awr dywyllaf, nid yn unig i garu ein cymdogion, ond i garu ein gelynion yn ogystal Iesu Grist. Amen.

Dafydd Hughes

Y Groglith

Darlleniad 1 : Salm 22: 12 24
Darlleniad 2 : Ioan 19: 16 30

Clod tragwyddol i ti, ein Tad, yr hwn wyt yn y nefoedd, am garu'r byd gymaint nes i ti roi dy unig Fab, 'er mwyn i bob un sy'n credu ynddo ef beidio â mynd i ddistryw ond cael bywyd tragwyddol.' Do, bu i ti gario'r Groes ar dy galon yn nhragwyddoldeb cyn i ti ei chario ar dy gefn i Galfaria. Fel yr edrychwn ar y Groes, gwelwn faint dy gariad tuag atom   cariad tragwyddol, heb ddechrau na diwedd iddo.

Ein gweddi y Groglith hwn yw y bydd i'n cariad ymateb i'th gariad di mewn modd cadarn a phendant.

> 'O! annwyl Arglwydd Iesu,
> Boed grym dy gariad pur
> Yn torri 'nghalon galed
> Wrth gofio am dy gur.'

Dad trugarog, medrent forthwylio'r bywyd allan o Iesu ar Galfaria, ond clodforwn di na fedrent forthwylio'r cariad allan ohono. Haleliwia! Diolch i ti am y modd derbyniodd yr Arglwydd Iesu y cyfan a ddaeth i'w ran gan ddefnyddio hynny i'th bwrpas di ac er clod i ti. Medrai wneud hynny gan nad oedd unrhyw gasineb, hunandosturi nac awydd dial yn perthyn iddo. Gweithredu'n Gristnogol wnâi ef yn hytrach nag adweithio'n anghristnogol. Maddau ein bod ni mor annhebyg iddo'n aml. Maddau'r casineb, yr hunandosturi, y dyhead i dalu'n ôl a'r adweithio anghristnogol a berthyn inni.

Clodforwn di fod Iesu wedi concro drygioni trwy beidio â bod yr un fath ag ef. Gweddïwn am ras a nerth i weithredu'n anhunanol fel y gwnaeth ef. Hyd yn oed yn ei ddioddefaint a'i farwolaeth, ein Tad, meddwl am eraill wnaeth Iesu. Rhoddodd ei fam i ofal Ioan, a Ioan i ofal Mair.
Gwelwn yn glir, Dad, nad gofyn am gydymdeimlad wna Iesu, ond gofyn inni am gyflwyno'n hunain iddo. Pâr inni sylweddoli po

fwyaf o'r hunan a ildiwn Iddo, mwyaf o le sydd ynom Iddo fedru
cymryd trosodd ynom a byw ei Fywyd ynom a thrwom.
Cynorthwya ni y Groglith hwn i'n rhoi ein hunain, ein heiddo a'n
hamgylchiadau yn llwyr i'r hwn a'i rhoes ei hun yn llwyr trosom.
Canmolwn di mai croes tosturi yw croes Iesu:

> 'Un Iesu croeshoeliedig
> Yn feddyg trwy'r holl fyd.'

Rhown glod tragwyddol i ti, ein Tad, nad ydym fel rhai sydd heb
obaith wrth inni gredu yn Iesu a derbyn ei aberth fel ein hunig
obaith am faddeuant pechodau a bywyd tragwyddol.

> 'Yn awr hen deulu'r gollfarn,
> Llawenhawn;
> Mae'n cymorth ar un cadarn,
> Llawenhawn:
> Mae galwad heddiw ato,
> A bythol fywyd ynddo;
> Ni chollir neb a gredo,
> Llawenhawn;
> Gan lwyr ymroddi Iddo,
> Llawenhawn.'

Trwy farwolaeth, diddymodd Iesu'r hwn sy'n rheoli marwolaeth,
sef y diafol, a rhyddhau'r rheini oll oedd, trwy ofn marwolaeth, yng
ngafael caethiwed ar hyd eu hoes! Haleliwia!

> 'Clod byth i'r Oen am roi ei fryd
> Ar fyd mor ddrud i'w brynu;
> Cydganwn gyda theulu'r nef
> Rhaid Iddo ef deyrnasu.'

'Teilwng yw'r Oen a laddwyd i dderbyn gallu, cyfoeth, doethineb a
nerth, anrhydedd, gogoniant a mawl'. 'I'r hwn sy'n eistedd ar yr
orsedd ac i'r Oen y bo'r mawl a'r anrhydedd a'r gogoniant a'r nerth
byth bythoedd!' Yn enw gogoneddus Iesu. Amen.

Gareth Hughes

Y Pasg

Darlleniad: Luc 24: 1 12

Ein Tad nefol,
Wedi oerni'r gaeaf a chaledi'r tir,
Diolchwn am y gwanwyn sy'n meirioli, yn meddalu
ac yn meithrin bywyd newydd ym myd natur.
Ein Tad nefol,
Cyffeswn i ti ein gaeaf ysbrydol
A chaledi tir ein calonnau.
Cyffeswn ein hamharodrwydd i adael i'th gariad ein newid.
Diolchwn i ti o'r newydd heddiw
Fod dy gariad yn ddigon cryf i dorri trwodd atom
I'n dadmer a'n deffro.
Diolch dy fod wedi rhoi rheswm inni ddathlu dechrau newydd y
Pasg hwn.
Ynghanol bywyd newydd y gwanwyn a'i obaith gwyrdd,
Dathlwn y bywyd newydd sydd i ni yn Iesu Grist.
Fel y cododd Crist i fywyd newydd ar y trydydd dydd,
Gad i ninnau, wedi inni farw i'r drwg sydd ynom,
Godi i fywyd newydd yng Nghrist.
Fel y daeth Crist at ei ddisgyblion digalon ar y ffordd i Emaus,
Dyro i ninnau yn ein hamheuon a'n hanobaith brofi presenoldeb
Crist fel tân yn ein calonnau.
Fel y daeth Crist i ganol pryder y stafell glo gyda geiriau o gysur,
Gad i ninnau ynghanol ein pryderon glywed ei lais yn cyhoeddi
'Tangnefedd i chwi'.
Fel y casglodd Crist ei ddisgyblion, a'u hanfon i gyhoeddi'r
efengyl i'r holl fyd,
Anfon ninnau yn nerth dy Ysbryd Glân i gyhoeddi i'n byd
heddiw fod Iesu wedi atgyfodi,
Fod gennym wir reswm i ddathlu!
Cofiwn heddiw am ddigwyddiadau bore'r trydydd dydd wedi
marwolaeth Iesu ac wedi gosod ei gorff mewn bedd.
Cofiwn heddiw am y gwragedd ffyddlon a ddaeth at y bedd
A'u dagrau'n gymysg â gwlith y bore bach.
Diolchwn heddiw am bawb sy'n ffyddlon i Grist pan fo llawer
wedi cilio, ac am bawb sy'n golchi llwybr eu gwasanaeth â'u
dagrau.
Cofiwn heddiw am y garreg fawr drom oedd yn ffordd y

gwragedd, rhag sylweddoli gwirionedd gwyrthiol y Pasg cyntaf.
Gweddïwn heddiw dros bawb sy'n gweld rhwystrau rhag credu,
A thros bawb sy'n teimlo pwysau llethol eu hanobaith.
Cofiwn heddiw am wacter y bedd y bore hwnnw,
Cofiwn am golli un annwyl, a cheisio ei gorff mud.
Dathlwn heddiw mai gwag yw ymffrost angau,
Dathlwn heddiw fod Iesu eto'n fyw!
Cofiwn am gwestiwn yr angel i'w ddilynwyr:
'Pam yr ydych yn ceisio ymhlith y meirw yr hwn sy'n fyw?'
Gwahoddaf chi i ymateb heddiw gyda'r geiriau:
'NID YW EF YMA: Y MAE WEDI EI GYFODI!'
Clywsom sut y daliwyd Crist gan ei elynion,
Sut y cafodd ei brofi, ei watwar a'i guro.
Chwiliwn amdano heddiw ymhlith arwyr a fethodd:
Pam yr ydych yn ceisio ymhlith y meirw yr hwn sy'n fyw?
PAWB: NID YW EF YMA: Y MAE WEDI EI GYFODI!
Clywsom sut y traddodwyd ef i farw,
Sut yr hoeliwyd ef ar groesbren, sut y dywedodd 'Gorffennwyd'.
Chwiliwn amdano heddiw ymhlith syniadau a mudiadau a fethodd:
Pam yr ydych yn ceisio ymhlith y meirw yr hwn sy'n fyw?
PAWB: NID YW EF YMA: Y MAE WEDI EI GYFODI!
Clywsom sut y daeth y gwragedd at y bedd y trydydd dydd, a
chredu.
Clywsom sut yr amheuodd y disgyblion fod Iesu eto'n fyw.
Chwiliwn amdano heddiw ymysg hen ddadleuon y gorffennol:
PAWB: NID YW EF YMA: Y MAE WEDI EI GYFODI!
Dathlwn heddiw brofiad bore'r trydydd dydd.
Dathlwn heddiw   Mae Iesu'n fyw!
Bydded iddo fyw yn ein profiad a'n bywyd bob un,
Bydded iddo fyw ym mywyd ein heglwys leol, a thrwy'r Eglwys
gyfan,
Bydded iddo fyw ym mywyd ein cymdeithas, ein gwlad a'n byd!
Ni cheisiwn mwyach ymhlith y meirw yr hwn sy'n fyw ac yn
teyrnasu am byth!
Oherwydd y mae yn wir wedi ei atgyfodi! Amen.

Casi Jones

Y Pasg

Darlleniad 1 : Mathew 14: 21 31
Darlleniad 2 : Rhufeiniaid 6: 3 11

'Diolch, Arglwydd, am achubiaeth,
Byth ni allwn fod yn drist;
Rhoddaist inni fywyd newydd
Drwy gyfodi Iesu Grist;
Rhydd yn awr, Geidwad Mawr,
Rhwygwyd bedd mewn toriad gwawr.'

O! Dduw, Dad hollalluog, creawdwr a rhoddwr bywyd, cofiwn fel y bu i ti, ym more bach y dydd, dreiglo ymaith faen angau ei hun a dod â'th Fab yn ôl i blith y byw. Yn y weithred hon rhoddaist inni gyfle newydd i bontio'r agendor sydd rhyngom a thi. Er gwaethaf y gwahaniaeth rhyfeddol rhyngom, megis tywyllwch a haul canol dydd, pechod a phurdeb, y ni yn ddim a thithau oll yn gyfan, fe drefnaist ffordd newydd i wneud hynny yn Iesu Grist   'ffordd a drefnwyd cyn bod amser', 'ffordd a'i henw yn rhyfeddol'   inni ei cherdded tuag atat. Iesu a ddywedodd, 'Myfi yw'r ffordd at y Tad', ac ynddo ef fe'th glodforwn di y dydd hwn, O! Dduw. Bendigedig wyt am i ti blygu i'n cyfarfod ni drwy ddod fel un ohonom ni, y rhai sydd â dedfryd marwolaeth yn rhan annatod o'n natur. Ti yw ein Ceidwad mawr, sy'n driw i'r rhai sy'n dy garu ac yn cadw dy orchmynion.

'Diolch, Iesu, am dy aberth,
Byth ni allwn wneud yn llawn;
Rhoddaist inni gyfle newydd,
Bore ddaeth 'rôl tristwch pnawn;
Rhydd yn awr, Geidwad Mawr,
Rhwygwyd bedd mewn toriad gwawr.'

O! Iesu, ein Ceidwad a'n Gwaredwr, diolch i ti am wynebu angau'r Groes ar ein rhan. Diolch i ti am gerdded ffordd bywyd yn llawn o'n blaenau. Er dy fod yn lân ac yn bur, cymeraist dy wneud yn bechod gan ddangos inni, er garwed y ffordd, a themtasiynau ar bob llaw, ei bod yn ffordd agored i bob un ohonom ei cherdded yn ôl dy droed di. Ac wrth dy ganlyn di a chredu ynot fel yr ymddiriedaist ti yn Nuw, dangosaist inni ei bod hi'n bosibl i ni bechaduriaid wynebu marwolaeth a'r bedd yn eofn, yn y sicrwydd y cawn atgyfodiad i fywyd tragwyddol 'Mae Iesu wedi cario'r dydd, Caiff carcharorion fynd yn rhydd.'

'Diolch, Ysbryd, am d'arweiniad,
Byth ni allwn hebot ti;
Rhoddaist ynom galon newydd
Wedi'r siom ar Galfari;
Rhydd yn awr, Geidwad Mawr,
Rhwygwyd bedd mewn toriad gwawr.'

O! Ysbryd y Crist atgyfodedig, diolch i ti am fod gyda ni'n awr i'n harwain o siom ac amheuon Bryn Calfaria. Dyro dy dangnefedd i ni a rho dân yn ein calonnau wrth inni siarad â thi. Agor ein llygaid, O! Ysbryd Glân, i weld fod Iesu'n dal i aros gyda ni, er tywylled ein dyddiau. Cynorthwya ni i ymdeimlo â'i bresenoldeb, i gofio ei eiriau ac i werthfawrogi ei aberth. Cynorthwya ni i'w weld drwy lygaid y ffydd sy'n gweld y tu draw i'r dioddefaint a'r bedd, i weld y gogoniant hwnnw sydd ar gael i ninnau hefyd ynddo ef. Ar y dydd hwn, O! Ysbryd, anfon ni allan yn ôl troed Mair Magdalen i gyhoeddi i'r holl fyd, 'Yr wyf wedi gweled yr Arglwydd'.

'Newyddion braf a ddaeth i'n bro,
Hwy haeddant gael eu dwyn ar go'
Mae Iesu wedi cario'r dydd,
Caiff carcharorion fynd yn rhydd.' Amen.

Dafydd Hughes

Y Pasg

Darlleniad: Mathew 24: 1 24

Diolchwn i ti ein Tad am newyddion syfrdanol dy Air iti atgyfodi dy Fab, Iesu Grist, o'r bedd yn fyw, ac am gyfle'r oedfa hon i ddathlu hynny mewn gorfoledd a llawenydd mawr. Cydnabyddwn nad ydym fel meidrolion yn deall y dirgelwch rhyfedd hwn, na chwaith yn abl i'w egluro â'n geiriau brau. Ond gwyddom trwy dy Air mai dirgelwch dy gariad anfeidrol ydyw, a bod dy fab Iesu Grist mor fyw heddiw ag erioed. Yn wir, ein Tad, dyma yw ein ffydd a'n gobaith fod Iesu Grist yn Arglwydd bywyd a marwolaeth, ac mai yn ei law ef y mae dyfodol ein bywyd.

Diolchwn i ti, ein Tad, am dystiolaeth dy Air i brofiadau amrywiol y disgyblion ar fore'r trydydd dydd rhai yn credu ar ôl amau, ac eraill yn credu yn y fan a'r lle. Cydnabyddwn ein bod yn debyg iawn i'r disgyblion gynt, yn credu, ac eto'n llithro yn aml i anghrediniaeth. Ond bendigwn dy enw mai dod at rai fel ni wnaeth dy Fab, Iesu Grist. Cofiwn y disgyblion yn ofnus yn yr oruwchystafell a drysau eu meddyliau wedi cau, y ddau ddisgybl yn cerdded adre i Emaus yn isel eu hysbryd ac yn wag eu calon, a Mair yn ei dagrau yn yr ardd yn gweld y bedd heb adnabod ei Harglwydd.

O! Arglwydd Iesu Grist, yr hwn a ddaeth at y disgyblion er bod y drysau wedi eu cloi, tyrd atom ni hefyd i'r oedfa hon. Datglo ni, a thyrd i mewn, fel y teimlwn wres dy gariad yn cynhesu ein calonnau, a chyfarchiad dy Air, 'Tangnefedd i chwi', yn gwefreiddio ein heneididau.

O! Arglwydd, diolchwn i ti am ein hanrhydeddu â'th bresenoldeb yn yr oedfa hon. Dy bresenoldeb sy'n rhoi blas nefol ar ein cymdeithas ac yn peri inni sylweddoli fod mwy i'r cyfarfod hwn na chwmni ein gilydd, oherwydd, fel y dywedaist wrth dy ddisgyblion gynt, 'lle y mae dau neu dri wedi dod ynghyd yn fy enw i, yr wyf yno yn eu canol hwynt'.

Bendigwn dy enw am dy addewid gwerthfawr i fod gyda ni yn y canol, ac am nad yw dy bresenoldeb yn dibynnu ar nifer ein cynulleidfa, na chwaith ar gryfder ein ffydd ynot ti. Cyffeswn ein llesgedd ysbrydol a'n diffyg ffydd yn aml, ond nid ydym heb obaith, oherwydd yr wyt ti gyda ni i'n nerthu yn ein gweddi, ac i'n hysbrydoli yn ein gwaith.

Gweddïwn dros dy Eglwys yn ei chenhadaeth fawr yn y byd. Yn dy drugaredd, gwna hi yn offeryn cân i lawenydd yr efengyl, ac yn gartref bendith i bwy bynnag sy'n credu ynot ti. O! Arglwydd, llwydda waith dy Eglwys ar yr ŵyl arbennig hon. Planna neges dy Air yng nghalonnau dy genhadon, a nertha hwy i gyhoeddi'r newyddion da o lawenydd mawr. Gweddïwn ar iti agor meddyliau dy bobl i ddirgelwch dy atgyfodiad, ac i'w hymgyflwyno eu hunain o'r newydd i feddyginiaeth dy gariad.

Gweddïwn dros dy Eglwys yn lleol ac yn y tŷ hwn. Erfyniwn dy fendith ar ein gwasanaethau, fel y bydd ein haddoliad yn destun clod i ti, ac yn gyfrwng cenhadaeth yn ein plith. Gweddïwn dros ein cyfeillion a'n cydnabod sy'n methu credu efengyl y bedd gwag. O! Arglwydd, defnyddia ni i'w tywys i awyrgylch addoliad dy Eglwys. Yn dy dosturi, meddala eu calonnau â grym yr Ysbryd Glân, agor eu meddyliau â gwirionedd dy Air, a llanw wacter eu bywydau â gorfoledd dy gariad.

Yn ein gweddïau, ein Tad, cyflwynwn ein hanwyliaid, ein cyd aelodau a'n gilydd i'th sylw cariadus. Yn dy allu mawr, yr wyt yn gwybod am ein holl anghenion. Diolchwn am dy ofal llwyr ohonom. Gweddïwn ar i ti estyn dy ofal dros y cleifion a'r henoed, a phawb o'th blant sy'n amddifad o gariad. Clyw ein cri drostynt ac ateb ni yn ôl dy drugaredd a'th ddoethineb yn enw ein Gwaredwr byw Iesu Grist. Amen.

John Lewis Jones

Y Sulgwyn

Darlleniad: Effesiaid 1: 15 23

Ar Sul y Pentecost, dathlwn gyda Christnogion drwy'r byd ein bod yn rhan o deulu Duw ac yn aelodau o Gorff Crist.

'Am roi dy Fab Iesu i'n gwared a'n prynu,
A'n dwyn ni i'th deulu, diolchwn, O! Dduw,
Am frodyr a chwiorydd, am berthyn i'n gilydd,
Yn deulu mor ddedwydd tra byddwn ni byw.'

Ar Sul y Pentecost, gadewch i ni ddiolch i Dduw am gymdeithas yr Eglwys ac am y cariad sydd gennym i'w rannu o fewn teulu'r ffydd:

Diolch i ti, ein Tad nefol,
Am gymdeithas dy bobl di.
Diolch am y cwlwm cariad sydd rhyngom,
sy'n tynnu pobl o bob cefndir a phob oed at ei gilydd
yn un teulu drwy dy Ysbryd.
Diolch i ti am y cyfle i gydaddoli
ac i ddysgu gyda'n gilydd amdanat ti.

Diolchwn i Dduw am yr etifeddiaeth ogoneddus a rannwn gyda holl bobl Dduw.

Diolch i ti, ein Tad nefol, am y Beibl ac am dy Air i ni ym mhob oes. Diolch am bawb sydd wedi gwrthod gollwng gafael arno nes cael eu bendithio.

Diolch am newyddion da yr efengyl, ac am yr addewid am faddeuant a bywyd newydd i bawb sy'n credu yn yr Arglwydd Iesu.

Diolchwn am gyfoeth emynau sy'n rhoi mynegiant i'n ffydd mewn geiriau a cherddoriaeth. Ac am weddïau ddoe a heddiw sy'n gyfoethog o brofiad a gras.

Diolchwn am famau a thadau yn y ffydd, ac am bawb rwyt ti wedi eu defnyddio i'n dwyn yn nes atat.

Diolch am ferched a dynion ym mhob oes sydd wedi tystio i ti, ac am bawb sydd wedi dioddef erledigaeth oherwydd eu ffyddlondeb i ti.

Diolch am y rhai a fu'n breuddwydio breuddwydion y deyrnas lle y maent, y rhai a fynnodd droi'r freuddwyd yn ffaith.

Mae Duw wedi dewis yr Eglwys, Corff Crist, yn gyfrwng i wneud ei waith yn y byd. Gweddïwn heddiw y bydd Duw yn bendithio gwaith ac ymdrechion ei bobl ym mhob man.

Gweddïwn dros yr eglwys hon ac eglwysi'r cylch:
Gweddïwn yn enwedig dros ... *(gellid enwi'r capel/eglwysi).*
Gweddïwn heddiw dros arweinwyr, bugeiliaid, pregethwyr ac athrawon eglwysi'r fro hon.
Gweddïwn ar i ti ddyfnhau eu hadnabyddiaeth o'r Arglwydd Iesu Grist.
Gweddïwn am gysondeb a ffyddlondeb pobl Dduw i'w gilydd ac i'r addoliad.
Arglwydd, clyw ein gweddi.

Gweddïwn dros y teulu Cristnogol drwy'r byd:
Gweddïwn yn arbennig dros yr Eglwys yn ... *(gellid enwi gwledydd arbennig neu ran o'r byd).*
Gweddïwn dros yr Eglwys sy'n dioddef erledigaeth a gormes.
Gweddïwn dros yr Eglwys mewn gwledydd lle nad oes rhyddid i addoli.
Gweddïwn dros yr Eglwys sydd mewn ardaloedd tlawd a difreintiedig.
Arglwydd, clyw ein gweddi.

Atgoffa ni o'r newydd am fawredd y gallu sydd o'n plaid ni, dy Eglwys, yn y byd. Fel y Pentecost cyntaf hwnnw, gad i ni deimlo grym dy Ysbryd o'n mewn ac yn ein plith yn ein hadfywio a'n hadnewyddu, yn ein hysgwyd a'n deffro i'th waith a'th wasanaeth di. Gofynnwn hyn yn enw ein Harglwydd Iesu, pen mawr yr Eglwys sy'n byw ac yn teyrnasu gyda thi a'r Ysbryd Glân am byth. Amen.

Casi Jones

Y Sulgwyn

Darlleniad 1 : Exodus 19: 16 25
Darlleniad 2 : Actau 2: 1 21

Dad nefol, a Thad ein Harglwydd Iesu Grist, yr un a anfonodd yr Ysbryd Glân ar ddydd y Pentecost, llenwaist y disgyblion â llawenydd a nerth i'w galluogi i bregethu dy Air di i bawb yn ddiwahân. Anfon ninnau allan i blith pobl ein gwlad yn nerth yr Ysbryd y dydd hwn, i dystio i'th wirionedd a'th fawrion weithredoedd di dy hun.

Dduw y creawdwr, ysbryd yr hwn a fu'n ymsymud ar wyneb y dyfroedd, yr un a anadlodd fywyd i esgyrn sychion ein heneidiau, maddau inni y dyddiau hyn am fod mor amharod i ymdeimlo â nerth dy Ysbryd Glân, ac am ofni ymateb i'w rym a'i ddylanwad. Maddau inni am fynnu dal ein gafael yn sgerbydau sychion y gorffennol sydd bellach heb anadl ynddynt, ac am wrthod mentro i'r dyfodol mewn ysbryd o gyd ddyheu a chydweithio. Maddau inni, O! Dad, os ydym drwy hyn yn tristáu dy Ysbryd sanctaidd ac yn llesteirio gwaith achubol dy Fab ymhlith pobl ein gwlad, yn arbennig ein plant a'n pobl ifainc.

Diolchwn i ti y dydd hwn am i ti anfon dy Ysbryd, nid yn unig ar ddydd y Pentecost, ond hefyd ar adegau eraill dros y canrifoedd, fel na fu efengyl Iesu Grist yn amddifad o'i thyston mewn unrhyw oes. Diolch am yr Ysbryd hwnnw a sicrhaodd ein bod ni heddiw'n etifeddion i'r tystion hynny.

> 'Tyrd, Ysbryd Sanctaidd, ledia'r ffordd,
> Bydd imi'n niwl a thân;
> Ni cherdda i'n gywir hanner cam
> Oni byddi di o'm blaen.'

Ac felly, O! Dad, diolch i ti am bawb ac ynddynt awydd i gydweithio yn yr Ysbryd, er budd dy deyrnas di. Diolchwn am bob bendith a rydd dy Ysbryd Glân i ymdrechion y cyfryw rai wrth eu harwain ac wrth eiriol drostynt pan ymddengys iddynt fod geiriau'n fud a gweithredoedd yn ddiwerth.

Ac felly, Ysbryd Sanctaidd, tyn ni at ein gilydd, fel y llwyddaist i ddod â phobloedd o wahanol genhedloedd ac ieithoedd at ei gilydd ar ddydd y Pentecost. Cynorthwya ni i weld mai iaith Iesu atgyfodedig yw'r unig iaith sydd â'r grym i ddod â phobloedd o amrywiol syniadau, ieithoedd a gwledydd at ei gilydd. Dysg ni i'n gwneud ein hunain yn agored i ddylanwad ei ewyllys ef ac i daflu ymaith ein harwahanrwydd plwyfol, fel y gall yr amrywiaeth sydd ynom wau'n un clytwaith byd eang a fydd yn amlygu gwir natur dy greadigaeth di. Chwâl ymaith furiau ein rhagfarnau a chynorthwya ni i ddefnyddio'r meini gwasgar i greu pontydd o ddealltwriaeth rhwng dyn a dyn.

Cofia'r ddynolryw ledled daear, O! Dad, yn arbennig y rhai hynny sydd â'u hysbryd yn isel. Adnewydda hwy â'th lân Ysbryd di dy hun; y claf a'r methedig, y rhai y mae eu meddyliau'n dywyll, a'u gorffennol yn gymysg â'u presennol. Rho dy Ysbryd ar waith ynddynt ac esmwythâ eu cur. Hefyd, O! Dad, adnewydda obaith y rhai hynny sy'n cael bywyd yn galed a chreulon, y diwaith a'r difreintiedig, y gorthrymedig, a'r rhai hynny sy'n dioddef oherwydd rhyfel, trais ac anghyfiawnder. Arwain ni oll, O! Dad, i ganfod dy degwch a'th gyfiawnder di dy hun ac i ymdrechu drwy nerth yr Ysbryd Glân i'w rannu a'i weithredu er budd pobloedd y ddaear a'th deyrnas di. Yn Iesu Grist. Amen.

Dafydd Hughes

Y Sulgwyn

Darlleniad: Actau 2: 1 13

Diolchwn, i ti ein Tad am yr ŵyl arbennig hon yn hanes dy Eglwys, ac am gyfle'r Sul hwn i ddathlu tywalltiad yr Ysbryd Glân, ac i brofi unwaith eto o'i fendithion. Diolchwn i ti am y fendith rydym wedi ei derbyn yn barod yn yr oedfa hon; y fendith o wrando neges dy Air, o ganu clod i'th enw, ac o agor ein calonnau i ti mewn gweddi, a chael gwneud hynny dan weinidogaeth yr Ysbryd glân.

Diolchwn i ti hefyd am ddoniau amrywiol a bendithiol yr Ysbryd am ddawn yr Ysbryd i'n diddannu pan fyddwn mewn trallod colli anwyliaid; am ddawn yr Ysbryd i brocio'n cydwybod pan fyddwn yn cyfeiliorni ac yn pechu; am ddawn yr Ysbryd i oleuo'n deall pan fyddwn yn methu amgyffred gwirioneddau dy Air; ac am ddawn yr Ysbryd i gynhesu'n calonnau pan fyddwn yn araf i gofleidio dy gariad yn Iesu Grist.

O! Dduw, wrth ddiolch am weinidogaeth gyfoethog yr Ysbryd Glân yn ein plith, erfyniwn arnat i barhau i weithio'n rymus ynom, fel y bydd ein haddoliad yn dystiolaeth loyw i'r efengyl sanctaidd ac yn destun clod i ti.

Clodforwn dy enw am dy weithredoedd mawrion yn hanes ein cenedl y modd y plygaist dy bobl i edifarhau am eu pechodau ac i geisio trugaredd a maddeuant yn Iesu Grist. Clodforwn dy enw hefyd am ymweliad nerthol yr Ysbryd a ysgubodd anghrediniaeth o'n gwlad ac a gasglodd dy bobl i loches y gorlan nefol. Do:

> 'Clywsom am y rhyfeddodau
> Wnaethost yn y dyddiau gynt;
> Pryd y siglwyd cedyrn gaerau
> Llygredd gan y nefol wynt.'

O! Dduw, edrych yn drugarog ar Gymru heddiw yn ei thlodi mawr, a gwêl yn dda i weithredu dy Ysbryd yn nerthol unwaith eto yn ein gwlad trwy dywys dy bobl yn ôl i glyw'r efengyl, ac i flasu o'r newydd foddion dy ras yn Iesu Grist.

Gweddïwn dros dy Eglwys heddiw yn ein gwlad. Fel yn y dyddiau gynt, planna neges dy Air yn ddwfn yng nghalonnau dy weision, a bendithia hwy â hyder cariad i bregethu Crist gydag arddeliad mawr. Yn dy drugaredd, rho syched yn aelodau dy Eglwys am weinidogaeth y Gair, ac am wir adnabyddiaeth o'r Arglwydd Iesu Grist.

Gweddïwn dros dy Eglwys heddiw yn y tŷ hwn. Diolchwn am dy ymwneud grasol â ni drosom ar hyd y cenhedlaethau, ac am weinidogaeth yr Ysbryd Glân arnom. Cyffeswn inni ddiystyru gofal yr Ysbryd ohonom lawer gwaith gan ymddiried yn ein galluoedd pitw ein hunain. Yn ein cywilydd, aethom yn llugoer ein hagwedd, yn llwfr ein tystiolaeth ac yn wan ein ffydd.

O! Dduw yr Ysbryd Glân, bywha ni drwy gynhesu ein calonnau i garu Iesu Grist, ac i garu ein gilydd; bywha ni drwy rymuso ein tystiolaeth fel y daw eraill yn yr ardal hon i brofiad o'th ras, a bywha ni drwy gryfhau ein ffydd fel y byddom yn Gristnogion gwytnach ein ffydd, a pharotach ein hysbryd i wasanaethu'r Hwn a'n prynodd ar y Groes.

> 'O! na byddai cariad Iesu,
> Megis fflam angerddol gref,
> Yn fy nghalon i'w chynhesu,
> Fel y carwn ninnau Ef.'

Clyw ein gweddïau, a gwêl yn dda i'n hateb ni yn ôl dy drugaredd a'th ddoethineb. Gofynnwn hyn yn enw ein Gwaredwr a'n Harglwydd Iesu Grist. Amen.

John Lewis Jones

Yr Haf

Darlleniad: Genesis 12: 1 9

Dduw Dad, ffynhonnell pob goleuni, pob gobaith a phob nerth,
Diolchwn i ti fod yr haf hirddisgwyliedig wedi cyrraedd.
Diolchwn am yr addewid yng nghân y gwcw,
Ac am gawodydd y gwanwyn sydd wedi paratoi'r ffordd.
Diolchwn am lawnder a lliw tymor yr haf
Ac am law a haul sy'n bwydo pob tyfiant.

Gweithia dy haf ynom ninnau bob un, O! Dduw,
Glawia arnom gawodydd dy ras a'th faddeuant,
Er mwyn i ninnau dyfu'n gryfach ac yn llawnach
Yn ein ffydd a'n hadnabyddiaeth ohonot ti,
Ac er mwyn i'n bywydau ddwyn ffrwyth mewn gweithredoedd da.

Dduw Dad, arweinydd pererinion pob oes,
Diolchwn am bob cyfle eleni i deithio
I hen gyrchfannau, a mannau newydd.
Gweddïwn am ddiogelwch ar ein taith,
Ac am dy gariad yn ein calon
Wrth inni gwrdd â chyfeillion hen a newydd.
Agor ein meddyliau i werthfawrogi pobl sy'n wahanol i ni
Ac arferion sy'n ddieithr i ni
Er mwyn i ni gael ein cyfoethogi ganddynt.
Arwain ni bob un, O! Dduw, i fannau newydd yn ein profiad
ysbrydol.
Arwain ni o sicrwydd ddoe i fenter yfory.
Gwared ni rhag yr hyn sy'n ein dal yn ein hunfan,
A rhyddha ein traed i ddilyn priffordd dy ewyllys.

**Yr adeg hon o'r flwyddyn, gyda phlant a phobl ifainc, a
phobl o bob oed sy'n hyfforddi, yn wynebu arholiadau,
gweddïwn drostynt yn eu pryder:**

O! Dduw, ein Tad nefol, ein cysurwr a'n gobaith,
Gweddïwn arnat i gynorthwyo pawb sy'n pryderu:

Cofiwn yn arbennig am y rhai hynny sy'n wynebu arholiadau
Gan ofyn iti eu cynorthwyo i ddarganfod cydbwysedd
Rhwng gwaith a gorffwys,
A'u cynorthwyo mewn iechyd ac mewn hyder
I wneud eu gorau dan bwysau'r dydd.
Cynorthwya bob un ohonom i gofio
Fod dy gariad tuag atom a'r gwerth rwyt ti'n ei roi arnom
Yn bwysicach na phrofion a safonau'r byd.
Cofiwn am bawb sy'n ansicr ynglŷn â'u cynlluniau i'r dyfodol,
Gan ofyn iti eu cynorthwyo i ymddiried y cyfan i'th ofal di.

Yr adeg hon o'r flwyddyn, gyda'r plant ar wyliau o'r ysgol, gyda phrysurdeb ar y ffyrdd ac ar y ffermydd, gweddïwn am ddiogelwch pob un:

O! Dduw, ein Tad nefol, ein craig a'n hamddiffynfa gadarn,
Gweddïwn arnat i'n diogelu yn ystod misoedd yr haf:

Diogela'r plant a'r bobl ifainc
Gan roi iddynt synnwyr cyffredin yn eu chwarae.
Diogela'r modurwyr ar eu taith
Gan roi iddynt bwyll ac amynedd wrth yrru.
Diogela'r amaethwyr ar y tir gyda'u peiriannau trwm,
Gan roi iddynt bwyll a doethineb yn eu gwaith.

Dyro i bawb ohonom, ein Tad nefol,
Ddoethineb i wybod terfynau'n gallu,
Gostyngeiddrwydd i gydnabod ein blinder,
Ac amynedd a phwyll gyda phobl ac amgylchiadau ar daith bywyd.
Er mwyn ein diogelwch a diogelwch eraill
Cadw ni rhag pob temtasiwn i ruthro, i gystadlu,
I geisio ennill y blaen neu i geisio cyflawni'r amhosib.
Dyro i ni deithio a gweithio'n ddiogel yn dy gwmni di.
Gofynnwn hyn yn enw Iesu. Amen.

Casi Jones

Yr Haf

Darlleniad: Salm 8

O! Arglwydd ein Iôr ni, mor ardderchog yw dy enw ar yr holl ddaear. Ti a osododd holl derfynau daear; ti a drefnodd haf a gaeaf. Cydnabyddwn dy fawredd o'n cwmpas wrth inni blygu ger dy fron i'th addoli. Ti, yr hwn a greodd bopeth ac a roddodd inni wahanol bethau yn eu tymor. Heddiw, diolchwn i ti am arwyddion o dymor yr haf sydd o'n cwmpas. Diolchwn am y cyfle a gawn i fwynhau'r heulwen gynnes a'r awyr iach; y coed llawn dail a'r dolydd gwyrddion bras; yr adar bach sy'n hedfan o gangen i gangen ac yn canu'n iach mewn llwyn a pherth.

> 'Pob blodyn bach sy'n agor,
> Pob deryn bach a gân,
> Efe a wnaeth eu lliwiau
> A'u gloyw adenydd mân.'

Diolchwn i ti am lygaid i'w gweld a chlustiau i'w clywed. Wrth inni ddiolch i ti, O! Arglwydd, mae ein meddyliau'n mynd at rai sy'n methu mwynhau'r pethau hyn: y gwael sy'n gaeth i wely mewn ysbyty neu gartref; y deillion a'r rhai sy'n fyddar; y rhai sy'n anabl o ran corff neu feddwl; yr unig a'r digartref. Cyflwynwn hwy i ti.

Yn ystod yr haf, O! Arglwydd, mae rhai ohonom yn cael cyfle i ymlacio a mwynhau gwyliau; i grwydro i'r mynyddoedd neu i lan y môr; i fwynhau bod gartref yn ein gerddi neu deithio i wledydd tramor. Cawn gyfle i atgyfnerthu corff a meddwl wedi gwaith y gaeaf. Wrth inni ofalu ein bod yn cael atgyfnerthu ac adnewyddu ein cyrff, Arglwydd, gweddïwn am dy gymorth inni sylweddoli fod angen inni adnewyddu ein calonnau hefyd.

'Crea galon lân ynof, O! Dduw; rho ysbryd newydd cadarn ynof.'

Wrth inni ofyn am i ti greu calon lân ynom, cyfaddefwn ger dy fron ein bod wedi pechu i'th erbyn, nad ydym yn deilwng o gael dod i'th bresenoldeb. Ein gweddi yw, 'Cuddia dy wyneb oddi wrth fy mhechodau a dilea fy holl feiau'.

Diolchwn i ti, Arglwydd, am anfon dy Fab, Iesu Grist, i'n byd, i fyw ymysg dy bobl. Bu ef fyw bywyd glân a pherffaith yn wyneb y temtasiynau lu a ddaeth i'w ran, ac yna rhoddodd ei fywyd yn aberth dros bob un ohonom ar groesbren.

'Canys nid archoffeiriad heb allu cyd ddioddef
â'n gwendidau sydd gennym, ond un sydd wedi
ei brofi ym mhob peth, yn yr un modd â ni, ac eto
heb bechod.'

Trwy'r aberth hwn rwyt yn cynnig maddeuant i bob un ohonom, os gwnawn ni edifarhau.

'Rho inni, nefol Dad,
Yr Ysbryd Glân yn awr,
Wrth geisio cofio'r gwerth a gaed
Yng ngwaed ein Iesu mawr.'

Teimla rhai, O! Arglwydd, dy fod ti am iddynt fanteisio ar dywydd braf yr haf i gynnal gweithgareddau awyr agored fel cyfrwng i ledaenu'r efengyl. O! Arglwydd, cyflwynwn i'th sylw'n arbennig y gweithgarwch ar y traethau, pryd y rhennir newyddion da drwy gynnal chwaraeon, adrodd storïau, canu ac arwain amrywiol weithgareddau ymhlith plant ac ieuenctid. Cyflwynwn hefyd i'th sylw y gweithgareddau ar faes yr Eisteddfod Genedlaethol a thystiolaeth y gwahanol enwadau yn yr Eisteddfod. Gweddïwn y byddi di'n cael dy le ac y bydd rhai'n dod i sŵn yr efengyl am y tro cyntaf ac i'th adnabod fel Gwaredwr personol, am fod unigolion yn barod i gysegru o'u hamser a'u dawn i rannu dy gariad ag eraill.

Cyflwynwn ein gweddïau yn enw Iesu Grist, ein Gwaredwr. Amen.

Menna Green

Yr Haf

Darlleniad: Salm 8

Diolchwn i ti heddiw, ein Tad, am dymor yr haf, ac am awyrgylch fendithiol dy greadigaeth yr adeg hon o'r flwyddyn pryd y mae'r coed yn eu gogoniant, y blodau yn eu gwisgoedd gorau, a'r caeau o'n cwmpas yn llawn porfa a bwyd i ddyn ac anifail.

Diolchwn i ti am harddwch ein gwlad ei dyffrynnoedd ffrwythlon a'i hafonydd byw rhedegog, ei llynnoedd llonydd a'i mynyddoedd geirwon, ac am aruthredd y môr yn golchi ei glannau. O! Dduw, rho inni lygaid i ryfeddu at harddwch dy greadigaeth, clustiau i fwynhau cân aderyn yn y llwyn a bref anifail yn y caeau, a chalon i werthfawrogi'r cyfan mewn diolchgarwch i ti. O! Greawdwr daionus, mor ardderchog yw Cymru ein gwlad yn nhymor yr haf, ac i ti heddiw y rhoddwn ein clod. Ond, er hardded yw dy greadigaeth, fe ganmolwn dy enw heddiw am yr harddwch mwy hwnnw nad yw'n dirwyn i ben nac yn darfod mewn amser. Cydnabyddwn gyda'r Salmydd fod ein dyddiau ni fel glaswelltyn yn tyfu ac yn blodeuo, ac yna'n darfod ac yn diflannu. Ond yr wyt ti, ein Tad, o dragwyddoldeb i dragwyddoldeb, ac y mae harddwch dy gariad yn Iesu Grist mor fendigedig heddiw ag erioed. Canwn gyda'r emynydd:

> 'Rhosyn Saron yw ei enw,
> Gwyn a gwridog, teg o bryd;
> Ar ddeng mil y mae'n rhagori
> O wrthrychau penna'r byd:
> Ffrind pechadur,
> Dyma'r Peilot ar y môr.'

Diolchwn i ti ein Tad am harddwch person dy Fab, Iesu Grist pan oedd ar ein daear; am harddwch ei ostyngeiddrwydd tuag at ei rieni; am harddwch ei anwyldeb tuag at y plant a gasglai o'i amgylch; am harddwch ei dosturi tuag at y cleifion; am harddwch ei ymwneud grasol â'i ddisgyblion, ac am harddwch ei gariad tuag atom ar Groes Calfaria.

Canmolwn dy enw, ein Tad, am bawb sydd wedi dod dan gyfaredd harddwch Iesu Grist, ac sy'n adlewyrchu ei gariad yn eu bywydau ac yn eu hymroddiad i wasanaethu eu cyd ddynion. Yn dy drugaredd, gwna ninnau hefyd yn gyfryngau yn dy law i estyn dy gariad i'n gilydd, ac i bwy bynnag a'i myn.

Gweddïwn dros bawb sy'n amddifad o ofal cariadus tad a mam ac anwyliaid, a thros eraill sy'n ddi ymgeledd o gysgod Eglwys ac mewn anwybodaeth o'th gariad anfeidrol yn Iesu Grist. O! Dad, trwom ni, cysura hwy, a llanw hwy ag ysbryd ymddiried yn nhrefn dy ras.

Gweddïwn dros bawb sy'n methu mwynhau tymor yr haf oherwydd afiechyd a gwendid henaint. O! Dad, llewyrcha arnynt wres dy gariad fel na bydd eu cariad tuag atat yn oeri, na chwaith yn diffodd yn wyneb stormydd bywyd.

Diolchwn, ein Tad, am iechyd i fwynhau'r haf ac am nerth i gyflawni ein gwaith o ddydd i ddydd. Diolchwn hefyd am wyliau'r haf i ymryddhau o gyfrifoldeb gwaith, ac i atgyfnerthu'n gorfforol, yn feddyliol ac yn ysbrydol. Gweddïwn ar i'r cyfnod hwn fod yn fendithiol i bawb ohonom fel y cawn nerth i wynebu ein gwaith ym mis Medi gydag ymroddiad newydd, ac ysbryd parotach i'th wasanaethu yn enw Iesu Grist.

> 'Can's caru dynion a'u gwasnaethu,
> Dyma'r ffordd i garu'r Iesu.
> A chawn gyfran o'i lawenydd
> A'i ogoniant yn dragywydd.'

Er mwyn Iesu Grist. Amen.

John Lewis Jones

Diolchgarwch

Darlleniad: Genesis 1: 1 31

Molwn di, O! Arglwydd,
Am dy gynllun sydd uwchlaw'r cwbwl,
Am dy drefn sydd yn sail i bopeth sydd,
Am dy fwriad cariadus a roddodd gychwyn i fywyd:
Diolchwn i ti!

Molwn di, O! Arglwydd, ffynhonnell popeth sydd,
Am ryfeddod y bydysawd a greaist,
Am y sêr a'r planedau,
Am ddyfnderoedd yr eangderau:
Diolchwn i ti!

Molwn di, O! Arglwydd, creawdwr nef a daear,
Am y creaduriaid a roddaist i'n byd:
Am geinder adenydd y pili pala,
Ac am groen gwydn yr eliffant,
Am bopeth sy'n hedfan neu'n troedio, yn ymlusgo neu'n nofio,
Yn yr awyr, ar y tir ac yn y môr:
Diolchwn i Ti!

Maddau i ni fel dynoliaeth:
Am amharchu'r hyn a greaist,
Am lygru'r hyn a wnaethost yn lân,
Am ladd yr hyn y rhoddaist fywyd iddo.
Gad inni weld o'r newydd
Mai eiddot ti yw'r ddaear a phopeth sydd.

Molwn di, O! Arglwydd, creawdwr pobloedd y ddaear,
Am i ti wneud pob un ohonom ar dy ddelw dy hun
Gyda synhwyrau a theimladau i werthfawrogi dy roddion.

Am ymennydd i feddwl, calonnau i garu,
Ac anian greadigol i fedru cyfrannu i gymdeithas:
Diolchwn i ti!

Maddau i ni fel dynoliaeth:
Am ormesu ein gilydd, am bob trais a rhyfel,
Pob meddwl, pob gair, pob gweithred
Sy'n bychanu, sy'n brifo, sy'n lladd.
Gad inni weld o'r newydd werth dy ddelw ym mhawb.

Molwn di, O! Arglwydd, cynhaliwr popeth byw,
Am gyfoeth dy gynhaeaf eleni eto,
Am gnwd y ddaear, am ffrwythau'r llwyni a'r coed,
Am silffoedd llawn y siopau ac am fara ar ein bwrdd:
Diolchwn i ti!

Maddau i ni yn y Gorllewin ein hunanoldeb a'n hannoethineb
Fel stiwardiaid dy gynhaeaf di.
Maddau inni mewn byd o ddigonedd
Fod llawer yn llwgu.
Maddau inni mewn byd cyfoethog
Fod llawer yn dlawd.
Wrth inni ddiolch, heddiw, gwna ein diolch yn rhannu,
Er mwyn i eraill fwynhau dy gariad a'th haelioni di.

Molwn di, O! Arglwydd ein Gwaredwr,
Am anfon dy Fab, Iesu Grist, i'n byd.
Am iddo ddod fel un ohonom er mwyn inni ddod yn debycach
iddo,
Am iddo farw drosom ac atgyfodi er mwyn i ninnau gael bywyd yn
ei enw:
Diolchwn i ti!
Cynorthwya ni i fyw yn ei gariad,
I gyhoeddi ei faddeuant
Ac i weithio drosto drwy gydol ein hoes.
Gofynnwn hyn yn ei enw ef. Amen.

Casi Jones

Diolchgarwch

Darlleniad: Luc 17: 11 19

Diolchwch i'r Arglwydd! Galwch ar ei enw, gwnewch yn hysbys ei weithredoedd ymysg y bobloedd. Cenwch iddo, moliennwch ef, dywedwch am ei holl ryfeddodau. Diolchwch i'r Arglwydd, oherwydd da yw, ac y mae ei gariad hyd byth. Â chalonnau llawn diolchgarwch y trown atat yn ystod yr oedfa hon. Sylweddolwn mai diolch yn unig yw ein lle, gan i ti, O! Arglwydd, dywallt dy drugaredd arnom. Trwy dy ddwylo di y daw popeth i ni ... mawr yw dy drugaredd.

> 'Ar ei drugareddau
> Yr ydym oll yn byw,
> Gan hynny dewch a llawenhewch
> Cans da yw Duw.'

Diolchwn i ti, Arglwydd, am dy roddion ysbrydol; am y fraint o gael galw Duw yn Dad ac Iesu Grist yn Frawd; am rodd o ddiddanydd yn yr Ysbryd Glân; am y maddeuant sy'n cael ei gynnig i bob un trwy aberth Crist ar y Groes; am dy Air sy'n llusern i'n troed a llewyrch i'n llwybr; am agor ffordd i ni gael troi atat mewn gweddi.

Wrth inni ddiolch, O! Arglwydd, rydym yn gorfod cyffesu o'th flaen inni ddibrisio dy roddion yn aml, ein bod yn pechu i'th erbyn drwy beidio â chydnabod ein Tad, drwy ailgroeshoelio ein Brawd; drwy ddiystyru grym yr Ysbryd Glân; drwy wrthod derbyn dy aberth ar y Groes; drwy anwybyddu dy Air a llwybrau gweddi.

Arglwydd, maddau inni am fod mor anniolchgar. Arglwydd, trugarha wrthym. Diolch i ti, Arglwydd, am dy roddion tymhorol; am fwyd a dillad; am gartref ac eglwys; am deulu a chyfeillion; am gymdogion a chydnabod; am waith ac amser hamdden; am bob tymor yn ei dro.

Helpa ni i werthfawrogi dy roddion ac i gofio'r rhai sydd heb anghenion bywyd heb gynhaliaeth i gorff; heb do uwch eu pennau; heb gynulleidfa o gydaddolwyr; heb anwyliaid yn agos nac ymhell; heb waith; y rhai hynny sy'n gweld amser yn pwyso'n drwm ar eu hysgwyddau. Cyflwynwn hwy oll i ti, Arglwydd, gan wybod dy fod ti'n gallu cyfarfod angen dyn o ddydd i ddydd. Ond, Arglwydd, dangos i ni pa ran sydd gennyt i ni ei chwarae yn y gwaith o wella safonau bywyd ein brodyr a'n chwiorydd llai ffodus na ni. Mae dy Air yn dweud wrthym:

'Beth bynnag yr ydych yn ei wneud, ar air neu ar weithred, gwnewch bopeth yn enw yr Arglwydd Iesu, gan roi diolch i Dduw, y Tad, drwyddo ef.'

Cynorthwya ni, O! Arglwydd, i allu rhoi diolch i ti ym mhob sefyllfa. Mae'n anodd ar adegau roi diolch am bob sefyllfa, yn enwedig pan fo'r amgylchiadau'n galed a chymhleth. Ond rwyt ti wedi addo yn dy Air:

'Nid oes un prawf wedi dod ar eich gwarthaf nad yw'n gyffredin i bawb. Mae Duw yn ffyddlon, ac ni fydd ef yn eich gadael i chwi gael eich profi y tu hwnt i'ch gallu; yn wir, gyda'r prawf, fe rydd ef ddihangfa hefyd, a'ch galluogi i ymgynnal dano.'

Diolch i ti, Arglwydd, am yr addewidion sydd yn dy Air. Cynorthwya ni i ymddiried yn llwyr ynot.

'Diolch i ti am dy Eglwys
A'i phroffwydi ym mhob oes,
Gyda'i ffydd a'i sêl diorffwys
Yn y grym sy 'mhren y groes.'

Diolch am inni deimlo'r ddyled i roddi clod i ti.
Cyflwynwn ein gweddïau yn enw Iesu Grist, ein Harglwydd a'n Gwaredwr. Amen.

Menna Green

Diolchgarwch

Darlleniad: Salm 103

Diolchwn i ti, ein Tad, am awyrgylch fendithiol yr oedfa hon sy'n peri inni fwynhau cwmni'n gilydd yn dy dŷ, ac yn peri inni ymostwng gyda'n gilydd i'th gydnabod a'th addoli. Sylweddolwn na allwn dy addoli'n iawn ohonom ein hunain. Yn wir, ein Tad, oni chawn gyfarwyddyd dy Air sanctaidd a chymorth yr Ysbryd Glân, cyffeswn na wnawn ond addoli duwiau dieithr, cynnyrch ein dychymyg a'n hofnau ffôl, eithr trugarha wrthym ni trwy ein cynorthwyo i ymateb i gymhellion yr Ysbryd a chyfarwyddyd dy Air. Dywed dy Air wrthym mai 'Ysbryd yw Duw, a rhaid i'w addolwyr ei addoli mewn ysbryd a gwirionedd'.

Yn dy drugaredd, bendithia ni felly ag ysbryd cywir i'th addoli, ac i sylweddoli nad oes arall fel tydi, yr unig wir a'r bywiol Dduw. Yn wir, i ti, ein Tad, y perthyn pob mawl ac anrhydedd, pob doethineb a mawredd, a phob gallu a gogoniant, ac i ni y perthyn y fraint o ddyrchafu dy enw sanctaidd, a'th addoli. Am hynny:

> 'Deuwch ac addolwn ac ymgrymwn, plygwn ein
> gliniau gerbron yr Arglwydd a'n gwnaeth, oherwydd
> ef yw ein Duw, a ninnau'n bobl iddo a defaid ei borfa.'

Diolchwn am dystiolaeth dy Air i'th ofal mawr ohonom ac am rybudd y salmydd i beidio anghofio dy ddaioni tuag atom:

> 'Fy enaid, bendithia'r Arglwydd, a phaid ag anghofio'i
> holl ddoniau.'

Cofiwn yn ddiolchgar, ein Tad, y modd y creaist ni ar dy lun a'th ddelw dy hun, ac anadlu ynom fywyd. Diolchwn am y rhodd werthfawr hon, ac am iti ein cynnal a'n cadw hyd y foment hon. Yn dy drugaredd, cadw ni rhag derbyn rhodd bywyd yn ddi feddwl ac yn ddiddiolch. O! Dad, ti yw rhoddwr a chynhaliwr ein bywyd, a thrwy fendithion dy greadigaeth, darperaist fwyd a diod i'n cynnal, a gwres ac awyr iach i'n cadw'n fyw. Diolchwn i ti am fendithion eraill bywyd, megis cariad anwyliaid a charedigrwydd cyfeillion, iechyd i fwynhau bywyd a nerth i gyflawni ein gwaith, ac amser hamdden i ymlacio ac i atgyfnerthu. O! Arglwydd, boed inni sylweddoli mor dda yw hi arnom mewn gwirionedd ac mor llwyr ddibynnol ydym arnat ti.

Ond yn fwy na dim, dymunwn roi diolch i ti heddiw am dy gariad anfeidrol a ddatguddiaist i ni ym mherson dy Fab, Iesu Grist. Diolchwn i ti am iddo ddod i'n byd, ac i'n bywyd. Diolchwn fod Iesu Grist yn frawd i gydymdeimlo â'n gwendid, ac yn geidwad i'n hachub o'n cyflwr pechadurus.

Diolchwn am ei fywyd pur a dilychwin, ei neges yn llawn gwirionedd, ei dosturi tuag at y cleifion, ei allu rhyfeddol i iacháu ac i fwrw allan ysbrydion aflan, a'r modd yr aeth oddi amgylch gan wneuthur daioni. Ond uwchlaw pob peth, ein Tad, fe gofiwn yn ddiolchgar am aberth ei gariad ar y Groes, a buddugoliaeth ei gariad fel y'i datguddiwyd mor ogoneddus ar fore'r trydydd dydd.

O! Arglwydd Dduw, mor fawr yw dy gariad diymollwng tuag atom yn Iesu Grist, ac mor fawr yw ein dyled i ti. Derbyn, felly, ein diolch a'n clod. Gwna ni'n ymwybodol hefyd o'n dyled i'n gilydd, ac o'n braint a'n cyfrifoldeb i rannu bendithion dy gariad, ac i'w hestyn i bwy bynnag a'u myn.

Yn dy drugaredd, maddau i ni ein dyledion a phopeth ynom sy'n peri loes a thristwch i ti. Derbyn felly ein diolch a'n clod, ac arhosed dy fendith arnom ac ynom, er mwyn ein Gwaredwr, Iesu Grist. Amen.

John Lewis Jones

Yr Hydref

Darlleniad 1: Salm 96
Darlleniad 2: Mathew 2: 1 10

Ein Tad, dyma ni unwaith eto wedi troi tudalen, ac yn cychwyn mis newydd gyda diolch i ti. Mis Hydref gyda'r traddodiad o gynnal gŵyl gŵyl i'r ysgol, gŵyl y gweithiwr a'r capel, gŵyl y teulu. Pâr inni werthfawrogi dy haelioni mawr, dy drefn, y cread a'r prydferthwch. Annigonol yw geiriau i fynegi'n llawn ein gwerthfawrogiad o'r cyfrifoldeb a'r breintiau a osodaist arnom ni. Helpa ni, O! Dad dwyfol, i allu mynegi ein diolchgarwch mewn darlleniad, mewn cân ac mewn myfyrdod tawel. Canys i ti yn unig y bydd y clod, y mawl a'r gogoniant. Cawn ein hatgoffa fel yr wyt ti yn dy drefn wedi rhoi pedwar tymor i'r flwyddyn. Dyma fel y cawn ein hatgoffa gan yr emynydd:

> 'O! deued pob creadur byw
> I demel Dduw i gofio
> Ei drugareddau rif y gwlith
> Rhown fendith ddidwyll iddo.'

Boed i ni, O! Dad nefol, sylweddoli mor fregus yw bywyd, fel mae'r Salmydd yn ein hatgoffa:

> 'Canys pob cnawd fel glaswelltyn yw, a holl ogoniant dyn fel blodeuyn y glaswelltyn. Gwywodd y glaswelltyn a'i flodeuyn a syrthiodd; eithr gair yr Arglwydd sydd yn aros yn dragywydd.'

Cytunwn, ein Tad, mai ti sy'n ein cynnal a'n cadw'n fyw. Clodforwn dy enw am roddi mor hael dy gariad a'th gyfoeth i'r truan a'r gwael. Ceisiwn drwy gyfrwng ein haddoliad ddiolch i ti am bob gofal, cymwynas a charedigrwydd i'r rhai sy'n fyr o'n breintiau yn ein cymdeithas, cyfeillion fydd yn wynebu cyfnod y diolchgarwch gyda'u teimladau'n gymysg. Helpa ni i ymddiried fwy a mwy ynot ti. Mae angen bendithion y ddaear a'r nef arnom ni oll. Tywallt, felly, dy Ysbryd Glân gan anfon y 'Gwir Ddiddanydd yma i lawr i aros gyda ni'.

Cyflwynwn i ti, ein Tad, ysgolion a cholegau ein gwlad, wrth iddynt hwythau, fel yr eglwysi, ddechrau ar raglen newydd o waith a chyfle i gyfoethogi eu profiad o fywyd. Yn unol â'n darlleniad cofiwn mai ein prif waith yw cyhoeddi gyda diolch dy fendithion a'th ryfeddodau i ni. Felly, helpa ni i anrhydeddu a mawrygu pob peth a roddaist i ni, a gad inni ddwyn offrwm mewn mawl a diolch o Sul i Sul. Yn bennaf oll, gad inni ddiolch i ti am Iesu Grist, pentywysog ein ffydd.

Gwna ni oll yn ddiolchgar am gael mwynhau bywyd a'i fendithion, a maddau inni bob hunanoldeb, rhagrith a diffyg tosturi. Maddau bechod dynion sy'n rheibio dy fyd ac yn peri i'r ddaear gael ei cham drin. Maddau i ddynion sy'n methu trefnu dy roddion ac yn fynych yn gwrthod rhannu a helpu eraill sydd mewn angen. Dymunwn dyfu'n gryf a chadarn o gorff a meddwl, ac yn lân ein calon, er cael yr anrhydedd o weithio dros Iesu Grist yn y byd. Gwyddom ei fod ef yn galw ar ei weithwyr, gwna ninnau'n barod ar gyfer ei alwad, gan gofio mai ef yw Gwaredwr y byd. Rhoddodd ei hun drosom ar Groes Calfaria; dyro dy help i ninnau roddi ein hunain yn aberth byw drosto. Gwna ni, ein Tad, yn deilwng o bopeth a gawn gennyt, ac yn bennaf yn deilwng o gariad ac aberth Iesu Grist.

> 'Mae'r cynhaeaf yn aeddfedu
> Ym mhob ardal is y nef,
> Ac fe gesglir llafur Iesu,
> Gwerthfawr ffrwyth ei angau ef.'

Bu dy roddion i ninnau yn ddefnyddiol a phrydferth, ac yn yr hydref fe gofiwn:
> 'Gwynt yr Hydref ruai neithiwr,
> Crynai'r dref i'w sail,
> Ac mae'r henwr wrthi'n fore'n
> Sgubo'r dail.'

Diolchwn am ogoniant yr hydref a'n ceidw rhag bod yn ddigalon yn oerni'r gaeaf. Diolchwn. Amen.

Carys Ann

Yr Hydref

Darlleniad: Salm 104

Mawr yw gweithredoedd yr Arglwydd; fe'u harchwilir gan bawb sy'n ymhyfrydu ynddynt. Llawn anrhydedd a mawredd yw ei waith, a saif ei gyfiawnder am byth. Mae'n rhoi cynhaliaeth i'r rhai sy'n ei ofni ac yn cofio ei gyfamod am byth.

Clodforwn dy enw sanctaidd, O! Dduw, am dy holl weithredoedd. Wrth edrych o'n cwmpas yr adeg hon o'r flwyddyn gwelwn ôl dy law ymhobman: y dydd yn byrhau a'r nosweithiau'n hir a thywyll; y tywydd yn oeri a'r glaswellt yn peidio â thyfu; y cynhaeaf grawn, llysiau a ffrwythau; coed y maes yn eu gwisgoedd lliwgar o felyn, coch a brown; anifeiliaid y maes yn casglu bwyd i'w storio ar gyfer y gaeaf.

Arglwydd, mawr yw dy ofal dros y ddaear. Yn dy ddaioni, rwyt yn gofalu fod digon o gynhaliaeth ar gael i bawb, i ddyn ac anifail. Ond mor aml, yr hyn a welwn ac y clywn amdano yw prinder a newyn yma a thraw, oherwydd camddefnyddio dy roddion.

Maddau inni, Arglwydd, ein hunanoldeb. Maddau inni am beidio ag ystyried anghenion eraill, am ein hesgeulustod sy'n arwain at ddioddefaint eraill. Cynorthwya ni, O! Dduw, i iawn ddefnyddio a gwerthfawrogi dy haelioni. O! Dduw, ein Tad, yn ystod yr hydref byddwn yn ailafael yng ngweithgareddau canol wythnos ein heglwys, wedi gwyliau'r haf. Cawn gyfle i gymdeithasu â'n gilydd; cyfle i rannu profiadau yn y seiat a'r cylch trafod; cyfle i gydweddïo ac i wrando arnat ti'n llefaru wrthym yn y cyfarfod gweddi. Cynorthwya ni, O! Dduw, i iawn ddefnyddio ein hamser, gan neilltuo cyfnodau i fod yn rhan o'r gweithgareddau hyn.

Yn ystod yr hydref mae natur yn ymdawelu a thyfiant yn arafu mewn paratoad at y gaeaf, pryd y bydd y ddaear yn atgyfnerthu ac yn creu ystôr o adnoddau ar gyfer tymor y gwanwyn.

'Diolch wnawn am fwynder hydref,
A'i dawelwch dros y wlad;
Ffrwyth y maes a gwynfyd gartref
Ddaeth o'th ddwylo di, ein Tad.
Dy fendithion sy'n ddi drai,
Mawr dy gariad i bob rhai.'

Cofiwn ger dy fron, O! Dad, sy'n llawn cariad, y rhai sy'n
wynebu hydref yn eu bywyd: eu cyrff yn fregus, eu clyw yn drwm,
eu golwg yn pallu, a'u hiechyd cyffredinol yn dirywio. Rhai â
phryderon bywyd yn pwyso'n drwm ar eu hysgwyddau; rhai wedi
colli cymar, yn unig ac yn teimlo'n ddi gefn; rhai'n wynebu
ymddeoliad o waith llawn amser ac yn ceisio addasu i batrwm
newydd o fywyd.

Cyflwynwn y rhain i gyd i'th ofal, O! Dad, gan wybod dy fod
ti'n gallu gwneud llawer iawn mwy i bob un sydd mewn angen nag
y gallwn ni ei ddymuno ar eu rhan. Tywallt dy gariad arnynt a
gwna bob un ohonynt yn ymwybodol o'th gyffyrddiad.

Sylweddolwn, O! Dad, dy fod am ein defnyddio ni, dy
ddisgyblion, yn gyfryngau yn dy law i rannu dy gariad â'r rhai y
mae arnynt angen dy gymorth. Gwna ni'n gyfryngau teilwng, O!
Dad, drwy dywallt dy Ysbryd Glân arnom. Ein gweddi yw:

'Ysbryd graslon, rho i mi
Fod yn raslon fel tydi.
Dysg im siarad yn dy iaith,
Boed dy ddelw ar fy ngwaith:
Gwna i holl addfwynder f'oes
Ddweud wrth eraill werth y Groes.'

Cyflwynwn ein hunain i'th wasanaeth di, O! Dad. Gofynnwn am
dy nerth a'th arweiniad i bob un ohonom i'n galluogi i fod yn well
disgyblion, ac yn well cyfryngau yn dy law i alluogi i'th gariad di
lifo trwom ni tuag at bawb sydd mewn angen. Amen.

Menna Green

Yr Hydref

Darlleniad: Salm 65

Diolchwn i ti heddiw, ein Tad, am dymor yr hydref. Cydnabyddwn mai ti sy'n llunio pob tymor yn ei dro, ac yn sicrhau fod i'r tymhorau i gyd eu bendithion ar ein cyfer. Diolchwn am brydferthwch dy greadigaeth yr adeg hon o'r flwyddyn, pryd mae dail y coed yn gwywo mor hardd, a'r barrug yn cuddio'r ddaear â'i flanced wen.

> 'Diolchwn am erwinder hydref
> A'i brydferthwch dros ein gwlad;
> Ffrwyth y maes a gwynfyd cartref
> Ddaeth o'th ddwylo di ein Tad.'

Cydnabyddwn nad ydym yn gweld ôl gwaith dy ddwylo bob amser, ac mai amharod ydym yn aml i roddi diolch i ti. O! Dad, agor ein llygaid i weld dy ddaioni ym mendithion dy greadigaeth, a chynhesa ein calonnau i werthfawrogi dy ofal cyson a gofalus amdanom.

> 'Yr wyt,' fel y dywed y Salmydd, 'yn cryfhau'r mynyddoedd o'th balas, digonir y ddaear trwy dy ddarpariaeth. Yr wyt yn gwneud i'r gwellt dyfu i'r gwartheg, a phlanhigion at wasnaeth dyn, i ddwyn allan fara o'r ddaear, a gwin i lonni calon dyn.'

O! Dad daionus, wedi tymor ffrwythlon yr haf, dyma yw byrdwn ein cân ninnau hefyd. Yr wyt wedi darparu mor helaeth ar ein cyfer, fel y gallwn o hyn ymlaen wynebu tymor oer yr hydref yn ddibryder, a chyda sicrwydd fod gennym fwyd a diod i'n cynnal, a thanwydd i gadw ein haelwydydd yn gynnes.

Wrth ddiolch i ti am fendithion tymhorol bywyd, fe gofiwn angen mawr ein cyd ddynion sy'n dioddef newyn a thlodi tu hwnt i'n hamgyffred. Ond er na allwn amgyffred trueni ein brodyr a'n chwiorydd, gad inni i sylweddoli ein cyfrifoldeb i estyn iddynt fendithion dy greadigaeth a gofal dy gariad. O! Dad, planna ynom dy dosturi, a nertha ni i wneud ein rhan yn enw Iesu Grist, gan gofio ei eiriau:

> 'Yn wir, rwy'n dweud wrthych, yn gymaint ag i chwi ei wneud i un o'r lleiaf o'r rhain, fy mrodyr, i mi y'i gwnaethoch.'

Gweddïwn, ein Tad, dros ein cyfeillion sydd wedi cyrraedd hydref bywyd, ac sy'n teimlo fod mwy o flynyddoedd wedi mynd nac sydd eto i ddod. Yn dy drugredd, cynorthwya hwy i sylweddoli nad yn gymaint tymor y disgwyl anochel am y diwedd yw hydref bywyd, ond tymor yr ymddiriedaeth dawel y byddi gyda nhw bob cam o'r daith.

Bendigwn dy enw mai Duw wyt ti sydd gyda ni, a chyda'th bobl yng nghanol amserau amrywiol bywyd, 'amser iechyd digymylau a chysgodion diwedd oes.' O! Arglwydd, ein Craig a'n Prynwr, dyfnha ein ffydd yn nhrefn dy iachawdwriaeth, fel na fyddwn un amser yn colli golwg ar dy wyneb, na chwaith yn colli gafael yn dy law. Yn dy drugaredd, meinha hefyd ein clyw i glywed dy lais yn dweud wrthym:

> 'Pan fyddi'n mynd trwy'r dyfroedd, byddaf gyda thi; a thrwy'r afonydd, ni ruthrant drosot. Pan fyddi'n rhodio trwy'r tân, ni'th ddeifir, a thrwy'r fflamau, ni losgant di. Oherwydd myfi, yr Arglwydd, dy Dduw, Sanct Israel, yw dy waredwr.

Diolchwn i ti am weinidogaeth dy Air arnom yn yr oedfa hon, ac am addewidion gwerthfawr dy Fab, Iesu Grist. Cadw ni yn niogelwch dy gariad, a dysg ni i gyfrif ein dyddiau, inni gael calon ddoeth, ac ysbryd credu 'na all nac angau nac einioes nac angylion na thywysogaethau, na'r dyfodol na dim arall a grewyd, ein gwahanu ni oddi wrth gariad Duw yng Nghrist Iesu ein Harglwydd'. Ac iddo ef y byddo'r clod a'r gogoniant yn awr ac yn oes oesoedd. Amen.

John Lewis Jones

Y Gaeaf

Darlleniad 1: Salm 146
Darlleniad 2: Mathew 5: 17 20

O! Dduw, ein Tad, rhyfeddwn at holl ddirgelwch bywyd. Byddwn yn gofyn unwaith eto i ble'r aeth yr wythnosau a'r misoedd hyn. O edrych yn ôl mae'n anhygoel fod cymaint o bethau'n gallu digwydd o fewn blwyddyn. Diolch fod Iesu Grist yr un 'ddoe, heddiw ac yn dragywydd'. Rydym eisoes yn paratoi ar gyfer dathlu Gŵyl y Geni, cyfle i ni bortreadu'r wyrth a'i rhyfeddod, dyfodiad Crist i fyd oedd yn llawn pechodau cas. Helpa ni, felly, mewn corff, enaid ac ysbryd i fod yn edifeiriol am ein holl gamweddau.

Gwneler dy ewyllys. Plyga ni mewn ufudd dod llawn i ti. Boed inni mewn gair a gweithred dy wasanaethu bob dydd mewn llawenydd a diolch. Pâr inni gyflwyno pob aelwyd a theulu i'th ofal tyner, tadol a thragwyddol drwy Iesu Grist ein Harglwydd. Rho nerth dy bresenoldeb ac arweiniad dy Ysbryd Glân i bob un ohonom. Rhoddwn ddiolch i ti am dy ofal trosom ar bob adeg o'n bywyd. Yn nhymor y gaeaf cofiwn mor garedig y buost wrthym; cofiwn mai dy gariad di a'n cadwodd. Mae arnom angen dy arweiniad yn wastadol. Cynorthwya ni i wneud yr hyn sydd gywir, a dysg ni i ddod atat ti pan fyddwn yn ansicr o'n llwybr, fel y gelli ein gwneud yn gryf unwaith yn rhagor. Diolchwn hyd yn oed am y pethau anodd a ddaw ar ein traws mewn bywyd. Gwna ni'n gryfach i'th wasanaethu di ac i'th ddilyn yn ostyngedig. Os cawn ein siomi yn ystod y gaeaf hwn eleni, gan anawsterau neu siomedigaethau neu beryglon, gelli di ein harwain a'n cysuro trwyddynt. Llanw'n calon â'th Ysbryd Glân, a dysg ni i orchfygu'r cyfryw gan ddweud, 'Dy ewyllys di a wneler'.

Dyma gyfnod y gaeaf. Dyma'r amser i ti, ein Tad, roddi pethau yn eu lle priodol yma ar ein daear. Gwyddom dy fod yn rhoi trefn ar bopeth ac yn rhoi amrywiaeth yn ein byd rhyfeddol a hardd, gan atgyweirio dy fyd yn barod ar gyfer bywyd newydd y gwanwyn a'r haf. Diolch am gyfnod o dawelwch pan nad oes sŵn, na llais na

sibrwd yn y tawelwch. Diolch am gyfle i wrando a disgwyl iti
ymateb i'n cais: 'Yn y dwys ddistawrwydd, dywed air, fy Nuw'.
Wrth i'r gaeaf ddod ag oerni, siom a thristwch i'n bywyd,
cynorthwya ni, ein Tad, i ymddiried ynot ti gan gredu fod y
Garddwr Mawr yn gwybod sut i ddefnyddio'r oerni a'i droi'n lles.
Fel yr eira a'r rhew a ddaw i rai dros y gaeaf, rho gymorth inni
ddysgu fod yna rai pethau anodd a chaled y mae'n rhaid inni eu
gwneud os ydym am fyw y bywyd da. Rhaid wrth aeaf caled i
baratoi'r ffordd i haul gwanwyn a haf.

Gad inni werthfawrogi dy brydferthwch o'n hamgylch ninnau.
Gwyddom dy fod yn gofalu amdanom fel yr wyt yn gofalu am
bethau natur. Fe dyfwn yn fwy prydferth o dan dy ofal di, a thrwy
dy haelioni tuag atom. 'Dy holl weithredoedd a'th glodforant, O!
Arglwydd.' Llanw ein calonnau ninnau â diolch cyson. O! Dduw,
ein Tad, diolchwn yn nhymor y gaeaf am y fraint o gael gweld
popeth o'n hamgylch, ac am gael teimlo'r awel fwyn o'n cylch a'r
glaw tyner yn diwallu ein daear. Edrychwn ymlaen at dymhorau
pryd y cawn brofi o wres bendithiol i'n cynorthwyo i dyfu, a
diolchwn am dy ofal cyson dros ein bywyd.

> 'Pan welwn y gaeaf a'i oerni a'i nos
> A'i eira a'i foelni ar ddôl,
> O! cofiwn bryd hynny, daw lili a thes
> Iesu cyn hir yn eu hôl.'

> 'Yn ein tristwch, yn ein siomiant,
> Rhywbeth gyfyd, yn y munud, er ein mwyniant
> Er ein cysur, mae gan natur
> At ei hangen, falm a deilen i bob dolur.'

Derbyn ein mawl a'n diolch, Arglwydd, am dy ddaioni gwerthfawr.
Maddau ein holl bechodau i'th erbyn, yn enw Iesu Grist. Amen.

Carys Ann

73

Y Gaeaf

Darlleniad: Salm 74

Diolchwn i ti, O! Dduw. Diolchwn i ti. Mae'r rhai sy'n galw ar dy enw'n adrodd am dy ryfeddodau. Ti a osododd holl derfynau daear; ti a drefnodd haf a gaeaf. Plygwn ger dy fron â chalonnau llawn diolchgarwch dy fod yn Dduw sy'n agos at dy bobl.

> 'Fel y mae tad yn tosturio wrth ei blant, felly
> y tosturia'r Arglwydd wrth y rhai sy'n ei ofni.'

Wrth inni brofi gerwinder y gaeaf, O! Dduw, gofynnwn i ti yn dy dosturi gofio'r rhai sy'n teimlo'r diwrnodau byr a'r nosweithiau hir, y tywydd oer a'r diffyg haul, yn pwyso'n drwm ar eu hysgwyddau. Cofia'n arbennig y rhai sy'n oedrannus yn ein mysg; y rhai sy'n cael anhawster cadw'n gynnes oherwydd prinder arian i dalu am drydan, glo neu nwy i wresogi eu cartrefi; y rhai sy'n ddigartref, heb do uwch eu pennau; y rhai sy'n ofni gadael eu haelwydydd wedi iddi dywyllu rhag ofn i rywun ymosod arnynt neu dorri i mewn i'w cartrefi; y rhai sy'n unig a digalon, sy'n methu mynd i gymdeithasu â'u cyfeillion, na chroesawu cyfeillion i'w cartrefi oherwydd y tywydd gaeafol. Cyflwynwn y rhain i gyd i ti, O! Dduw, gan ofyn i ti gyffwrdd calonnau'r rhai ifainc a'r rhai sy'n abl yn ein mysg. Cynorthwya hwy fel y gallant ysgafnhau beichiau'r rhai sy'n llai ffodus, a rhannu haul dy gyfiawnder di â'r rhai sydd mewn angen.

> 'Dysg inni'r ffordd i weini'n llon,
> Er lleddfu angen byd o'r bron;
> Rhoi gobaith gwir i'r gwan a'r prudd,
> Ac archwaeth dwfn at faeth y ffydd.'

Diolchwn i ti, Arglwydd, ein bod yn gallu dy weld ar waith yn ein byd ac yn ein mysg yn yr ardaloedd hyn trwy dy ddisgyblion. Ein gweddi yw i'th oleuni nefol ddisgleirio i fywydau pobl sydd yng nghanol tywyllwch gaeaf yn eu bywydau personol: rhai sy'n wynebu profedigaeth, ysgariad, afiechyd blin, problemau a threialon o bob math. Boed iddynt, drwy gymorth dy ddilynwyr, allu gweddïo'r geiriau hyn:

'Yn wyneb treialon di ri
Gofynnaf am gymorth fy Nuw,
Mae'n barod i wrando fy nghri,
A dyfod i'm cadw yn fyw:
Gofalaf am gyfaill â'i law
I'm cynnal â'i gariad mewn pryd;
Ar adeg dywyllaf o braw
Ei Fab yw 'ngoleuni o hyd.'

Diolchwn, O! Dduw, dy fod wedi rhoi dy fab Iesu Grist yn oleuni i'r byd.

'Myfi yw goleuni'r byd   ni bydd neb sy'n fy nghanlyn i byth yn rhodio yn y tywyllwch, ond bydd ganddo oleuni'r bywyd.'

Dyma oedd geiriau Iesu.

Yng nghanol tywyllwch ein dyddiau ni, ein Tad, ein gweddi yw:

'Tyrd atom ni, O! Grëwr pob goleuni,
Tro di ein nos yn ddydd;
Pâr inni weld holl lwybrau'r daith yn gloywi
Dan lewyrch gras a ffydd.'

Mae ein dyled i ti, O! Dad, yn fawr. Rwyt yn barod i nesáu atom, yn dy ras, beth bynnag fo ein cyflwr, beth bynnag fo ein hamgylchiadau, pa mor bell bynnag rydym wedi crwydro oddi wrthyt, yn ein llawenydd, yn ein tristwch, yng ngwanwyn, haf, hydref a gaeaf ein bywyd. Diolchwn i ti.

Cynorthwya ni i rannu dy oleuni ag eraill ac i'w adlewyrchu yn ein bywyd o ddydd i ddydd er mwyn i eiriau'r Iesu gael eu cyflawni yn ein bywyd ni.

'Felly boed i'ch goleuni chwithau lewyrchu gerbron dynion, nes iddynt weld eich gweithredoedd da chwi a gogoneddu ein Tad, yr hwn sydd yn y nefoedd.'

Cyflwynwn ein gweddïau yn enw Iesu Grist, ein Gwaredwr. Amen.

Menna Green

75

Y Gaeaf

Darlleniad: Salm 74

Ein Tad, braint yw cael dy gyfarch yn awr mewn gweddi. Pobl fel ni, gyda'n beiau a'n pechodau, yn cael cyfarch Duw sy'n sanctaidd a pherffaith, gan wybod ein bod yn cael yr hawl i wneud hynny drwy dy Fab, Iesu Grist, a aeth i'r Groes dros ein pechodau ni. Diolch i ti am faddau inni ac am i ti ein derbyn yn blant i ti dy hun. Diolch am y cysur a'r tangnefedd sydd yn ein calonnau o wybod bod y Duw mawr a bendigedig yn Dad i ni ac yn ein caru. O! Dad, fe deimlwn yn saff ac yn glyd yn dy freichiau di, dan bob amgylchiad.

Mae'r tywydd yn oer a hithau'n drymder gaeaf arnom. Yn eu tro daw stormydd, glaw, rhew ac eira, ac er bod prydferthwch ym mhob tymor a phwpras i bob tymor yn ei dro, mae'n rhaid inni gyfaddef ein bod i gyd yn edrych ymlaen at y gwanwyn a'r haf. Bryd hynny fe fydd mwy o sioncrwydd yn ein cerddediad, a mwy o obaith a llawenydd yn ein calonnau. Pobl y gwres canolog ydym ni, O! Dad, pobl y modur cynnes, cyfforddus, pobl y moethau a'r cyfleusterau; ac mae'n anodd dygymod ag oerni a'i annifyrrwch a'i drafferthion. Maddau inni ein bod yn aml mor anniolchgar am fendithion y gaeaf, ac na allwn weld ei brydferthwch, na gweld ei bwrpas. Maddau inni hefyd na allwn weld ei gyfle. Mae prydferthwch mewn tirwedd o dan haen o eira neu farrug, ac mewn llyn neu fôr wedi ei gynddeiriogi gan y gwynt. Cynorthwya ni i weld bod rhaid i fyd natur orffwys dros y gaeaf i gael ei adnewyddu a'i atgyfodi yn y gwanwyn. Gwna'r gaeaf hefyd yn gyfle inni estyn dy gariad di i'r rhai sy'n hen a methedig yn ein plith. Gall y gaeaf fod yn dymor caled iawn i rai o'n cyd wladwyr, yn arbennig lle mae tlodi, llesgedd ac anabledd. Gall fod yn dymor unig iawn i'r rhai a gollodd anwyliaid neu sy'n byw ar eu pennau eu hunain. Mae'r dyddiau byr yn gadael nosweithiau hir, a all fod yn oer ac anial mewn mwy nag un ystyr.

Yn un o'i ddamhegion mae Iesu yn ymateb i ŵr a ofynnodd iddo pwy oedd ei gymydog. Ni roddodd Iesu ddiffiniad iddo, dim ond ei atgoffa mai cymydog yw pawb mewn angen, ac mai'r cwestiwn pwysig o hyd yw gofyn 'Pa fath o gymydog ydw i?' Gweddïwn yn awr, O! Dad, am y gras a'r nerth i fod y math o gymdogion y carai Iesu inni fod, pobl wedi profi ei gariad ef ac yn ei chyfrif yn fraint bod yn sianelau i'r cariad hwnnw gyrraedd eraill trwom. Yn nhymor y stormydd, yr oerni a'r tywyllwch, cynorthwya ni i ledaenu cariad, cynhesrwydd, tangnefedd a goleuni.

Ein Tad, y mae gaeaf arall yn ein poeni yn yr Eglwys, nid yr un y tu allan o'n cwmpas, ond yr un oddi mewn i ni. Gaeaf y galon, cyflwr ysbrydol sy'n llethu ein gwlad, ei phobl a ninnau yn yr Eglwys. Rydym wedi fferru mewn ansicrwydd, difaterwch a diffyg ffydd, yn byw yn hunanol am heddiw a'i bleserau, ymhell oddi wrthyt ti a'th gariad a'th gymundeb. Rhyw syrthni rhewllyd yn atal brwdfrydedd, ymroddiad a gweddi. Ac mae'r gaeaf hwn wedi bod yn un maith a garw, ein Tad, ac wedi gadael ei ôl yn drwm. Gwyddom fod pob gaeaf yn lladd, ond fe ddaw'r gwanwyn ag adnewyddiad a bywyd. Ein gweddi a'n dyhead dyfnaf, ein Tad, yw am wanwyn ysbrydol yn ein gwlad, yn ein calonnau ac yn yr Eglwys.

> 'Mae'r gaeaf ar fy ysbryd,
> O! Dad o'r Nef,
> Rwy'n erfyn am dy wanwyn,
> Erglyw fy llef;
> O! achub fi rhag oerfel
> Fy mhechod cas,
> A dwg fi i gynhesrwydd
> Dy nefol ras.
>
> Gymru!
> fy ngwyliadwriaeth ysol,
> erfyn o'th arctig annuwiol
> am drigfan wrth dân Duw;
> ac arwain yno dy werin
> i'w dadleth i fyw
> a daw eto dro ar hanes
> a sgiw'r hen aelwyd yn llawn
> o dderi Dewi
> a glo caled Crist.'

Gweddïwn am i ti gynnau fflam yr Ysbryd yn ein calonnau unwaith eto, fel y gallwn ymateb i'th ras a'th gariad yn Iesu Grist, i hebrwng gwanwyn adfywiad a bendith yn ôl i'n pobl a'n gwlad.

Erfyniwn arnat i wrando ein gweddi a'n cri, yn enw ac yn haeddiant ein Harglwydd a'n Gwaredwr, Iesu Grist. Amen.

Dafydd Roberts

Yr Adfent

Darlleniad 1: Luc 12: 35 48
Darlleniad 2: Salm 67

Duw hollalluog, sanctaidd a thrugarog wyt ti, yr hwn sy'n ymweld
â'th blant mewn goleuni a gobaith. Llewyrcha dy wyneb arnom a
thrugarha wrthym, dyrchafa dy wyneb tuag atom a rho i ni dy
dangnefedd. Tywys ni unwaith yn rhagor drwy'r wythnosau sydd
yn arwain at Ŵyl y Geni. Gad inni ddeall neges yr Adfent er mwyn
inni adnabod y ffordd sy'n arwain at waredigaeth dy holl blant.
Boed i ni, yng ngeiriau'r Salmydd, arwain ein myfyrdodau at ddeall
cyflawn ohonot ti:

> 'Bydded i'r bobloedd dy foli, O! Dduw; bydded i'r holl
> bobloedd dy foli di; bydded i'r cenhedloedd lawenhau
> a gorfoleddu oherwydd yr wyt ti yn barnu pobloedd ac
> yn arwain cenhedloedd ar y ddaear'.

Diolch felly am dy arweiniad i ni heddiw yng Nghymru. Er mai
cenedl fechan ydym mae yma dystiolaeth i waith a chenadwri dy
seintiau fel y daethost gynt i ddwyn gobaith a goleuni i'n byd. Tyrd
heddiw at bawb sydd mewn angen am dy ras a'th gariad, dy gwmni
a'th gysur; gwna dy eglwysi'n fyw ac yn effro i anghenion dy bobl
ymhob man; helpa ni i gyflawni dy waith ac i faddau pob diffyg a
bai drwy gariad Iesu Grist. Cyfnod o ddisgwyl a pharatoi yw'r
Adfent. Trwy gyfrwng y Beibl, arwain ni i ddeall drwy ddarllen dy
fwriad a'th ewyllys ar gyfer ein cenedl.

Trwy weledigaeth y proffwyd yn cyhoeddi dyfodiad yr Arglwydd,
wele ninnau hefyd yn llawn gobaith a ffydd y bydd yr holl baratoi
yn ystod yr Adfent yn dwyn ffrwyth a bendith. Y mae gobaith yr
Adfent yn dod â ni'n nes mewn ysbryd a gwaredigaeth yn nyfodiad
ein Harglwydd Iesu Grist, yr hwn a orchfygodd bechod ac angau.
Cytunwn yn llwyr â'r emynydd pan ddywedodd,

> 'Ymhlith holl ryfeddodau'r nef,
> Hwn yw y mwyaf un
> Gweld yr anfeidrol ddwyfol Fod
> Yn gwisgo natur dyn.'

Clyw gri ein calonnau wrth i ni yn wylaidd ofyn i ti ein harwain yng ngrym yr Ysbryd Glân i fod â'n calonnau'n agored i dderbyn Iesu Grist i'n bywyd.

Diolchwn i ti, ein Tad nefol, am dy gariad tuag atom yn danfon Iesu Grist i'n byd. Boed inni deimlo llawenydd ei ddyfodiad ef i'n byd. Boed inni deimlo effaith ei gyfeillgarwch a'i arweiniad ar ein bywyd fel y gallwn ddweud:

> 'Pan allan awn i'r byd,
> I waith a'i flinder croes,
> Bydd di, O Dduw, gerllaw bob pryd
> I'n nerthu drwy ein hoes.'

Diolchwn i ti am dy rodd fwyaf i'n byd yn dy uniganedig Fab, Iesu Grist. Diolchwn am y cwbl a gyflawnaist trwyddo. Cofiwn am dy anrheg werthfawrocaf i'n byd, y baban a aned mewn preseb ym Methlehem Jwda. Wrth i ni ganu carolau yn yr wythnosau nesaf, caniatâ i bob un yn y byd ganu cân o foliant i ti. Cynorthwya ni ynghanol yr Adfent i roddi ein calonnau iddo ef, a gofynnwn i ti ein helpu i fyw'n llwyr i'n Harglwydd Iesu Grist. Credwn dy fod yn falch ein bod yn dy geisio a gwyddom yn dda dy fod yn chwennych gwneud dy gartref yn ein calon. Pa anawsterau a phroblemau bynnag sy'n ein hwynebu yr awr hon, credwn nad edrych ar ein corff a wnei, oherwydd er dy fod yn bwriadu i bawb gael corff glân a di nam, nid pawb a gaiff. 'Trig o fewn ein calon, Frenin nef a llawr', fel y byddo ein hysbryd a'n teimladau, ein bwriadau a'n gweithredoedd yn iach a di nam.

Diolchwn i ti, ein Tad tirion, am bob daioni ac yn bennaf am y daioni pennaf a roddwyd inni, sef Iesu Grist. Diolchwn i ti am yr esiampl brydferth a dderbyniasom ganddo; cynorthwya ninnau i garu ei ddysgeidiaeth a dilyn esiampl ei ddaioni ef yn ein bywyd ac yn ein heglwysi. Llawenychwn fod dy Eglwys yn uno pobl yn un teulu mawr i ti dros y byd. Gweddïwn ar i'r byd roi cyfle i'th Eglwys di ddangos y cariad sydd yn Iesu Grist, a boed i ninnau ein rhoddi ein hunain yn dy law fel y gallwn dy wasanaethu'n well. Amen.

Carys Ann

Yr Adfent

Darlleniad: Eseia 52

Da yw'r Arglwydd i'r rhai sy'n gobeithio ynddo, i'r rhai sy'n ei geisio. Y mae'n dda disgwyl yn dawel am iachawdwriaeth yr Arglwydd.

> 'Ceisiwch yr Arglwydd tra gellir ei gael,
> galwch arno tra bydd yn agos.'

Arglwydd, plygwn ger dy fron gan dy gydnabod yn Arglwydd yr holl ddaear, yn Dduw goruwch y duwiau.

> 'Pa dduw ymhlith y duwiau
> Sydd debyg i'n Duw ni?
> Mae'n hoffi maddau'n beiau,
> Mae'n hoffi gwrando cri;'

Diolchwn i ti, O Arglwydd, ein bod yn cael mynediad i'th bresenoldeb am dy fod yn hoffi maddau beiau ac yn trugarhau wrthym er maint ein pechu i'th erbyn. Cyfaddefwn ger dy fron, Arglwydd, ein bod wedi pechu i'th erbyn mewn meddwl, gair a gweithred, ein bod wedi coleddu meddyliau annheilwng, wedi yngan geiriau heb ystyried y gofid a'r poen oedd yn eu dilyn, wedi gwneud pethau oedd yn dod ag anfri ar dy enw sanctaidd. Trugarha wrthym, O! Arglwydd.

> 'O'th flaen, O! Dduw, rwy'n dyfod
> Gan sefyll o hir bell;
> Pechadur yw fy enw
> Ni feddaf enw gwell;
> Trugaredd wy'n ei cheisio,
> A'i cheisio eto wnaf,
> Trugaredd imi dyro
> Rwy'n marw onis caf.'

Yn nhymor yr Adfent, cofiwn dy fod, O! Dduw, wedi dod i'r

byd yn dy Fab, Iesu Grist, gan roi bywyd newydd i'th blant. Daethost â gobaith ac iachawdwriaeth gan eu cynnig yn rhad i bob un oedd yn barod i'w derbyn.

Cofiwn dy eni tlawd ym Methlehem i deulu cyffredin; rwyt yn gallu uniaethu â'r tlawd a'r cyffredin heddiw oherwydd i ti fod yn un ohonynt. Cynorthwya ni i allu cydymdeimlo â hwy a'u cynorthwyo yn dy enw.

Cofiwn i Iesu Grist gael ei demtio fel ninnau tra oedd ar y ddaear, ond iddo ef orchfygu pob temtasiwn gan fyw bywyd glân a pherffaith. Cynorthwya ni i bwyso arnat ti am nerth i orchfygu'r temtasiynau a ddaw i'n rhan.

Cofiwn gariad a thosturi Iesu tuag at yr anghenus a'r trallodus. Cynorthwya ni i fod yn gyfryngau yn dy law er mwyn i'th gariad a'th dosturi di lifo at bawb sydd mewn unrhyw angen, er mwyn iddynt dy weld ynom ni a rhoddi clod i ti. Cofiwn am dy aberth ar y Groes dros bob un ohonom. Cynorthwya ni i dderbyn yr aberth ac i gysegru ein bywyd i ti o'r newydd.

Tymor yr ymbaratoi at dy ailddyfodiad yw'r Adfent, yr ymbaratoi at yr amser pryd y byddi'n dyfod i'r byd i'w farnu. O wybod hyn, O! Dduw, gwna ni'n barod i blygu ger dy fron i geisio dy faddeuant a gofyn am dy ras i edifarhau. Cynorthwya ni i astudio dy Air ac i neilltuo amser i weddïo, fel y gallwn ddod i adnabyddiaeth well ohonot fel unigolion.

Arglwydd, rydym yn disgwyl yn dawel am dy iachawdwriaeth fel y cawn fynediad i'th bresenoldeb pan fyddi'n dychwelyd i'r ddaear i gasglu dy blant ynghyd.

> 'O tyred i'm calon Iesu,
> Mae lle yn fy nghalon i.'

Cyflwynwn ein gweddïau yn enw ac yn haeddiant ein Gwaredwr, yr Arglwydd Iesu Grist. Amen.

Menna Green

Yr Adfent

Darlleniad: Eseia 52

Ein Tad, dyma ni unwaith eto ar drothwy'r Nadolig, ac yn edrych ymlaen yn eiddgar at holl lawenydd a dathlu'r Ŵyl. Fe fydd y rhan fwyaf ohonom yn hapusach ac yn anwylach oherwydd ei bod yn ŵyl o ewyllys da, a phawb yn gwneud rhywfaint o ymdrech i adlewyrchu hynny wrth gyfnewid cardiau ac anrhegion. Mae'r paratoadau mewn llaw ers misoedd yn rhai o'r siopau, a phobl yn sôn eu bod wedi hen ddechrau siopa am yr anrhegion a'r holl bethau eraill sydd yn rhan bellach o Nadolig ein hoes ni. Dros yr wythnosau nesaf fe fydd y prysurdeb a'r paratoi'n cynyddu i ryw uchafbwynt o ruthro, ac yn gadael llawer ohonom yn rhy flinedig i feddwl am wir ystyr y Nadolig, ac i fwynhau'r fendith sydd gennyt ar ein cyfer yn natblygiad geni dy Fab. Pryderwn y gallwn anghofio Iesu yng nghanol y prysurdeb a'r paratoi o hyn i'r ŵyl. Ni chafodd le yn y lletty pan gafodd ei eni, ac y mae perygl y byddwn ninnau yn anghofio rhoi ei le iddo yn y paratoi a'r dathlu unwaith eto eleni. Wrth inni ymbwyllo a myfyrio ger dy fron yn awr mewn gweddi, daw geiriau'r pennill i'n cof:

'Sut Nadolig fydd eleni yn dy gartre di?
A fydd dathlu Gŵyl y Geni yn dy gartre di?
Wrth y bwrdd ymysg y teulu a fydd stŵr y tŷ yn boddi
Llais y baban yn y beudy, yn dy garte di?'

Gweddïwn am dy nerth a'th arweiniad, O! Dad, i allu gwneud ein paratoadau a'n dathliadau'n ystyrlon eleni, a maddau i ni na chafodd Iesu fawr o groeso i ddathliadau ei ben blwydd ei hun sawl blwyddyn yn y gorffennol.

Gweddïwn y byddi, drwy dy Ysbryd, yn paratoi ein calonnau i glywed a gwrando fel y bugeiliaid gynt, y newyddion da o lawenydd mawr. Dyro i ni hefyd fel hwythau galonnau i gredu bod Iesu wedi dod i'n byd yn Waredwr. Un i wneud pobl a byd newydd a gwell.

'Y bobl oedd yn rhodio mewn tywyllwch a welodd
oleuni mawr; y rhai a fu'n byw mewn gwlad o gaddug
dudew a gafodd lewyrch golau.'

Fel y rhagwelodd y proffwyd Eseia y byddai'r Meseia'n dod â
goleuni a gobaith i'r byd, cynorthwya ni i gyhoeddi bod hyn wedi
ei wireddu yng ngenedigaeth, ym mywyd, gweinidogaeh, ac yn
aberth ac atgyfodiad Iesu. Boed i'n ffydd a'n tystiolaeth ni
gyhoeddi, i fyd sy'n dal yn llawn tywyllwch, fod goleuni, gobaith,
rhyddid, llawenydd a bywyd i bechaduriaid yn Iesu. Gofynnwn am
i ti baratoi ein byd a'n cymdeithas i dderbyn dy Fab, a ddaeth i fyw
yn ein plith. Diolch ei fod wedi dod i rannu ein bywyd a'n
hamgylchiadau. Daeth i wynebu'r un profiadau ag a gawn ni rhai
melys a chwerw, bendithion a threialon. Fel pawb ohonom ni, fe
wynebodd demtasiynau ond heb ildio a phechu. Trwy'r cyfan bu'n
berffaith a dibechod. A diolch i ti, O! Dad, ei fod wedi dod i roi ei
fywyd yn aberth dros ein pechod ni. Daeth i'n byd er mwyn mynd
i Galfaria i goncro a dileu ein pechod ac i'n cymodi â thi a'n
gwneud yn blant i ti. Diolch am y tangnefedd a'r sicrwydd sydd yn
ein calonnau'n awr o wybod hynny, ac am y fendith o fedru edrych
ymlaen at ddathlu gwir ystyr y Nadolig.

Wrth i'r holl filiynau ddathlu'r Nadolig yn eu hanwybodaeth a'u
diffyg adnabyddiaeth o Iesu, ein gweddi, O! Dad, yw iddynt weld
beth yw gwir ystyr a phwrpas y Nadolig ac iddynt baratoi i'w
dathlu fel Gŵyl Gristnogol, nid fel gŵyl baganaidd a seciwlar. Pan
anwyd Iesu yr oedd disgwyl mawr amdano, er na fu i lawer o bobl
ei adnabod am ei fod yn wahanol iawn i'w disgwyliadau.
Disgwyliadau go wahanol i'r rhai Cristnogol sydd gan y rhan
fwyaf o bobl ein gwlad y dyddiau yma ar drothwy'r Nadolig. Mae
llawer eleni eto'n edrych ymlaen at y Nadolig, ond heb wybod dim
am Iesu na'r gwir reswm dros ei groesawu a dathlu ei ddyfodiad.
Gweddïwn am nerth dy Ysbryd, O! Dad, i allu paratoi a
chyhoeddi'r Nadolig hwn bod Gwaredwr wedi ei eni i'r byd un
sy'n ein caru; un fedr ein hachub; un sy'n gyfaill i'n cynorthwyo
bob amser; un sy'n deilwng i ni ei groesawu y Nadolig hwn a phob
Nadolig arall, gan blygu glin a chyffesu â'n tafodau 'bod Iesu Grist
yn Arglwydd er gogniant Duw Dad'. Amen.

Dafydd Roberts

Y Nadolig

Darlleniad 1: 2 Samuel 23: 14 17
Darlleniad 2: Eseia 9: 1 7

Ein Tad, yr hwn wyt yn y nefoedd, diolch am dy rodd amhrisiadwy i'th blant y Nadolig hwn, sef Iesu Grist ein Harglwydd. Diolchwn am y gofal tymhorol a fu drosom. Dymunwn ddiolch i ti am 'y Gair a wnaethpwyd yn gnawd ac a rodiodd yn ein plith yn llawn gras a gwirionedd'. Gweddïwn yn arbennig dros holl blant y byd; dyhëwn am eu gweld yn eiddo i ti dy hun. Dyro iddynt dy ras a'th burdeb i fod yn ufudd a ffyddlon i ti. Boed i holl lafur a chariad yr Ysgol Sul ddwyn ffrwyth fel y byddont yn prydferthu dy winllan di ac yn perarogli. Bendithia gartrefi dy blant fel y byddant yn ffynnu yng nghariad Iesu Grist ac yn cysegru eu bywyd i'th wasanaeth di. Arwain blant a'u rhieni ar hyd llwybrau bywyd a boed iddynt adnabod Iesu Grist yn Arglwydd ac yn Waredwr eu bywyd.

Y Nadolig hwn, bydded i'r holl fyd, O! Dad, amgyffred o'r newydd dy gariad dwyfol a welwyd gynt mewn preseb. Dangos i ni dy oleuni megis i'r bugeiliaid gynt ac arwain ninnau hefyd ar hyd y llwybr fel y gallwn ninnau ddwyn rhodd i'r baban Iesu. Rho i ni'r llawenydd gynt, cynnal di ein bywyd bregus a brysied y dydd pan fydd ein heneidiau'n teimlo grym dy iachawdwriaeth. Cyffeswn fod Crist fel Goleuni a Gwaredwr yn y byd; rho inni brofi'r heddwch hwnnw na all dim ei ddinistrio; datguddia dy hun o'r newydd inni'r Nadolig hwn yn dy gariad mawr a ddatguddiaist yn Iesu Grist. Maddau bob hunanoldeb a phechod sydd wedi llygru'r ddelwedd ac wedi ein pellhau ni oddi wrth dy ewyllys yma ar y ddaear. 'Bydded i ymadroddion ein genau a myfyrdod ein calon fod yn gymeradwy ger dy fron di, O! Dduw, ein craig a'n prynwr.'

'O codwn ninnau lef
Ar ei Nadolig ef,
Yn ddiolch i Fab Duw
Am ddod i'n byd i fyw.'
Cofia holl bobloedd y byd, yn arbennig y rhai na fydd yn dathlu'r Nadolig fel y rhan fwyaf. Cofiwn am y difreintiedig, a'r rhai a

orthrymir yn fynych am eu bod yn anwybodus. Cofia dy Eglwys yn ei hamcan i fod yn gyfrwng i'th Ysbryd di weithio yn y byd, ac i ddysgu dy feddwl i ddynion gan wneud pawb yn ddeiliaid teilwng o deyrnas yr Arglwydd Iesu Grist. Cofia hi hefyd yn ei rhaniadau. Cofiwn am lawer fydd yn dod at ei gilydd dros y Nadolig yn enw Iesu Grist i geisio arweiniad, pe na baent ond dau neu dri. Dyro iddynt deimlo mor hyfryd yw i frodyr drigo ynghyd, ac mai i'r cyfryw rai y daw'r fendith a ddyfarnodd yr Arglwydd y fendith fwyaf, sef Bywyd Tragwyddol. Una ni ynot ti, ein Tad. Sancteiddia ni trwy dy wirionedd. Arwain ni i oleuni dy wyneb fel y gorfoleddo pawb yn dy iachawdwriaeth.

Dyro inni'r nerth a'r awydd dros gyfnod y Nadolig, O! Arglwydd, i wneud rhyw ddaioni yn ein cylch ein hunain, yn ein cartref neu yn ein heglwys. Cynorthwya ni i wneud rhywbeth drosot wrth wneud dy waith. Gwna ni'n gryf a gwrol i weithio yn erbyn pechod, ac i ddweud yn hyderus ein bod yn perthyn i ti.

> 'Dysg im weddïo'n iawn,
> A dysg fi'r ffordd i fyw,
> Gwna fi yn well, yn well bob dydd,
> Fy mywyd, d'eiddo yw.'

Erfyniwn arnat, drugarog Dad, i'n tywys a'n harwain ninnau, fel bod ein bywyd yn fendith i eraill ac yn ogoniant i ti. Yng nghanol ein mwyniant dros y Nadolig na foed i'r un ohonom anghofio pwrpas ein dathlu, sef bod Iesu Grist wedi dyfod i'n byd. Dyro i ninnau galon y bydd Iesu Grist yn trigo ynddi, a dyro nerth inni ailgydio o'r newydd dros y Nadolig yn ein brwdfrydedd i'th wasanaethu di fel Arglwydd a Gwaredwr. Dyro inni brydferthwch y galon lân sy'n eiddo i Iesu. Dymunwn gofio am anogaeth gyson yr Apostol Paul ar i ni 'wisgo amdanom yr Arglwydd Iesu Grist'. Ef yw'r wisg harddaf y gallwn ei gwisgo. Gwna ni'n barod i wisgo cyfrifoldeb arweinwyr, os gelwir ni i hynny. Cadw ein hysbryd yn ostyngedig, ein cariad at ddynion yn gynnes a'n camre yn dy ddeddfau. 'Wele ni, anfon ni.' Amen.

Carys Ann

85

Y Nadolig

Darlleniad 1: Ioan 1,14: 3, 16 21
Darlleniad 2: Philipiaid 2: 5 11

Diolchwn i ti, O! Dduw ein Tad, dy fod ti'n Dduw sy'n caru, yn Dduw sydd o'n plaid ni. Ac wrth i ni ddathlu Gŵyl y Nadolig eto eleni, cynorthwya ni i sylweddoli o'r newydd mai'r hyn a welwn wrth edrych i gyfeiriad y baban bychan yn y preseb ym Methlehem yw rhyfeddod dy gariad tuag atom, a hynny yn wyneb ein hannheilyngdod mawr ni.

Fe'n creaist yn berffaith ac yn dda a'n gosod mewn byd perffaith a da, ond fe lwyddon ni i ddifetha'r cyfan a chreu pellter rhyngom, a'r pellter yn angau i ni. Ond yn dy gariad daethost drwy'r pellter i'n plith ym mherson yr Arglwydd Iesu, a thrwy'i waith mae'r pellter yn cau.

Diolch i ti, O! Dduw, am dy gariad rhyfeddol sy'n pontio'r gagendor rhyngom ac yn ein dwyn yn ôl i berthynas lawn â thi, y pell bellach wedi'i ddwyn yn agos.

Bendithia'n dathliadau. Mae hon yn ŵyl i'w dathlu, mae'r dyddiau yn ddyddiau o lawenydd a diolchgarwch, ond cynorthwya ni i gofio, drwy'r cyfan, y rheswm dros y dathlu, a thrwy hynny gwna'n gweithgarwch yn deilwng. Yn y dwyster a geir mewn ysbaid o weddi neu fyfyrdod, yn y chwerthin a'r hwyl a geir wrth wrando plant yn mynd trwy'u gwaith neu mewn parti Ysgol Sul, yn y diddanwch a'r mwynhad a geir wrth groesawu ffrindiau neu ymweld â'r teulu, neu yn yr hapusrwydd a welir yn llygaid plentyn wrth agor rhoddion fore'r Nadolig, llefara wrthym am brydferthwch dy gariad sydd, trwy dy Fab Iesu Grist, yn cynnig tragwyddoldeb i ni.

Ac os yw'n hamgylchiadau'n ein rhwystro rhag medru gwneud yr hyn yr hoffem ei wneud, gofynnwn ar i ti aros gyda ni yn dy gariad

ac yn dy ddiddanwch, gan ein hatgoffa'n gyson bod llawenydd a
gobaith y Nadolig yn aros hyd yn oed pan rwystrir y gweithgarwch.

Cynorthwya ni hefyd i osgoi gwneud yr ŵyl yn un hunanol a
thrachwantus, a bod yn barod i roi o'n hamser a'n hadnoddau i fod
o gymorth a diddanwch i bwy bynnag sydd mewn trafferth,
unigrwydd neu brinder. Hanfod y Nadolig yw gwyrth yr
ymgnawdoliad, ti dy hun yn dy roi dy hun i ni. Gwna ni'n barod
felly i ymateb i anghenion eraill, a thrwy'n gweithgarwch i lefaru
am ryfeddod dy gariad di, y cariad a barodd i ti wacáu dy hun er ein
mwyn y rhoi mwyaf a welwyd erioed.

O! Dduw ein Tad, bendithia'r Nadolig hwn eto. Maddau yr holl
feiau a weli ynom, a thrwy dy Ysbryd Glan defnyddia ni i
gyhoeddi'r newydd da am dy ddyfodiad i'n plith. Yn enw Iesu
Grist ein Harglwydd, Amen.

Trefor Jones Morris

Y Nadolig

Darlleniad: Mathew 1 2

Ein Tad, plygwn yn wylaidd ac yn ddiolchgar ger dy fron yn awr i ddiolch am gael dathlu'r Nadolig. Diolch am y fath destun ar gyfer diolchgarwch a dathlu bod dy Fab, Iesu Grist, wedi dod i'n plith. Ganwyd Imaniwel Duw gyda ni. Y Mab, Ail Berson y Drindod, wedi dod i'n byd yn berson o gig a gwaed fel ninnau. Y mae pob geni'n wyrthiol mewn rhyw ystyr, ond dyma wyrth lawer mwy geni Duw yn ddyn. A'i eni mewn preseb o bobman, yn dlawd a chyffredin iawn. Gallasai fod wedi ei eni mewn palas, fel y disgwyliai'r doethion, yn gyfoethog a chlyd. Ond ni ddewiiodd hynny. Yn hytrach, fe'i huniaethodd ei hun â'r ddynoliaeth ar ei thlotaf. Daeth i ganol bywyd a'i hagrwch, ei dlodi a'i anghenion.

'Daeth Brenin yr hollfyd i oedfa ein hadfyd
Er symud ein penyd a'n pwn;
Heb le yn y lleuty, heb aelwyd, heb wely,
Nadolig fel hynny gadd hwn.'

Wrth inni ddathlu'r Nadolig eleni, gofynnwn am i ti gadw ein llygaid ar Iesu, a'n ffydd yn gadarn ynddo. Cawn ein hudo i golli golwg arno er ein gwaethaf rywsut yng nghanol yr holl seciwlareiddio a'r masnacheiddio sydd wedi dod i nodweddu dathliadau ein hoes ni. Er ein bod yn edrych ymlaen at gael rhoi a derbyn anrhegion eto eleni, helpa ni i beidio colli golwg ar dy rodd di i ni, sef dy Fab. Wrth inni werthfawrogi cariad a charedigrwydd pobl drwy gyfrwng eu hanrhegion a'u cyfarchion i ni, helpa ni i weld dy gariad di yn Iesu. Gwared ni rhag i duedd ein hoes ein gwneud ni yn ddall, yn ddi hid, yn fud ac yn anniolchgar am dy rodd anhraethol i ni. Wrth wirioni ar roddion pobl mor hawdd yw colli golwg ar wyrth a gwerth dy rodd di i ni yn Iesu Grist.

Pan fyddwn ni'n rhoi anrhegion Nadolig fe fyddwn yn eu rhoi i bobl yr ydym yn eu caru; pobl annwyl a charedig sy'n ein caru ni, teulu a chyfeillion. Rhoi anrhegion i'r rhai sydd, yn ein tyb ni yn haeddu ein rhoddion. O! Dad, mor wahanol yr wyt ti'n rhoi anfon dy Fab yn rhodd i bechaduriaid, i rai a gefnodd arnat ac a ddiystyrodd dy ewyllys, ac yn wir a fu mewn llawer o bethau yn

elynion i ti. Ein Tad, cyffeswn yn awr nad ydym yn haeddu dim
o'th law ond dy gondemniad a'th farn. Eto, yn Iesu yr wyt yn
dangos ac yn estyn dy gariad tuag atom. Daeth i'r byd yn ddyn
Duw gyda ni ond eto'n wahanol gan ei fod yn ddibechod 'ni
wnaeth bechod, ac ni chafwyd twyll yn ei enau'. Ac ar y Groes bu
Iesu farw dros ein pechod ni. Derbyniodd ef y gosb am ein pechod
er mwyn i ni gael maddeuant a dod yn blant i ti, a chael etifeddu
bywyd tragwyddol. Wrth inni ddathlu'r Nadolig, helpa ni nid yn
unig i weld ac i ddiolch bod Iesu'n Dduw a ddaeth atom, ond ei fod
hefyd yn Dduw trosom yn ei aberth. Gad inni weld a phrofi rhodd
dy ras yn Iesu Grist.

> 'Oherwydd yr ydych yn gwybod am ras ein Harglwydd
> Iesu Grist, fel y bu iddo, ac yntau'n gyfoethog, ddod yn
> dlawd drosoch chwi, er mwyn i chwi ddod yn gyfoethog
> drwy ei dlodi ef.'

Diolch i ti am yr ŵyl hon sy'n ŵyl mor bwysig i'r teulu. Cofiwn am
y baban, a'i deulu o gwmpas ei breseb. A diolchwn fod teulu dyn
yn gallu dod yn deulu Duw drwyddo ef. Diolch am y modd y
mae'r ŵyl yn dod â theuluoedd at ei gilydd. A diolch ei bod yn ŵyl
a ddethlir gan deulu'r Eglwys ledled y ddaear. Gweddïwn dros
deuluoedd ein heglwys a'n hardal; dros deulu dyn yn ei holl
amgylchiadau; a thros deulu'r Eglwys Gristnogol ymhob man.
Cofiwn bod yna bobl wahanol iawn eu hamgylchiadau i ni. Rhai y
mae'n anodd iddynt ddathlu'r ŵyl oherwydd gwaeledd a
phrofedigaeth, gwendid a henaint; neu oherwydd tlodi, newyn,
rhyfel, gormes a thrais, diffyg cartrefi, unigrwydd a dadrithiad.
Cofiwn am bawb na chlywodd y newyddion da am eni Iesu'n
Waredwr a chyfaill iddynt, ac am y rhai a glywodd ond na chânt
ryddid i'w addoli. Yng nghanol ein llawnder a'n digon, helpa ni,
O! Dad, nid yn unig i weddïo dros yr anghenus ond i estyn llaw a
chymorth ym mha fodd bynnag y gallwn.

Cyflwynwn yr ŵyl i'th ofal a'th fendith eleni, O! Dad, gan ddiolch
am bob caredigrwydd ac ewyllys da a brofwn. Ond diolchwn yn
arbennig am Iesu y baban, Iesu y dyn perffaith a groeshoeliwyd
drosom ond a gyfodwyd y trydydd dydd, ac sy'n Grist byw gyda ni
heddiw a phob amser. Clyw ein gweddi a gwrando ni, O! Dad, a
ninnau yn ei hoffrymu yn enw ac yn haeddiant ein Harglwydd a'n
Gwaredwr Iesu Grist. Amen.

Dafydd Roberts

Diwedd Blwyddyn

Darlleniad 1: Llyfr y Pregethwr 3: 1 8
Darlleniad 2: Actau 1: 1 11

O! dragwyddol Dduw ein Tad, gogoneddwn dy enw mawr. Diolch i ti am dy holl ddaioni tuag atom, ac yn enwedig ar derfyn blwyddyn fel hyn. Diolch i ti am dy ras; diolch am athrawon; diolch am ffyddloniaid a'th genhadon yn dy eglwys; diolch am bob dyfalbarhad ac amynedd i ddatblygu'n aelodau da o'th gymdeithas a chael cyfle drwy Iesu Grist i fod yn ddeiliaid teilwng o'th deyrnas di. Dyro i ni'r awydd a'r arweiniad drwy gyfrwng ein haddoliad i gydnabod mai tydi sydd wedi ein cadw bob amser mewn iechyd meddwl a chorff. Duw pob gras a gwirionedd wyt ti; hebot ti ni wnaethwn ddim.

Mewn gwir edifeirwch erfyniwn am dy faddeuant am ein holl anffyddlondeb a'n diffyg ymroddiad yn ystod y flwyddyn a aeth heibio. Tosturia wrth bob un ohonom a 'dyro i ni nerth yn ôl y dydd, a'th olau ar hyd llwybrau ffydd'. Ti yw ein creawdwr a'n cynhaliwr. Dysg ni i ymddiried yn llwyr ynot a gwna ni'n wir ddisgyblion i'th annwyl Fab dy hun, Iesu Grist, drwy nerth yr Ysbryd Glân. Arwain ni ar y ffordd i werthfawrogi a charu cymdeithas ein gilydd; cynorthwya ni i ddiogelu cyfiawnder, cyfle, a chyfraniad dy efengyl sanctaidd.

Moliannwn di, O! Dduw, am yr etifeddiaeth a ddaeth i ni o'r gorffennol, ac am holl lafur y rhai a fu'n llafurio'n ddiwyd yn dy winllan. Amlheaist dy gariad drwy eu llafur, eu ffydd a'u deall; gwna ninnau'n gyffelyb iddynt i ddiogelu'r ffydd Gristnogol. Bendithia ni heddiw, y rhai sy'n ceisio'r ffordd newydd, i agor ac i wella ansawdd ein bywyd. Goleua ein llwybrau; prydfertha ein bywyd; gwna ni'n fwy tebyg i Iesu Grist, yn byw gan lwyr gysegru'n bywyd i'th wasanaethu di, ein Duw. Gwerthfawrogwn yn fawr bob peth a phob profiad a gawsom yn ystod y flwyddyn a aeth heibio. Na foed arnom gywilydd o efengyl Iesu Grist, canys dy ewyllys di yw ein hiachawdwriaeth. Gad i ni gloi'r flwyddyn mewn gwir ddiolchgarwch. Arwain ni'n ddiogel i gamu i'r flwyddyn newydd gan ymdawelu a myfyrio ar dy ewyllys ac i gyfrif dy wasanaeth di'n fraint ac yn fendith.

Cynorthwya ni ar ddiwedd blwyddyn i wneud addewidion personol ac i ymdrechu i fod yn debycach i'n Harglwydd. Yng ngeiriau'r emynydd:

> 'O! na bawn yn fwy tebyg
> I Iesu Grist yn byw,
> Yn llwyr gysegru 'mywyd
> I wasanaethu Duw,
> Nid er ei fwyn ei hunan
> Y daeth i lawr o'r ne,
> Ond rhoi ei hun yn aberth
> Dros eraill wnaeth Efe.'

Gofynnwn am i ti roddi dy gwmni i'r rhai sy'n glaf. Dangos iddynt na chânt byth eu siomi ynot ti, os ceisiant dy gymorth. Bydd yn nerth iddynt, Arglwydd, ac yn gwmni yn eu dioddefaint, a gad iddynt deimlo dy fod ti'n agos iawn atynt. Cynorthwya ni, pa brofiadau bynnag a ddaw i'n rhan, i aros yn ffyddlon i ti. Cynorthwya ni i oddef unrhyw siom yn wrol, a dangos inni sut i feithrin hapusrwydd a gwroldeb. Cymer ni i'th ofal, Arglwydd, a gwna waith mawr trwom ac ynom.

Cadw ni'n agos at Iesu a llanw ein calonnau â'i Ysbryd ef. Diolchwn i ti am roddi dy Fab i'n byd, am ei aberth fawr ef dros ein pechodau ar Galfaria ac am ei atgyfodiad rhyfeddol o'r bedd yn fyw:

> 'Ni allodd angau du
> Ddal Iesu'n gaeth
> Ddim hwy na'r trydydd dydd
> Yn rhydd y daeth ... '

I ti y byddo'r clod, y parch a'r bri. Maddau ein holl bechodau disgyn ganwaith i'r un bai yr ydym. Ar ddiwedd blwyddyn, cryfha ein ffydd ac arwain ni yn dy law i'r flwyddyn newydd yn llawn gobaith. Gofynnwn y cwbl yn enw ac yn haeddiant Iesu Grist ein Harglwydd. Amen.

Carys Ann

Diwedd Blwyddyn

Darlleniad: Eseia 63: 7 16

O! Dduw ein Tad, mae'n ddiwedd blwyddyn arall a ninnau yn ôl ein harfer yn edrych yn ôl dros flwyddyn sydd wedi mynd heibio ac yn edrych ymlaen at ddirgelwch y flwyddyn sydd ar ddod. Edrychwn yn ôl â theimladau ac emosiynau amrywiol iawn gan fod y flwyddyn hon eto wedi bod yn llawn o brofiadau gwahanol, rhai melys a rhai chwerw, rhai cofiadwy a rhai i'w hanghofio. Ond beth bynnag fo'n hamgylchiadau, diolchwn i ti dy fod wedi bod gyda ni trwy gydol y flwyddyn, yn gydymaith i ni ar ein taith, yn arwain ac yn amddiffyn. O gofio hynny, edrychwn ymlaen yn hyderus, heb wybod beth sydd o'n blaenau, ond yn gwybod ein bod yn gwbl ddiogel yn dy ddwylo di.

Ac wrth blygu ger dy fron fel hyn, cyflwynwn ein hunain i ti fel pobl wahanol i'r hyn oeddem flwyddyn yn ôl. Mae amser wedi'n newid ni, wedi dwyn profiadau newydd i'n rhan sydd yn gwneud i ni heddiw fod yn wahanol i ni ddoe, ac yn y newid mae amser yn mynegi'n meidroldeb. Blwyddyn arall yn mynd heibio, carreg filltir arall wedi'i phasio, amser yn symud yn ei flaen a ninnau'n symud gydag ef, yn heneiddio gyda'i rediad wedi'n geni, yn mynd yn hŷn ac yn dod i derfyn ein taith.

Ond yr wyt ti, O! Dduw, yn sefyll y tu allan i ormes amser, yn anfeidrol a thragwyddol, ddoe, heddiw ac yfory yr un. Does dim heneiddio yn perthyn i ti; dim newid, dim gwendid. Yr wyt ti yn sefyll yn oes oesoedd mewn nerth ac awdurdod, does dim terfyn arnat. A ti, O! Dduw, ddaeth trwy dy Fab i fyd amser i gynnig maddeuant a lle i ni yn dy dragwyddoldeb. Plygwn mewn ofn a dychryn wrth feddwl am dy fawredd, ond hefyd mewn hyder a llawenydd wrth feddwl am dy gariad, y cariad sydd, yn ei amser, wedi gweithredu er ein mwyn.

Cyflwynwn ein hunain i ti, a gwnawn hynny yn gwbl hyderus gan wybod dy fod ti yn graig nad oes symud arni, yn graig sydd 'yn noddfa a nerth i ni'. Maddau'n hofnau a'n hamheuon, a rho inni'r gallu i bwyso arnat ac ymddiried ynot a hynny yn wyneb yr holl anawsterau all ddod i'n rhan naill ai fel unigolion neu fel eglwysi. Mae yna bethau'n medru digwydd sydd yn siglo rhywun i'w seiliau, ac ar adegau felly ein tueddiad yw cwestiynu pam neu sut, ac fe'i cawn hi'n anodd iawn ateb. Fel eglwysi mae'n ffydd yn medru bod yn wan iawn ac mae hynny i'w weld yn ein hanobaith a'n hamharodrwydd i fentro. Bydd gyda ni, rho dy Ysbryd i ni, cryfha'n ffydd fel ein bod yn medru llawenhau, gobeithio a mentro, a hynny pa mor anodd bynnag y bo'n hamgylchiadau.

Maddau'n beiau i gyd, yn enw ac yn haeddiant dy Fab, Iesu Grist. Amen.

Trefor Jones Morris

Diwedd Blwyddyn

Darlleniad: Llyfr y Pregethwr 3: 1 8

Ein Tad sanctaidd, crëwr nefoedd a daear a chynhaliwr pob peth, diolch bod rhai bach ac annheilwng fel ni'n cael dy gyfarch di. Sylweddolwn mai annigonol yw iaith a geiriau i gyfleu ein mawl a'n haddoliad. Cawn ein hunain yn defnyddio cymariaethau dynol i'th ddisgrifio di, a'r rheiny'n rhai sy'n gwbl annigonol. Fel meidrolion, soniwn am dy anfeidroldeb di; fel rhai cyfyng ein gallu, soniwn am dy hollalluogrwydd di; ac fel rhai cyfyng ein gwybodaeth, soniwn hefyd am dy hollwybodaeth di. Mae'r fath syniadau mawreddog y tu hwnt i'n dirnadaeth, ond eto'n gydnabyddiaeth ar ein rhan dy fod di gymaint yn fwy na ni, ac yn absoliwt yn dy gymeriad a'th allu.

Yn ein haddoliad yn awr, O! Dad, cynorthwya ni i'th addoli'n deilwng, sef mewn ysbryd a gwirionedd. Ac er dy fod y tu hwnt i'n hamgyffred ni, goleua ein deall i ganfod yr hyn yr wyt ti'n ei ddweud wrthym amdanat dy hun, yn y cread, yn dy Air, ac yn arbennig yn dy Fab, Iesu Grist. Carem weddïo fel y gweddïodd yr Apostol Paul dros yr Eglwys yn Effesus, ar inni gael ein 'galluogi i amgyffred ynghyd â'r holl saint beth yw lled a hyd ac uchder a dyfnder cariad Crist, a gwybod am y cariad hwnnw, er ei fod uwchlaw gwybodaeth'. Er na allwn ddod o hyd i'r ddealltwriaeth iawn, nac esbonio a disgrifio'n llawn faint dy gariad tuag atom yn Iesu Grist, gallwn serch hynny dystio i'n profiad o'th gariad. Bu'r cariad yn ein hamgylchynu, ein cynnal a'n cadw ar hyd y flwyddyn sy'n awr yn dirwyn i'w therfyn.

Ar ddiwedd y flwyddyn, ein Tad, diolchwn i ti am bob bendith ac aberth a ddaeth i bawb ohonom mewn rhyw fodd neu'i gilydd. Bu'n flwyddyn amrywiol ei phrofiadau i nifer ohonom. Blwyddyn o lwyddiant, dathlu a llawenydd i rai; blwyddyn o fethiant, siom, galar a dagrau i eraill. I rai ohonom roedd y llwybr yn un hawdd a gwastad drwy gydol y flwyddyn; ond i eraill yn serth ag anodd iawn. Efallai bod rhai ohonom wedi ei chael yn haws sylweddoli dy bresenoldeb a'th gariad oherwydd amgylchiadau; efallai i lwyddiant a llawenydd beri inni gyfrif ein bendithion; neu efallai mai'r 'storm fawr' ddaeth â'r pethau gorau inni, gan ein gorfodi i bwyso mwy arnat ti. Wrth gwrs, ein Tad, y mae amser pan fyddwn yn dy amgyffred di, a hynny mewn hawddfyd ac adfyd. Yng nghanol ein llwyddiant a'n llawenydd bu inni dy anghofio di ambell dro; ac yng nghanol dagrau a siom nid oeddem bob amser yn ymwybodol o'th bresenoldeb a'th gariad. Ambell dro bu'r profiad yn brawf ar ein ffydd. Ac eto, Arglwydd, drwy'r cyfan yr oedd rhyw nerth, rhyw sicrwydd, rhyw dangnefedd, ystyfnig bron, yn ein cadw rhag anobeithio'n llwyr. Yr oeddet ti yno gyda ni, O! Dad, er bod y dagrau weithiau'n ein dallu i hynny.

> 'Pan fyddo beichiau bywyd yn trymhau,
> A blinder byd yn peri im lesgáu;
> Gwn am y llaw a all fy nghynnal i,
> A'i gafael ynof er nas gwelaf hi.'

Diolch i ti am dy gariad diball ac am dy ofal cyson trosom. Cydnabyddwn nad ydym yn haeddu dy fendithion, ond gorfoleddwn yn y gras a'r gynhaliaeth a gawsom yn dymhorol ac ysbrydol. Ac wrth inni yng nghanol ein digonedd ddiolch i ti am dy holl fendithion inni cofiwn nad yw'n agos cystal byd ar fwyafrif trigolion y ddaear. I filiynau o bobl mewn sawl rhan o'r byd bu'r flwyddyn hon drwyddi'n un frwydr fawr i gadw corff ac enaid ynghyd. Gwelsom y tlodi, y newyn a'r syched; gwelsom effeithiau rhyfel, trais a gormes. Ac er ein bod yn teimlo na allwn wneud fawr ddim, helpa ni i weddïo, i ddylanwadu ar y rhai sydd mewn grym, i rannu ac i estyn cymorth yn enw Iesu Grist. Stiwardiaid ydym ni, ein Tad, a'n cyfrifoldeb i ti ac i gyd ddyn yn fawr oherwydd nifer y bendithion yr wyt ti'n eu hymddiried i'n gofal.

Gwelsom y tlodi a'r angen yn nes adref hefyd, O! Dad ar ein strydoedd, yn y ciw dôl, ac yn yr ystadegau sy'n dangos argyfwng economaidd, personol, teuluol, moesol ac ysbrydol pobl ein gwlad. Fel y daw'r flwyddyn i'w diwedd, gweddïwn y bydd datrys ar y problemau sy'n gymaint o straen ar wlad sy'n honni bod yn wareiddiedig a Christnogol.

Derbyn ein diolch O! Dad, am dy holl fendithion yn ystod y flwyddyn, a boed i eraill gael y fendith hefyd o'u profi a'u mwynhau yn ystod y flwyddyn sydd ar y trothwy. Gofynnwn hyn yn enw ein Harglwydd a'n Gwaredwr bendigedig, Iesu Grist. Amen.

Dafydd Roberts

Sul Addysg

Darlleniad: 1 Corinthiaid 2: 1 16

Trwy'r Ysbryd Glân sy'n plymio i ddyfnderoedd pob peth, hyd yn
oed ddyfnderoedd Duw, datguddiwyd i ni'r cwbl a ddarparodd
Duw ar gyfer y rhai sy'n ei garu.

Diolch i ti, O! Dduw ein Tad, am dy ddoethineb anhunanol yn
anfon dy Ysbryd Glân i ddwyn trefn o anhrefn, goleuni o
dywyllwch, bywyd o farwolaeth. Molwn dy enw am i'r Ysbryd
doeth hwn gyniwair drwy'r byd ar hyd yr oesoedd, gan gynnal
popeth byw trwy rym dy Air di. Bendigwn dy enw ar i'r Gair hwn
ddod yn gnawd ac amlygu doethineb yr Ysbryd yng Nghrist Iesu.
Yn ei ymwneud ef â'i gyd ddynion, adlewyrchwyd doethineb y
berthynas sy'n bodoli rhwng y Tad a'r Mab a'r Ysbryd Glân.

Ac yntau'n ddeuddeng mlwydd oed, gwyddai Iesu ei fod yng
ngŵydd ei Dad nefol pan eisteddai yng nghanol yr athrawon. Holai
hwynt yn ogystal â gwrando arnynt. Diolchwn i ti, O! Dduw, am yr
awydd a'r rhyddid i holi ac ymchwilio sy'n rhan o'n profiad ninnau
hyd heddiw. Wrth inni ymhyfrydu yn dy fyd di, gad inni ddysgu
rhyfeddu at dy greadigaeth wyrthiol di. Ym mhob ymchwil, agor
ein llygaid i weld ôl dy law di; ac ym mhob darganfod, pâr inni
arddel dy ewyllys adeiladol di. Maddau i ni am droi addysg ac
ymchwil yn foddion difa a dinistrio mor aml. Diolch i ti am bob
darganfyddiad a fu'n gyfrwng bendith i'th bobl trwy hyrwyddo
iechyd, cyfathrebu, a pherthynas dda rhwng pobloedd a
chenhedloedd.

Gweddïwn heddiw dros bawb sy'n ymwneud ag addysg. Fel y
cafodd Iesu ei roi ar ben ei ffordd yn ei gartref yn Nasareth,
gweddïwn am i gartrefi'n gwlad a'n byd fod yn aelwydydd i
hyfforddi cenhedlaeth arall a fydd yn ymhyfrydu yn dy oleuni di ac
yn gweld gwerth yn y newyddion da am dy gariad di ben draw di.
Gweddïwn dros athrawon a disgyblion ein hysgolion lleol a thros

ddarlithwyr a myfyrwyr pob coleg a phrifysgol. Agor eu llygaid i weld ehangder y weledigaeth sy'n rhychwantu bywyd cyfan ym meddwl a buchedd Iesu Grist. Gad iddynt weld nad rhoi mantais iddynt gystadlu ac ymelwa ar draul eraill mo addysg ond cyfle iddynt ddysgu byw ynghyd fel aelodau o un gymdeithas ac un byd.

Gweddïwn am i ni ar hyd ein hoes amlygu'r agwedd meddwl honno sy'n eiddo i ni yng Nghrist Iesu. Fe'i darostyngodd ef ei hun gan fod yn ufudd hyd angau   ie, angau ar groes. Rho nod y Groes ar ein haddysg, tor grib ein balchder a galluoga ni i ddefnyddio addysg i glywed cri y gwan, i synhwyro poen y trallodus, i godi baich y gorthrymedig, i sicrhau rhyddid i'r caeth, cyfiawnder i'r cystuddiedig, a heddwch i'th holl bobl di. Gweddïwn am i'r unig ddoeth Dduw, trwy ei Ysbryd Glân, roi inni feddwl y Crist croeshoeliedig ac atgyfodedig ynghanol twyll a hunanoldeb y byd. Yng ngoleuni dy gymdeithas berffaith di, Dad, Mab ac Ysbryd Glân, y gwelwn ninnau wir oleuni. Amen.

Saunders Davies

Sul Addysg

Darlleniad: Diarhebion 3: 5 7, 13 20

O! Dduw, ein Tad, plygwn yn ostyngedig ac yn wylaidd ger dy fron. Deuwn atat ti yn ein gwendid a'n diffyg a gofynnwn i ti wrando arnom ac ymateb i ni. Gwnawn hynny'n hyderus ac yn obeithiol wrth inni gofio am dy raslonrwydd a'th gariad rhyfeddol tuag atom, y cariad a welwyd yn y modd y bu i ti ddod i'n plith yn dy Fab Iesu Grist, yn faddeuant ac yn heddwch i ni. Deuwn atat felly yn ei enw a'i haeddiant ef gan wybod y byddi di'n gwrando arnom ac yn ymateb i ni.

Daethost yn oleuni i ni.

Yr oeddem wedi crwydro mor bell oddi wrthyt, a thywyllwch yn cau amdanom fel nad oeddem yn medru gweld dy wyneb mwyach. Ond daethost 'er mwyn i'r rhai nad ydynt yn gweld gael gweld'; daethost yn 'oleuni i'r byd'. Trwy dy Ysbryd Glân, cynorthwya ni i gredu ac ymddiried . . . a gweld.

Bydd yn oleuni eto.

Rhoddaist reswm i ni, a thrwy'n rheswm rydym yn darganfod ac yn dysgu. A ninnau heddiw yn cyfarfod ar Sul Addysg gofynnwn am dy fendith ar yr holl waith sy'n digwydd ym myd gwybodaeth a dysg.

Diolchwn i ti am athrawon ymroddedig sy'n cyflwyno gwybodaeth i ni gan ein cynorthwyo i bwyso a mesur y wybodaeth honno a'i chymhwyso i'n dealltwriaeth o'r byd a'i bethau.

Diolchwn i ti hefyd am ysgolheigion mewn meysydd eang ac amrywiol iawn sydd, trwy ymchwil ac arbrawf, yn dod â gwybodaeth a dirnadaeth newydd i ni.

Ond gwna'r cyfan yn gyfrwng inni fedru rhyfeddu o'r newydd wrth syllu ar y cread yn ei ehangder a'i drefn gan gofio mai dyma waith dy ddwylo di, a bod y cyfan yn dwyn tystiolaeth i'th fawredd a'th rym 'Pan edrychaf ar y nefoedd, gwaith dy fysedd, y lloer a'r sêr, a roddaist yn eu lle . . . ' Yr wyt ti'n Dduw teilwng o bob clod a mawl, a gofynnwn am dy gymorth fel bod pob gwybodaeth yn tanlinellu hynny.

A rho i ni ddoethineb a thosturi fel ein bod yn medru defnyddio'n gwybodaeth yn adeiladol a buddiol, gan fod o wasanaeth i bobl yn eu hamgylchiadau a'u hanghenion amrywiol. Diolch i ti am bob defnydd o'r fath, ond maddau inni hefyd pan fyddwn yn troi'n dysg i gyfeiriad negyddol a difaol gan borthi'r drwg a'r creulon sydd ynom a dwyn rhagor o boen a dioddefaint yn ei sgil.

Gofynnwn hyn i gyd yn enw ac yn haeddiant ein Harglwydd Iesu Grist. Amen.

Trefor Jones Morris

Sul Addysg

Darlleniad: Diarhebion 3

Ein Tad, plygwn yn wylaidd ac edifeiriol ger dy fron yn awr, gan ddiolch fel pechaduriaid a meidrolion am y fraint o gael dod i bresenoldeb yr unig wir a bywiol Dduw. Derbyn ni yn dy faddeuant yn enw Iesu Grist, ein Harglwydd a'n Gwaredwr.

Braint aruthrol i ni yw gwybod dy fod ti'n ein caru, a'th fod drwy aberth dy Fab ar y Groes, wedi ein cymodi â thi dy hun ac wedi ein mabwysiadu yn blant i ti dy hun.

'Ond cynifer ag a'i derbyniodd, rhoes iddynt hwy, y rhai sy'n credu yn ei enw, hawl i ddod yn blant Duw, plant wedi eu geni nid o waed nac o ewyllys cnawd nac o ewyllys gŵr, ond o Dduw.'

Diolch i ti am gael adnabod dy Fab, ac ynddo am gael profi dy gariad. Ti yn dy drugaredd O! Dad, a wnaeth hyn i gyd yn bosibl. Rhodd dy ras i ni yw'r cyfan.

Cofiwn i ti yn dy ras ein creu ar dy lun a'th ddelw dy hun; ac er llygru'r ddelw honno gan ein pechod a'n bai, diolchwn i ti am faddau i ni ac am i ti ein hadfer. Fe'n creaist gyda doniau a gallu naturiol amrywiol; rhoddaist synhwyrau a rheswm i bob un ohonom. Y mae'r ddawn i ddysgu ac i lunio yn rhan o'n gwneuthuriad cynhenid; ac er i bechod yn aml lygru a llurgunio cryn dipyn ar hynny, diolchwn am ddoniau a fedr, o'u sancteiddio, fod yn brydferth a gwerthfawr iawn ac yn ogoniant i ti. Arwain ni'n awr ar y Sul arbennig hwn i gysegru ein doniau a'n gallu er gogoniant i ti ac er lles a bendith ein cyd ddyn.

Diolchwn i ti, O! Dad, am y meddwl dynol, ac am ei allu i ddirnad, i ystyried ac i ddysgu. Y mae'n rhyfeddol cymaint o wybodaeth y gall y meddwl dynol ei gwmpasu a'i gofio, a sut y gall addasu ac ychwanegu at y wybodaeth honno. Ar hyd ein hoes fe fyddwn yn dysgu; dysgu drwy addysg a gwybodaeth; dysgu trwy brofiad hefyd. Gweddïwn yn awr am ostyngeiddrwydd i ddysgu a chael ehangu'n bryd ar hyd ein hoes. Gwared ni rhag cadw mewn unrhyw rigol o'n gwneuthuriad balch ein hunain a all ein dallu i wybodaeth a doethineb ehangach. Boed inni chwilio am y gwir bob amser, ac nid yn unig am y gwir ond am ddoethineb i wybod sut i'w ddefnyddio. Gwnaeth y ddynoliaeth lawer o ddarganfyddiadau pwysig dros y canrifoedd; rhai o'u hiawn ddefnyddio a fedrai fod yn fendith, ond o'u camddefnyddio yn felltith i gyd ddyn ac yn sarhad arnat ti. Gweddïwn felly, nid yn unig am gael mwy o addysg a gwybodaeth, ond hefyd am ddoethineb i ddefnyddio gwybodaeth er bendith ein byd a'i bobl, ac er gogoniant i ti.

Cofiwn, ein Tad, am bawb sy'n gyfrifol am gyfrannu addysg a gwybodaeth mewn ysgol, coleg ac unrhyw sefydliad arall. Sancteiddia eu dawn i ddarganfod ac i rannu gwybodaeth, fel y bydd yr hyn a dderbynnir gan y myfyrwyr, nid yn unig yn ehangu meddyliau, ond hefyd yn adeiladu cymeriadau. Cyflwynwn bob ysgol a choleg i'th sylw, O! Dad, yn ymwybodol iawn o'r holl newidiadau y maent yn eu hwynebu'n awr, a'r cyni ariannol sydd hefyd yn llyffethair arnynt. Gweddïwn am dy arweiniad i'r rhai sy'n cynllunio ar gyfer addysg yn ein gwlad, i'r rhai sy'n gorfod gweithredu cynlluniau, a'r rhai sy'n gorfod sefyll o flaen dosbarth. Gwyddom, O! Dad, fod addysg yn un o'r buddsoddiadau pwysicaf mewn plant, ieuenctid ac oedolion y gall unrhyw gymdeithas ei wneud ar gyfer y dyfodol. Gwyddom hefyd, yn wyneb yr holl broblemau economaidd, teuluol, a phersonol sydd mor gyffredin yn ein gwlad a'n cymdeithas, nad yw llawer o blant, ieuenctid ac oedolion yn cael y gorau o fyd addysg.

> 'O! tosturia wrth genhedlaeth
> Gyndyn, wamal, falch ei bryd,
> Sy'n drmygu'i hetifeddiaeth
> A dibrisio'i breintiau drud.'

Gweddïwn nid yn unig dros allu academaidd plant a phobl o bob oed i elwa ar addysg, ond ar i ti, ein Tad, drwy rym dy Ysbryd a thystiolaeth Eglwys dy Fab, eu diwyllio. Nid paganiaid gwybodus ac addysgedig yw'r nod, ond creaduriaid newydd yng Nghrist, wedi eu hyfforddi i sylweddoli eu llawn botensial fel plant i Dduw. Pobl a all ailsefydlu aelwydydd Crist ganolog, cymdeithas wâr ac ystyriol, systemau gwleidyddol a masnachol cyfiawn a theg, a byd gwell i bawb fyw ynddo. 'Deled dy deyrnas; gwneler dy ewyllys, ar y ddaear fel yn y nef.' Gwrando'n gweddi er dy ogoniant, yn enw ac yn haeddiant ein Harglwydd Iesu Grist. Amen.

Dafydd Roberts

Sul y Beibl

Darlleniad 1: Eseia 55: 6 11
Darlleniad 2: Rhufeiniaid 15: 4 13

O! Arglwydd ein Duw, sydd mor agos atom, diolchwn i ti am wahoddiad dy Air i alw arnat mewn gweddi. Ond inni dy geisio di, fe allwn dy gael, oherwydd yr wyt ti'n ein ceisio ni eisoes ac yn galw arnom. Yng nghanol tryblith ein hoes, diolch i ti am ein sicrhau nad ydym ar drugaredd ein syniadau a'n meddyliau ni ein hunain. Fe'n rhybuddiaist nad yr un yw dy feddyliau di â'n meddyliau ni, na'th ffyrdd di â'n ffyrdd ni. Agor ein llygaid i weld dy ffordd di, a'n calonnau i ymglywed â'th feddyliau di, yn Iesu Grist.

Gwared ni rhag ymhyfrydu yng ngeiriau'r ysgrythur yn unig. Pâr inni gofio mai tystiolaethu am dy annwyl Fab, Iesu Grist, y mae'r ysgrythurau, a'th fod yn ein gwahodd i ddod ato ef i gael bywyd yn nerth yr Ysbryd Glân. Ynot ti, O! Drindod Sanctaidd, y gorwedd ein hunig obaith.

Sylfaenwn ein gobaith ar sail dy gyfamod â'th bobl yn y gorffennol. Fe fuost ti'n Dduw iddynt hwy, a hwythau'n bobl i ti o genhedlaeth i genhedlaeth. Mawrygwn dy enw am y rhai a groniclodd stori dy berthynas di â hwy yn yr ysgrythurau. Er iddo fentro allan o'i filltir sgwâr, ni siomwyd Abraham am roi ei ffydd ynot ti. Fe fendithiaist ti ef er mwyn iddo yntau a'i blant ddwyn bendith i'r byd. Diolchwn i ti am y fendith fwyaf a welodd ein hil yn Iesu Grist ein Harglwydd. Trwyddo ef rhoddaist gychwyn newydd i hanes y ddynoliaeth. Er gwaethaf eu holl gyfeiliorni, fe dderbyniaist ti ein cyndeidiau yn ôl yn Iesu Grist. Cawsant brofiad ohono ef yn mynd i ganol yr anialwch i chwilio am y colledig a'u dwyn yn ôl i gymundeb â thi ac â'i gilydd.

O ddarllen am wyrth dy allu mawr i gymodi gelynion yn y gorffennol, trwy Iesu Grist, seiliwn ein gobaith arnat ti, ffynhonnell gobaith, i'r dyfodol. Ymddiriedwn yn dy addewid na fydd dy Air yn dychwelyd atat heb ddwyn ffrwyth lawer. Diolchwn i ti am anogaeth yr ysgrythurau i ddal ein gafael yn ein gobaith yn wyneb pob tramgwydd a siom. Yng nghymdeithas dy Ysbryd Glân, galluoga ni i fod yn gytûn, yn ôl ewyllys Crist Iesu. Fel y derbyniodd ef ni, a ninnau'n bechaduriaid, cynorthwya ni i dderbyn ein gilydd, i ymhyfrydu yn amrywiaeth ein gilydd, sy'n dadlennu dy ogoniant di, O! Dduw. Wedi'n hysbrydoli â'th Ysbryd Glân, gad inni dy ogoneddu di, O! Dad, a thi, O! Fab, yn unfryd ac yn unllais. Pâr i'n cymundeb â'n gilydd fod yn ddrych o gymundeb y Tri yn Un ac yn rhagflas o'th addewid yn dy Air y gwelir yr holl genhedloedd a'r holl bobloedd yn dyblu'u mawl yn un symffoni fawr, nes bod y greadigaeth gyfan yn adleisio dy gynghanedd ddwyfol di. Hyn yw'r dyfodol gwynfydedig a addewaist i ni yn dy Air sy'n cadarnhau dy addewidion i'r tadau.

Bydded i ti, O! Dduw, ffynhonnell gobaith, ein llenwi â phob llawenydd a thangnefedd wrth inni ymarfer ein ffydd yng Nghrist, nes ein bod, trwy nerth yr Ysbryd Glân, yn gorlifo â gobaith. I Dduw y byddo'r mawl am ei Air creadigol ac am amlygu'r Gair hwnnw yng Nghrist Iesu a'i sibrwd yn ein calonnau ni trwy'r Ysbryd Glân. Amen.

Saunders Davies

Sul y Beibl

Darlleniad 1: 2 Pedr 1: 16 21
Darlleniad 2: Ioan 20: 30 31

Diolchwn i ti, O! Dduw, am gyfle newydd arall i blygu mewn gweddi ger dy fron. Sylweddolwn bod modd inni fedru troi atat ti a siarad â thi ar unrhyw adeg a than unrhyw amgylchiad, a diolchwn i ti am gyfrwng mor hawdd, mor syml ac mor effeithiol. Ond heddiw diolchwn am gyfle i blygu gyda'n gilydd fel cynulleidfa a chodi'n llef fel un. Diolchwn am gymdeithas yr eglwys, am ei chynhesrwydd a'i chwmnïaeth, ac fel teulu deuwn ger dy fron a siarad â thi fel hyn. A diolch dy fod yn Dduw sydd bob amser yn barod i wrando arnom, bob amser yn barod i ymateb i ni, a hynny oherwydd y berthynas arbennig sydd rhyngot a'r Eglwys. Yr wyt ti yn Dduw i ni, a ninnau yn bobl i ti, a hynny nid oherwydd unrhyw rinweddau ynom ni, ond oherwydd yr hyn yr wyt ti wedi'i wneud drosom yn dy Fab Iesu Grist, pen a sylfaen yr Eglwys.

Diolchwn dy fod yn Dduw sy'n llefaru.

Yn y dechreuad fe leferaist a daeth popeth i fod, a thrwy dy Air yr wyt wedi cynnal popeth o'r dechreuad hyd heddiw.

Yn y creu fe'n lluniaist ni ar dy ddelw dy hunan gan ein gosod mewn sefyllfa o anrhydedd ac awdurdod. Ond troesom ein cefnau arnat ac ymbellhau oddi wrthyt, ac yr wyt ti, yn dy drugaredd mawr, wedi llefaru'n gyson wrthym yn ein tywyllwch. Siaradaist wrth y tadau drwy'r proffwydi, ac yna daethost atom gan lefaru wrthym yn dy Fab, a daeth y Gair oedd yn rym yn y creu i'n plith yn rym i ddatguddio ac agor ffordd.

Heddiw, ar Sul y Beibl, diolchwn i ti am y geiriau sy'n dwyn tystiolaeth i'r 'Gair a ddaeth yn gnawd', y geiriau sy'n llefaru wrthym am dy lefaru rhyfeddol di. Gofynnwn ar i ti, trwy dy Ysbryd Glân, blannu'r awydd ynom i ddarllen, fel ein bod yn 'gwybod y geiriau', ac ar yr un pryd yn clywed dy lais di yn llefaru wrthym fel ein bod wedyn yn 'adnabod y Gair'.

Diolchwn i ti am y trysor godidog hwn sydd yn ein meddiant a maddau i ni ein bod yn medru bod mor ddi hid ohono. Maddau'r cloriau caeedig a dieithrwch y tudalennau, a dysg ni eto ei werth a'i gyfoeth.

Cofiwn wedyn am ymroddiad ac aberth y gorffennol yn yr ymdrech a fu ar y naill law i sicrhau fod y Beibl ar gael i bawb, ac ar y llaw arall i wneud yn siŵr fod pawb yn medru'i ddarllen; deilliodd hynny o'r awydd mawr i ddod â'th Air di at bob un. Dyro i ninnau'r sêl a'r brwdfrydedd i gyflwyno dy efengyl, yn fendith i'n hamser, yn falm i'n briwiau.

Gofynnwn hyn yn enw ac yn haeddiant dy Fab, Iesu Grist, Amen.

Trefor Jones Morris

Sul y Beibl

Darlleniad 1: Luc 8: 9 15
Darlleniad 2: 2 Corinthiaid 4: 1 6

Diolchwn i ti, ein Tad, am inni gael y fraint o feddiannu dy Air, am inni ei dderbyn fel rhodd dy ddeheulaw ac am inni fedru sancteiddio'n myfyrdodau yn dy wirioneddau drwy gyfrwng y Gair. Bendigwn di, ein Tad, am inni fedru agosáu atat drwy gyfrwng y Beibl yn ein hiaith. Diolchwn am ddisgyblion o allu arbennig a gysgegrodd eu doniau i sicrhau'r Gair yn ein heniaith. Diolchwn hefyd, ein Tad, am gymdeithasau a fu'n ymdrechu i gael 'Beibl i bawb o bobl y byd'.

Diolchwn am inni ddechrau dy adnabod wrth allorau Abraham a chyfreithiau Moses; diolchwn am i'r Salmydd dy foli am dy greadigaeth ac am iddo ddatgan mai ardderchog yw dy enw ar yr holl ddaear. Diolchwn am dy ofal am deulu dyn ac am i'r Salmydd sychedu amdanat ti, y Duw byw, fel y dyhea ewig am ddyfroedd rhedegog, ac am iti dosturio a dileu ei feiau gan ei olchi'n lân o'i euogrwydd. Clodforwn di am i'r proffwydi glodfori'r sancteiddrwydd, y cyfiawnder a'r cariad sydd ynot ti.

Molwn di am iti ddatguddio dy hun yn y Gair a wnaethpwyd yn gnawd ac a drigodd yn ein plith ni, ac am i ni drwy'r Gair adnabod Iesu Grist fel dy Fab ac fel ein Gwaredwr. Molwn di am dy Air sydd wedi bod yn llusern i draed ac yn llewyrch gwiw i lwybrau'r rhai sydd wedi ymddiried ynot ti drwy'r oesau. Diolchwn i ti am y Gair sy'n oleuni.

> 'Mae yn y gair oleuni glân
> O! f'enaid, cân amdano
> I'r euog yn yr anial fyd,
> I weld lle clyd i 'mguddio.'

Clodforwn di nid yn unig am iti oleuno ein llwybr ond hefyd am iti oleuno ein 'deall gwan ym mob rhyw ran o'th waith'. Molwn di am i ti ddatguddio inni mai cariad wyt ti, a chyfaddefwn, ein Tad, na all ein deall meidrol ni fyth ddeall yn llawn led, uchder na dyfnder y cariad.

> 'Pell uwch geiriau, pell uwch deall,
> Pell uwch rheswm gorau'r byd,
> yw cyrhaeddiad perffaith gariad,
> Pan enynno yn fy mryd;
> Nid oes tebyg
> Gras o fewn y nef ei hun.'

Diolchwn i ti am y Gair sy'n datgan dy fawredd:

> 'Mwy wyt na holl ddychymyg dyn
> Ŵyr neb dy faint ond ti dy hun.'

Clodforwn di am dy fod yn fwy na'th ryfeddol roddion, yn fwy na meithder dy ras, yn fwy na'th holl weithredoedd, yn fwy nag ehangder y pechod sydd wedi ein gwahanu oddi wrthyt. Diolchwn am fawredd ymgnawdoliad Bethlem, mawredd aberth Calfaria a goruchafiaeth y bedd gwag. Gwyddom, ein Tad, y bydd dydd yn gwawrio pan ddatguddir yn llawn inni faint y mawredd sydd ynot ti i bob un ohonom sy'n arddel dy enw. Cynnal ni i ddatgan 'Mor fawr wyt ti!'

Diolchwn i ti am y Gair sy'n datgan mai ti yw'r ffordd, y gwirionedd a'r bywyd trwy dy Fab. Clodforwn di, O! Dad, bod y rhai sy'n dod wyneb yn wyneb â thi fel y doethion gynt gan newid cyfeiriad eu taith. Moliannwn di am i bobl y ffordd newydd fabwysiadu egwyddorion dy deyrnas di.

Gwyddom mai'r gwirionedd yw bod dy gariad di yn para byth. Diolchwn am y tyner lais sy'n ein galw i fywyd newydd:

> 'Yr Iesu sy'n fy ngwadd
> I dderbyn gyda'i saint
> Ffydd, gobaith, cariad pur, a hedd,
> A phob rhyw nefol fraint.'

Dyro'r gras inni dderbyn y gwahoddiad i'r bywyd sy'n cael ei gynnig inni yn dy Air. Amen.

Gwyn Thomas

Sul y Gwahanglwyf

Darlleniad: Luc 5: 1 16

O! Dduw ein Tad, deuwn ger dy fron yn enw dy Fab a estynnodd ei law a chyffwrdd â dyn gwahanglwyfus. Er ei fod yn llawn o'r gwahanglwyf, nid ymataliodd rhag cyffwrdd ag ef. Trwy ei gyffyrddiad iachusol, fe iachawyd cnawd y gwahangleifion.

Llawenhawn, O! Dad, am i gyfeillion Iesu weithredu'r un mor fentrus hyd at ein dyddiau ni. Gogoneddwn dy enw am iti roi'r adnoddau meddygol i'th bobl fedru iacháu pob un sy'n dioddef o'r haint echrydus hwn yn ein byd heddiw. Dyro inni awydd i wneud popeth yn ein gallu i gynnal eu breichiau yn y frwydr hon. Llanw ein calonnau â thosturi a haelioni fel y gellir darparu digon o gyffuriau i gwrdd ag angen pob un sy'n dioddef rhaib y gwahanglwyf, a'i waredu o'i afiechyd blin. Gweddïwn am i'r gwledydd lle gwelir y gwahanglwyf hyrwyddo'r ffordd i'r cyffuriau meddygol hyn gyrraedd pob dinas, pob pentref a phob cartref lle bo'u hangen. Diolchwn am ymroddiad pob un a fu'n datblygu'r cyffuriau hyn a gweddïwn am dy fendith di ar bob clinig ac ysbyty sy'n trin y gwahanglwyfus. Yng ngrym cyffyrddiad Iesu byw, gwared ein byd o'r aflwydd hwn, a rho galon a genau diolchgar i bob un a iacheir.

Diolchwn i ti, O! Dad pawb oll, am feiddgarwch Iesu yn estyn ei law i gyffwrdd â'r anghyffyrddadwy. Hyd at ein dyddiau ni, bu'n duedd i neilltuo'r rhai a drawyd â'r gwahanglwyf a'u cadw ar wahân. Maddau inni am barhau'r duedd hon er i Iesu danseilio'r hen arferiad ugain canrif yn ôl. Molwn di am Iesu Grist a ddug y sawl a adawyd o'r neilltu yn ôl i gymdeithas lawn â'u cyd ddynion. Gweddïwn yn awr dros bob un sy'n teimlo'n wrthodedig gan ei deulu neu ei gymdeithas yn ein gwlad a'n byd heddiw. Gofynnwn i ti faddau inni am fod mor barod i wahaniaethu rhyngom ni a nhw. Gwna ni'n gyfryngau hedd a chymod; helpa ni i ehangu ein cortynnau fel y medrwn gyfrif mwy a mwy o'th anwyliaid di ymhlith y 'ni'. Dilea wahanfuriau rhagfarn, cred, lliw, iaith, cenedl a hil o'n plith a dyro i ni i gyd brofiad byw o gael ein cynnwys yng nghymundeb diwarafun y Tad, y Mab a'r Ysbryd Glân.

Bendigwn dy enw nid yn unig am i Iesu roi iachâd corfforol a chymdeithasol i'r dyn gwahanglwyfus, ond am iddo roi iachawdwriaeth ysbrydol iddo. Cyffyrddodd y glân â'r aflan a'i wneud yn lân; cyffyrddodd y dwyfol â'r dynol a'i sancteiddio; cyffyrddodd yr ysbrydol â'r materol a'i gysegru; cyffyrddodd y nefol â'r daearol a'i gyfannu. Diolch i ti, O! Dad, am wyrth yr ymgnawdoliad yn Iesu Grist. I ganol ein harwahanrwydd unig fe ddaeth ef a'n dwyn i gymundeb â Duw trwy ei weddi. Molwn di am yr Ysbryd Glân sy'n ein dwyn ninnau'n awr i mewn i weddi oesol Iesu. Trwyddo ef y mae gennym ni oll ffordd i ddod, mewn un Ysbryd, at y Tad. Yn ei gnawd ei hun fe chwalodd bob canolfur gan greu un ddynoliaeth newydd wedi'i chymodi â Duw ynddo ef ei hun.

Diolch iti gynnig ein dwyn ninnau i'r ddynoliaeth newydd hon; dynoliaeth wedi'i chyfannu'n gorfforol, yn gymdeithasol, ac yn ysbrydol gan gyffyrddiad chwyldroadol ein Hiachawdwr Iesu Grist. Amen.

Saunders Davies

Sul y Gwahanglwyf

Darlleniad 1: Eseia 61: 1 4
Darlleniad 2: Luc 17: 11 19

Ein Duw bendigedig, Duw tyner a sanctaidd,
Cyfaill y tlawd a goleuni ein tywyllwch,
Rhown ddiolch i ti, yr hwn sydd yn deilwng
o bob diolch a mawl.

Ti yw yr un sydd, yn dy ras,
yn dewis pethau ffôl y byd i gywilyddio'r doeth,
yn dewis y gwan i gywilyddio'r cedyrn.

Ti sydd yn adfer y gwahanglwyf,
yn cofleidio'r gwrthodedig,
yn rhoi urddas i'r dirmygedig,
ac yn rhoi gobaith i'r gwan galon.

Rhoes dy Fab heibio ei ogoniant
i olchi traed pechaduriaid.
Daeth i'n plith megis un wedi ei ddirmygu a'i wrthod;
cymerodd ein gwendidau, a dygodd ein clwyfau;
safodd yn unig i ddioddef ein cosbedigaeth.

Dy Ysbryd sydd wedi iro clwyfau pechod,
ac wedi eneinio dy bobl ag olew llawenydd.
Yr wyt yn eu gwisgo mewn gorfoledd a gogoniant,
rhoist yn eu genau eiriau tragwyddoldeb.

Ti, borth y bywyd, iachawdwr y cenhedloedd,
Bendigedig ydwyt, a'th gariad a'th drugaredd
sy'n ddi derfyn.

Ein Tad, yr wyt wedi'n heneinio â'th Ysbryd, ac wedi'n hanfon i bregethu'r newyddion da i'r tlodion, i gysuro'r toredig o galon, i gyhoeddi rhyddid i'r caethion ac i roi gollyngdod i garcharorion y tywyllwch.

A ninnau'n gryf ac yn iach, cofiwn am lawer sydd mewn gwendid a salwch. Caniatâ i ni dy weld di yn ein gilydd, ac i sylweddoli beth yw pwrpas mawr ein bywyd ar y ddaear. Helpa ni i wneud daioni i'n gilydd, fel y bydd i ni, wrth fendithio'n gilydd, hefyd dderbyn bendith.

Deffra lywodraethau'r byd i ymgymryd â'u cyfrifoldeb o rannu yn y gwaith o fwydo, iachau, dysgu a rhyddhau holl bobloedd y byd. Diolch i ti am ei bod hi bellach yn bosib i wella pawb sy'n dioddef o'r gwahanglwyf yn y byd yma. Diolchwn am ymroddiad ac ymgysegriad y meddygon a'r gwyddonwyr hynny sydd wedi bod yn chwilio am y cyffuriau priodol i ddod â'r feddyginiaeth hon i fodolaeth.

Gweddïwn dros y rhai sy'n derbyn triniaeth at y gwahanglwyf ar hyn o bryd. Cofiwn hefyd am y rhai sy'n peidio dod i dderbyn y driniaeth am wahanol resymau; a'r rhai hynny y daw'r feddyginiaeth yn rhy hwyr i'w harbed rhag dioddef anabledd a fydd yn effeithio arnynt gydol eu bywyd.

Gweddïwn y bydd pobl yn dal i ymateb mewn haelioni i'r angen i gyfrannu at gost y feddyginiaeth, fel y bydd mwy a mwy o wahangleifion yn cael gwellhâd llwyr o'u doluriau, ac yn gallu wynebu bywyd o'r newydd mewn hyder a heb nam corfforol.

Gofynnwn am dy fendith ar yr ymdrech fyd eang hon, a ninnau'n credu ei bod hi'n rhan o'th waith iachusol di. Amen.

Tecwyn Ifan

111

Sul y Gwahanglwyf

Darlleniad 1: 2 Brenhinoedd 5: 1 14
Darlleniad 2: Mathew 8: 1 4

Deuwn atat, ein Tad, yn wylaidd ac yn ostyngedig, gan gyflwyno i ti bawb sydd mewn gwaeledd a gwendid. Cyflwynwn yn arbennig i ti y dydd hwn y rhai sy'n dioddef o'r gwahanglwyf. Gwyddom fod llaweroedd wedi eu caethiwo yn gorfforol ac yn feddyliol gan yr afiechyd. Gwyddom am greulondeb yr afiechyd, ei niwed i gyrff a'i boen beunyddiol i'r dioddefwyr.

Diolch am dy Air sy'n datgan dy fod yn mynnu bod y rhai gwahanglwyfus yn cael eu glanhau. Clodforwn di am inni wybod nad oes 'na haint, na chlwy na chur na chilia dan dy ddwylo pur'. Clodforwn di am fod tosturi Iesu yng Ngalilea gynt i'w weld yng ngwasanaeth rhai o'th blant sy'n gweini'n dirion ar y claf. Gweddïwn, ein Tad, am i'th dosturi di gyffwrdd byd sydd mor amddifad ohono.

Diolchwn i ti am y rhai a gysegrodd eu doniau i gysuro'r trallodus, y rhai sydd wedi mentro eu bywydau i roi balm ar friwiau'r dolurus. Diolch i ti am y rhai sydd wedi dewis byw'n llwm ac yn dlawd er mwyn gweini ar y gwael a chysuro'r clwyfedig y rhai sydd wedi gadael cartrefi moethus i fod yn gysur ac yn obaith i'r anghenus; y rhai sydd wedi defnyddio eu cyfoeth personol oherwydd bod anghenion dy blant yn fawr; y rhai sydd wedi clywed galwad dy efengyl di i wasanaeth eu hoes; y rhai sydd wedi ymroi i'r gwasanaeth hwnnw drwy fyw i'r gŵr fu ar y groes. Gweddïwn dros y rhai sy'n ddyfal yn eu gofalon:

> 'Rho dy nodded, rho dy gwmni,
> Nos a dydd
> I'r rhai sydd
> Ar y gwan yn gweini.'

Cynorthwya ni i sylweddoli bod i ninnau, ein Tad, ran yn y frwydr i ddileu yr afiechyd sy'n difa cymaint o'th blant. Gad inni fod yn ymwybodol o'n cyfrifoldebau i sicrhau bod y rhai sydd eisoes yn dioddef yn cael gofal mewn ysbytai sy'n gyfforddus, yn glyd ac yn lân a bod cyffuriau digonol ar eu cyfer. Gwyddom, ein Tad, bod cyfuniad o wybodaeth ac adnoddau gwyddonol technoleg fodern yn foddion i ddileu'r afiechyd sydd wedi blino dy bobl o ddyddiau Moses hyd ein dyddiau ni.

Maddau i ni ein bod yn byw mewn cymdeithas sy'n teimlo bod creu arfau ac offer dinistr yn rhagori ar feddyginiaeth a gwellhad i'r gwahanglwyfus. Cynorthwya ni i'th wasanaethu di drwy ofalu am ein gilydd mewn trugaredd a thosturi, fel y gall y clwyfus edrych ymlaen i'r dyfodol mewn gobaith a hyder. Arwain ni at gymdeithas sy'n amddifad o newyn a thlodi fel y dileir yr afiechyd hwn o'n byd.

> 'Rho inni'n fuan weled dydd
> Na cheir, drugarog Dduw,
> Na newyn blin na thlodi chwaith,
> Na neb heb gyfle i fyw.'

Gwyddom, O! Dad, dy fod yn y canol yn cyd ddioddef gyda'th blant sydd dan eu doluriau:

> 'Fe ddygodd ein doluriau
> A'n clwyfau bob yr un,
> Trwy rym tragwyddol gariad,
> O fewn ei gorff ei hun.'

Bydded i'r mawredd sydd ynot ti gyffroi pobloedd i weithio dros dy deyrnas, fel bod gwên lle bu deigryn, rhyddid lle bu caethiwed, llawenydd lle bu tristwch.

Clyw ein gweddi, O! Dad pob trugaredd, am inni ofyn y cyfan yn enw Iesu a fu farw ar Groes ac a atgyfododd er iachawdwriaeth pob un ohonom. Amen.

Gwyn Thomas

Sul Cymorth Cristnogol

Darlleniad: Eseia 1: 2 20

O! Arglwydd Dduw cyfiawn a theg, rwyt ti wedi'n rhybuddio trwy dy broffwyd Eseia:

'Pan ledwch eich dwylo mewn gweddi, trof fy llygaid ymaith ...'

Addefwn fod ein dwylo'n llawn gwaed; rydym yn byw ar gorn yr anghenus, yn masnachu ar draul y tlawd, yn adeiladu byd sy'n anghyfartal ac yn annheg. Maddau i ni am fethu amgyffred maint ein pechod, a'r dioddef a achosodd ein hunanoldeb hyd eithafoedd y byd. Agor ein llygaid i weld canlyniadau dinistriol ein ffordd o fyw a dyro inni benderfyniad i godi ein llais o du y gwan. Rwyt ti yn ein hannog:

'Ceisiwch farn, achubwch gam y gorthrymedig, gofalwch dros yr amddifad, a chymerwch blaid y weddw.'

Fe wnaethost ti hyn eisoes yn Iesu Grist. Fe ddaeth ef i gyflawni dyhead dy broffwyd; fe'i heneiniwyd â'r Ysbryd Glân:
    'i bregethu'r newydd da i dlodion,
    i gyhoeddi rhyddhad i garcharorion,
    ac adferiad golwg i ddeillion,
    i beri i'r gorthrymedig gerdded yn rhydd,
    i gyhoeddi blwyddyn ffafr yr Arglwydd.'

Ynddo ef rwyt wedi addo y cawn ni bechaduriaid brofi ffafr yr Arglwydd:

'Pe bai eich pechodau fel ysgarlad, fe fyddant cyn wynned â'r eira ...'

Fe fodlonodd dy fab ufuddhau hyd yr eithaf; ymuniaethodd â'r digartref yn ei enedigaeth a'i weinidogaeth. Dioddefodd loes y

114

gwrthodedig; bu fyw ar drugaredd a chardod; sychedodd am gyfiawnder; newynodd am heddwch; derbyniodd fygythiad yr awdurdodau; ni chafodd le i roi'i ben i lawr ond ar groes. Yno fe ddioddefodd ergydion ein creulondeb eithaf ni, fe brofodd ing ein dynoliaeth a gefnodd ar Dduw. Er iddo deimlo dy fod di, O! Dduw, wedi'i adael, fe'i hargyhoeddwyd nas gadawyd yn amddifad wrth iddo gyflwyno'i ysbryd i'th ofal di, O! Dad.

Er inni droi cefn ar dy fwriadau di, O! Dad, diolchwn am y sicrwydd nad wyt ti wedi'n gadael ni. Fel y mae'r ych yn adnabod y sawl a'i piau, a'r asyn breseb ei berchennog, gad i ni dy adnabod di o'r newydd fel y Duw sy'n ein tywys i ochri gyda'r tlawd, i godi llais dros yr anghenus. Gad inni ddeall beth yw hanfod dy gyfiawnder: nid cyfiawnder i ni ein hunain yn unig, ond cyfiawnder i bob un. Hyn sy'n amod heddwch i'r holl fyd.

Diolch i ti am adael gweddill ffyddlon ym mhob cenhedlaeth i dystio i'th drefn ddwyfol di. Gogoneddwn di am ysbrydoli gweithgarwch Cymorth Cristnogol ar hyd y blynyddoedd. Gweddïwn dros y cyfarwyddwyr a phob aelod o'r staff.

Yn anad dim, dwysbiga ein cydwybod â'r gwirionedd fod dyn yn rhy fawr i gardod. Nid cardod ond cyfiawnder yw dy ewyllys di i bob cenedl ac unigolyn. Dyro inni'r dewrder i annog arweinwyr ein gwlad a holl wledydd y byd i roi lle i'th economeg gyfiawn di. Rwyt ti'n gwrthwynebu trachwant y trahaus ac yn bwriadu i adnoddau dy fyd gael eu rhannu'n deg ymhlith holl bobloedd dy fyd. Rho weledigaeth newydd i arweinwyr ein byd o'th fwriad daionus di. O ufuddhau, caiff pawb fwyta o ddaioni'r tir; o wrthod a gwrthryfela yn erbyn dy ewyllys, fe'n difrodir gan drais anochel ein hunanoldeb ni.

Gwared ni, gwared dy fyd, O! Dad cyfiawn a theg, trwy Iesu Grist, ac yntau'n gyfoethog, a ddaeth yn dlawd drosom ni, er mwyn i ni ddod yn gyfoethog trwy ei dlodi ef. Amen.

Saunders Davies

Sul Cymorth Cristnogol

Darlleniad: Eseia 1: 2 20

'...yn gymaint i chwi ei wneud i un o'r lleiaf o'r rhain,
fy mrodyr, i mi y gwnaethoch.'

'Rho imi nerth i wneud fy rhan
I gario baich fy mrawd;
I weini'n dirion ar y gwan,
A chynorthwyo'r tlawd.'

Arglwydd, mae'n byd yn llawn annhegwch ac anghyfiawnder, ac
mi fydd miloedd yr wythnos hon, fel pob wythnos arall o'r
flwyddyn, yn dioddef o ganlyniad i hynny   trwy erledigaeth a
gormes, newyn a thlodi.

Cofia am ein byd, a llwydda bob ymdrech i unioni'r balans
rhwng y rhai sydd â digon a'r rhai sydd heb ddim. Diolch i ti am
fudiad Cymorth Cristnogol mewn gwlad o ddigonedd, a'i nod i
ddiwallu'r angen sydd yn y byd, a hynny nid yn unig drwy rannu
nawdd a maeth i drigolion y Trydydd Byd, ond trwy eu hyfforddi
a'u cynorthwyo i dyfu eu cynnyrch eu hunain.

Diolch i ti am y bartneriaeth sy'n hybu'r cydweithio hwn; a
diolch am ddiogelu urddas y bobl trwy eu hyfforddi i'w helpu eu
hunain wrth amaethu a chynhyrchu ac adeiladu. Cynorthwya ni i'n
gweld ein hunain, Arglwydd, yn rhan o'r bartneriaeth hon:

'Ehanga 'mryd, a gwared fi
Rhag culni o bob rhyw;
Rho imi weld pob mab i ti
Yn frawd i mi, O! Dduw.'

Rho inni'r awydd i gynorthwyo'n cyd ddyn anghenus yn ei
ddyhead am fara beunyddiol, am loches a dillad ac am yr hawl i

fyw ei fywyd yn ddidramgwydd. Boed i'n cefnogaeth ni fod yn deilwng ohonom fel disgyblion i ti. Diolchwn i ti am ein cymell i gynnig mwy na bara beunyddiol yn unig, a helpa ni i estyn ein rhoddion mewn cariad ac yn enw'r Crist a ddywedodd nad 'ar fara yn unig y bydd byw dyn, ond ar bob gair a ddaw o enau Duw'. Cynorthwya ni i gynnig ymhellach, drwy ein hymroddiad, a'n hymateb i anghenion eraill.

Diolchwn i ti am bob gweithgarwch lleol, am giniawau bara a chaws, am siopau elusen ac am gasgliadau drws i ddrws sy'n hybu gwaith y mudiad. Diolchwn am y rhai sy'n rhannu'r nawdd ac yn estyn y cymorth. Bendithia'r gwaith a llwydda bob ymdrech, a boed inni weld ein rhoi a'n gwneud yn fodd i'th ogoneddu di ac i ddwyn mawrhad i'th enw.

> 'Gad imi weld dy wyneb pryd
> Yng ngwedd y llesg a'r gwael;
> A gwrando'r gŵyn nas clyw y byd,
> Er mwyn dy gariad hael.'

'Yn gymaint â'i wneuthur i un o'r rhai hyn ... i mi y gwnaethoch.'
Amen.

Peter Thomas

Sul Cymorth Cristnogol

Darlleniad 1: Amos 8: 1 11
Darlleniad 2: Colosiaid 4: 2 6

O! Dduw, Tad ein Harglwydd Iesu Grist a Thad holl drigolion y ddaear, creawdwr a chynhaliwr holl gyrrau'r cread, diolchwn i ti am ddod i'n byd yn dy Fab, i fod yn esiampl ac yn iachawdwr i bob un ohonom.

Mawrygwn a gogoneddwn dy enw am yr holl fendithion a dderbyniwn o'th law. Diolch i ti am yr holl gysuron yr ydym yn eu mwynhau ac am y gynhaliaeth feunyddiol a dderbyniwn o'th law.

Gofynnwn i ti fadddau inni ein pechodau i'th erbyn. Credwn, O! Dad, nad am i ni dorri rhyw fân reolau a mân gyfreithiau y gwnaethom bechu, ond yn hytrach am bod cymaint o drigolion y blaned fach hon yr ydym yn cael y fraint o fyw arni heb yr anghenion sylfaenol i gadw corff ac enaid ynghyd.

Maddau i ni, ein Tad, bod cymaint o famau a'u plant yn awchu am ddiferyn o ddŵr glân i'w yfed ac am grystyn sych i'w fwyta, a ninnau'n mwynhau mwy na digon o gynnyrch dy gread. Gwared ni rhag llygaid sy'n amharod i weld angen dy blant. Gwared ni rhag dwylo sy'n gwrthod ymestyn. Maddau inni'r galon galed.

> 'O! gwared ni rhag i'n osgoi
> Y sawl ni ŵyr at bwy i droi;
> Gwna ni'n Samariaid o un fryd,
> I helpu'r gwael yn hael o hyd.'

Gweddïwn am iti 'anadlu arnom ni o'r nef, falm dy drugaredd dawel gref' fel y gallwn ymddatod o'n diogi ysbrydol i fod yn ymwybodol o'n cyfrifoldeb fel rhai sy'n arddel dy enw di.

Gad inni sylwi bod gwir lawenydd i'w ganfod wrth inni gynnal ein gilydd yn dy gariad di, oherwydd mai gwasanaethu ein gilydd sy'n ein galluogi i'th wasanaethu di, 'Gad inni weld dy wyneb di ymhob cardotyn gwael.'

Diolchwn i ti am unigolion a chymdeithasau sydd mor ymroddgar yn gweini er lleddfu angen y newynog a'r tlawd. Nertha ni hefyd, O! Dad, i sylweddoli bod angen y newynog yn fwy na'n cardod. Rho inni'r weledigaeth i sylweddoli bod angen adnoddau digonol i ddiwallu anghenion y tlawd a'r newynog, fel y gallont hwy edrych ymlaen at yfory mewn gobaith.

Gweddïwn am i'r cariad sy'n ein clymu fel teuluoedd ymestyn i gofleidio holl blant dynion. Diolchwn i ti fod dy dadolaeth di'n golygu ein bod yn frodyr ac yn chwiorydd i'n gilydd beth bynnag fyddo'n hamgylchiadau, beth bynnag fyddo lliw ein croen. Rho inni'r gras i weld pob mab i ti yn frawd i ni, O! Dduw.

Cynorthwya ni i anadlu'n ddwfn o'th Ysbryd, er mwyn inni brofi'r cariad sydd uwchlaw gwybodaeth ac fel y cynysgaeddir o'n mewn ysbryd ufudd dod i'th ewyllys di.

'Llifed cariad Pen Calfaria
Drwy dy Eglwys ato ef:
A'th diriondeb di dy hunan
Glywo'r truan yn ei llef:
Dysg hi i ofni byw yn esmwyth,
Gan anghofio'r byd a'i loes;
Nertha hi i dosturio wrtho,
A rhoi'i hysgwydd dan ei Groes.'

Gweddïwn am weledigaeth o fewn yr Eglwys iddi gyfrannu'n helaethach yn dy genhadaeth sy'n gwaredu'r tlodion o'u poen, a'r cyfoethog o'u pechod. Yn enw Iesu Grist. Amen.

Gwyn Thomas

Sul yr Urdd

Darlleniad: 1 Ioan 2: 7, 4: 5 17

O! Dduw, ein Tad, gweddïwn gyda'r Salmydd:

'Bydded ein meibion fel planhigion yn tyfu'n gryf yn eu hieuenctid,
a'n merched fel pileri cerfiedig mewn adeiladwaith palas.'

Yn ôl dy Air, fe roddaist ti le amlwg i brydferthwch a chryfder yr
ifanc i harddu a chyfoethogi cymdeithas dy bobl ym mhob
cenhedlaeth.

Molwn di, O! Dduw, am iti anfon dy Fab i'n byd fel plentyn
bychan. Roedd dy fendith di arno wrth iddo gynyddu mewn
doethineb a maintioli, ac ennill calon ei gyfoedion fel llanc ifanc.
Ac yntau newydd adael cartref a chael ei fedyddio, fe ymhyfrydaist
ti ynddo fel dy annwyl Fab. Fe gasglodd ef ddwsin o gymdeithion
ifainc o'i gwmpas a rhoes iddynt weledigaeth gyffrous o'th
fwriadau pellgyrhaeddol di ar gyfer dy fyd. Er iddynt gefnu arno yn
awr ei argyfwng, fe agorwyd eu llygaid i adnabod Iesu fel y
Gwaredwr ifanc a oedd yn gwneud pob peth yn newydd.

Diolch i ti am greu'r Eglwys i fod yn gnewyllyn y ddynoliaeth
newydd hon. Fe'i bendithiaist â theuluoedd cyfiawn ac ag
arweinwyr ifainc. Ynddi hi fe gafodd y plant brofiad ohonot ti, O!
Dduw, fel Tad. Agorwyd llygaid ei phobl ifainc i weld eu bod yn
gryf am fod dy Air di yn aros ynddynt ac yn galluogi iddynt
orchfygu'r un drwg. Fe'u diddyfnwyd o drachwant y cnawd a
balchder mewn meddiannau trwy roi eu bryd ar y pethau arhosol,
trwy wneud dy ewyllys di, O! Dduw.

Molwn dy enw heddiw am rieni ac arweinwyr ieuenctid sy'n
adnabod yr hwn sydd wedi bod o'r dechreuad ac yn aros am byth.
Diolchwn yn arbennig am sylfaenwyr ac arweinwyr presennol yr
Urdd a roes eu gwasanaeth yn ddiflino i rannu'r adnabyddiaeth hon

â chenhedlaeth arall. Molwn di am yr athrawon a'r cerddorion, y
crefftwyr a'r gwirfoddolwyr a rannodd eu hamser a'u dawn yn
llawen i wasanaethu ein plant a'n pobl ifainc. Canmolwn di, O!
Dduw daionus, am ddonio ein hieuenctid mor hael. Gweddïwn am
iddynt hwythau dy adnabod di fel y rhoddwr rhad ac ymateb i'th
ddaioni trwy berffeithio eu doniau a'u defnyddio i gyfoethogi
bywyd ein cymdeithas a'n cenedl ac i ddwyn gogoniant i ti.
Gweddïwn yn arbennig am dy fendith di ar Eisteddfod
Genedlaethol yr Urdd fel y caiff pawb sydd ynglŷn â hi brofiad arall
o geinder ac o ddaioni dy fwriadau gogoneddus di.

Bendigwn dy enw am ymrwymiad pob aelod o'r Urdd i fod yn
ffyddlon i Gymru, i Gyd ddyn, i Grist. Lle gweithredir y
ffyddlondeb hwn fe elli di ddefnyddio'r mudiad cenedlaethol hwn i
fod yn Urdd Gobaith Cymru yn wir. Yn dy ddoethineb fe drefnaist
ti ddyfodol rhagorach nag y gallwn ni ei ddychmygu i'n gwlad a'n
byd. Una'n breuddwydion ni â'th bwrpas tragwyddol di, fel bod ein
cynlluniau a'n gweithredoedd ni yn unol â'th ewyllys sanctaidd di,
Dad, Mab ac Ysbryd Glân, sydd wedi maddau'n holl bechodau
trwy dy enw mawr dy hun. Amen.

Saunders Davies

Sul yr Urdd

Darlleniad: 1 Ioan 2: 7, 4: 5 17

'Gwnaeth ef hefyd o un dyn yr holl genhedloedd i breswylio ar wyneb y ddaear ...'

Diolchwn i ti, O! Dduw, am Urdd Gobaith Cymru, am weledigaeth ei sylfaenydd ac am y cenedlaethau o blant a phobl ifainc sydd wedi elwa ac sy'n parhau i elwa o'r ddarpariaeth a gynigir drwy'r mudiad hwn.

Cynorthwya ni yn unol ag arwyddair triphlyg yr Urdd i addunedu ein ffyddlondeb i Gymru, i Gyd ddyn ac i Grist.

Ffyddlondeb i Gymru:

> 'Dros Gymru'n gwlad, O! Dad, dyrchafwn gri,
> Y winllan hon a roed i'n gofal ni ...'

Cydnabyddwn, O! Dad, mai rhodd oddi wrthyt ti yw cenedl a gwlad, treftadaeth gyfoethog yr ymddiriedwyd inni'r cyfrifoldeb o'i gwarchod a'i hamddiffyn a'i throsglwyddo'n ddilychwin i bob cenhedlaeth.

Diolchwn i ti am ein hiaith a'n diwylliant, am dir ein gwlad a'i thraddodiadau llenyddol a barddonol; am geinder crefft ac am arbenigrwydd a hunaniaeth ein cenedl. Ond gwyddom hefyd, O! Dad, fod Cymru'n newid. Yr ydym yn genedl o bobl gymysgryw fel pob cenedl arall, ac mae'n anochel fod gan bawb eu delwedd o Gymru. Ond yn ogystal â gweld y ddelwedd, helpa ni i geisio'n adnabod ein hunain am yr hyn ydym ni. Mewn hunanadnabyddiaeth y mae ymdrech at ddelfryd, a'r ddelfryd yw Cymru hyderus a'i hiaith a'i phobl yn ffynnu.

Ffyddlondeb i Gyd ddyn:

> 'Maent cyn hyned â'n daear,
> O un gwaed fe'u crewyd yn wâr
> A'u gwasgar i bedwar ban,
> Hen hil, yn deulu cyfan;
> Cwlwm gwiw o genhedloedd
> A swm eu tras, trysor oedd.'

Diolchwn i ti, O! Dad, am ein hil a'n gwna'n deulu ac yn bobl sy'n rhannu perthynas a thras a thrysor adnabyddiaeth. Mae hynny'n ein dyrchafu uwchlaw hynodrwydd iaith a diwylliant a lliw croen, ac yn ein creu yn ddynoliaeth   yn frodyr ac yn chwiorydd i'n gilydd.

Gweddïwn dros ein cyd ddynion ymhob gwlad ar iddynt rannu'r weledigaeth a ddaw â chymod a heddwch i'n byd; iddynt gynnal y gwerthoedd hynny sy'n diogelu bywyd cymdeithas ac ymdrechu i fyw mewn cytgord â'r greadigaeth.

Ffyddlondeb i Grist:

> 'Cysegrwn flaenffrwyth dyddiau'n hoes
> I garu'r hwn fu ar y Groes ...'

Gweddïwn am nerth i fod yn ffyddlon i Grist a'i gariad ef. Diolchwn i ti, O! Dad, am y copa gwyn sydd i fathodyn yr Urdd yn arwydd o'r nod yr ymgyrchwn tuag ato. Boed inni gofio bod y gwyrdd a'r coch   gwlad a chyd ddyn   yn ddarostyngedig i'w awdurdod ef.

Diolchwn i ti am ein Harglwydd Iesu Grist sy'n ein cymell ni i fod yn ddilynwyr iddo ac i weithio drosto. Helpa ni i gysegru ein doniau a'n gallu i'w wasanaethu, a boed i eraill drwy'r gwasanaeth hwnnw ei weld ef ynom ni.

Bendithia fudiad Urdd Gobaith Cymru yn holl agweddau ei weithgarwch. Nertha ni, Arglwydd, i gadw'n haddewid i fod yn ffyddlon i Gymru ac yn deilwng ohoni i fod yn ffyddlon i'n cyd ddyn pwy bynnag y bo, ac yn ffyddlon i Grist a'i gariad ef. Amen.

Peter Thomas

Sul yr Urdd

Darlleniad 1: Salm 33: 1 12
Darlleniad 2: 1 Thesaloniaid 4: 7 12

Hollalluog Dduw, creawdwr a chynhaliwr popeth byw, 'yr hwn a wnaeth o un natur bob cenedl o ddynion i breswylio ar y ddaear', deuwn atat fel mudiad pobl ifainc i ddiolch i ti fod ein cenedl fach ni yn rhan o'th greadigaeth. Deuwn gan ddiolch i ti am ogoniant y pethau bach.

Diolchwn am weledigaeth fawr sylfaenydd y mudiad a gweddïwn am y gras i fod yn ffyddlon i'n gwlad, i'n cyd ddyn ac i ti trwy dy Fab Iesu Grist.

Diolchwn i ti am ein traddodiadau ers dyfod dy Air di i'n plith. Molwn di am y rhai a lafuriodd heb gyfrif y gost i'n cyfoethogi yng ngwerthoedd dy deyrnas. Molwn di am ddysg a moes a ffyrdd y gorffennol; am wŷr a gwragedd a etifeddodd ddoniau cyfoethog ac a gysegrodd y doniau hynny mewn awen a rhyddiaith, mewn cân ac mewn emyn i glodfori dy enw di. Diolch i ti mai gwerthoedd dy deyrnas a gyfoethogodd ein diwylliant fel pobl.

> 'Clywai beirdd mewn gwynt ac awel
> Gri ei aberth, llef ei loes,
> Ac yng nghanol dy fforestydd
> Gwelent Bren y Groes.'

Moliannwn di, O! Dad, dy fod nid yn unig yn Dduw ein gorffennol ond yn Dduw ein presennol hefyd. Mawrygwn di am dy fod yn parhau i alw pobl i'th ddilyn di, a bod pobloedd o ddoniau ac o alluoedd arbennig yn parhau i gysegru eu doniau er gogoniant i'th deyrnas. Cadw ni eto i fod yn driw i'r hyn sy'n wir a glân. Dyro inni'r dewrder i sicrhau glendid ei hiaith i'r dyfodol. Gad inni weld y 'Seren Ddisglair' trwy bob awel groes. Agor ein llygaid i sylweddoli mai ynot ti y mae gobaith ein cenedl.

'Er mwyn y lleng o ddewrion gynt a roes
Eu gwaed i'w chadw'n bur rhag briw a brad,
A'r saint a'i dysgodd yn erthyglau'r Groes,
Tosturia wrthi, drugarocaf Dad;
Rho nerth i'w chodi, yna gwisgwn ni
Ei chorff â gwisg ei holl ogoniant hi.'

Gweddïwn dros bawb sy'n ymdrechu er hyrwyddo iaith a diwylliant ein cenedl. Nertha ni oll i ymdrechu yn ôl ein gallu dros Gymru'n gwlad oherwydd mai hi yw'r winllan werdd a roed i'n gofal ni. Deisyfwn am y doethineb sy'n weddus i'r rhai sy'n arddel dy enw di rhag inni gael eu llyffetheirio gan hen ragfarnau. Gwna ni'n ostynedig fel pobl i ti.

'O! Dywysog ein tangnefedd,
Maddau falchder ym mhob gwlad,
Gwna ni oll yn ostyngedig
I feddiannu gras y Tad.'

Diolchwn i ti am yr alwad i fod yn ffyddlon i'n cyd ddyn. Cyflwynwn iti blant a phobl sydd mewn angen yn ein byd y dydd hwn. Cofiwn am y rhai sy'n brin o fwyd ac o gysuron beunyddiol. Cynorthwya ni trwy dy ras i argyhoeddi ein harweinwyr ein bod yn hawlio cyfiawnder cymdeithasol wedi ei seilio ar dy gariad di yn ein byd. Clodforwn di am dy Air sy'n datgan ein bod yn frodyr ac yn chwiorydd i'n gilydd.

Yn olaf, O! Dad, gweddïwn am y gras i fod yn ffyddlon i ti oherwydd mai tydi yw'r ffordd a'r grym i ni. Ni allwn ymdrechu hebot ti. Felly, gweddïwn am y nerth i'n cadw rhag llesgáu.

Llanwer calonnau dy bobl â gwerthoedd dy efengyl fel y byddo i bawb fwynhau rhyddid, cyfiawnder a thangnefedd dy deyrnas. Trwy y dydd dy foli a wnawn, Iesu bendigedig. Amen.

Gwyn Thomas

Sul Un Byd

Darlleniad: Rhufeiniaid 15: 7 13

Ti, O! Dduw, a glodforwn; ti yr hwn a'th ddatguddiaist dy hun yn Iesu Grist, Goleuni'r Byd. Diolch am rym dy gariad sy'n bwrw i lawr y muriau sy'n gwahaniaethu'r cenhedloedd, am y goleuni sydd wedi symud tywyllwch anobaith oedd yn bygwth heddwch y byd. Diolch am ddysgeidiaeth a chenhadaeth Iesu Grist ac am ei fuddugoliaeth dros bechod ac angau. Diolch am effaith a dylanwad yr emyn, 'Efengyl tangnefedd, O! rhed dros y byd ...' Diolch am y gobaith a ddaeth i holl genhedloedd y byd drwy'r efengyl. Diolch am sêl dy fendith ac am i ti gadarnhau'r addewidion am heddwch drwy dy annwyl Fab Iesu Grist, Gwaredwr y byd.

Dyro i ni dy ras bob dydd i gofio ac i ddiolch ein bod bob llwyth, cenedl ac iaith wedi'n creu ar dy ddelw dy hun. Diolchwn am i ti allu cyffwrdd pob calon â goleuni a serch dy sancteiddrwydd drwy Iesu Grist. Helpa ni i gydnabod dy fod wedi coroni'r byd â thrugaredd a thangnefedd. Maddau i ni, O! Dduw, na byddai mwy o dystiolaeth ac o ganmol dy enw mawr ar ein gwefusau. Maddau nad ydym yn cydnabod ac yn diolch digon am dy holl ddaioni a'th haelioni yn y byd. Drwy nerth dy Ysbryd Glân, arwain ni heddiw yn dy ddoethineb i gynnal a chadw 'Sul Un Byd'. Na ad inni golli gwerth, gwefr a dylanwad yr efengyl yn y byd. Maddau ein difrawder a'n difaterwch yn ein perthynas â'n gilydd fel brodyr a chwiorydd yng Nghrist. Helpa ni i frwydro mewn cariad i orchfygu'r holl ddrygioni sy'n llygru a difetha ein perthynas â'n gilydd fel cenhedloedd y byd. Gwna i ni wisgo amdanom brydferthwch dy annwyl Fab dy hun, sef Iesu Grist. Maddau inni anghofio grym dy fuddugoliaeth trwy Iesu Grist. Arwain ni yn ein canu a'n tystiolaeth nid yn unig ar Sul arbennig ond bob diwrnod o'r wythnos.

'Na foed neb heb wybod am gariad y Groes;
A brodyr i'w gilydd fo dynion pob oes.'

Caniatâ o'r newydd i'r byd i gyd fwynhau tawelwch a thangnefedd dy efengyl. Ein gweddi a'n dyhead yw ar i ti ychwanegu beunydd dy gariad sy'n canmol dy enw mawr. Dyro inni gymorth i gadw'r Sul mewn dyddiau a chyfnod anodd. Bydded i'r canu a'r canmol ddod o bedwar ban byd. Dyro inni glywed unwaith yn rhagor sŵn y Delyn Aur yn boddi sŵn pob rhyfel. Erys yr alwad arnom i gyd i foli dy enw mawr:

'Molwch yr Arglwydd, yr holl Genhedloedd, a'r holl bobloedd yn dyblu'r mawl.'

Cryfha a chynorthwya dy Eglwys yn y dyddiau blin hyn i frwydro dros y Sul, ei ysbryd a'i bwrpas. Boed inni barchu a chadw'n fyw gariad, gobaith a goleuni'r efengyl drwy gadw a pharchu'r Sul, a hwnnw'n Sul Un Byd. Ti, O! Dduw, a roddodd i ni y Sul ac un byd i fyw ynddo a'i barchu. Drwy'r byd i gyd, er mwyn heddwch, tangnefedd a chyfiawnder, helpa ni i ddangos ein diolch a'n gwerthfawrogiad drwy Iesu Grist ein Harglwydd. Dymunwn dy foliannu a'th glodfori. Heddiw, felly, goleua'n meddyliau i'r gwirionedd a ddatguddiwyd i ni yn Iesu Grist.

Dirion a thrugarog Dad, maddau bob diffyg a bai ynom. Cynorthwya ni, bobloedd y byd i gyd, i nesáu mewn edifeirwch at dy orsedd ac at dy ffordd di o fyw.

'Efengyl tangnefedd, dos rhagot yn awr;
A doed dy gyfiawnder o'r nefoedd i lawr.' Amen.

Dewi Morris

Sul Un Byd

Darlleniad: Rhufeiniaid 15: 7 13

'Bydded i'r cenhedloedd lawenhau a gorfoleddu,
oherwydd yr wyt ti'n barnu pobloedd yn gywir ac
yn arwain cenhedloedd ar y ddaear. Bydded i'r
bobloedd dy foli, O Dduw, bydded i'r holl bobloedd
dy foli di.'

O! Dduw, creawdwr y byd a phob dim sydd ynddo, mawrygwn di
am waith dy ddwylo o fewn dy greadigaeth. Tydi a luniaist drefn o
anhrefn ac a ffurfiaist fyd o grai ddefnyddiau'r cread. Gosodaist
ffurfafen yn do, a'r tir a'r dyfroedd yn gyfryngau i gynnal bywyd.
Rhoist inni'r tymhorau yn eu trefn a chynhysgaeth pob tymor yn
dwyn ei faeth a'i gynhaliaeth.

Gwasgeraist yr hil i bedwar ban yn gwlwm o genhedloedd, ac
o'u gwaddol fe gyfyd, o oes i oes, flagur bywyd.

'Bydded i'r boblogaeth dy foli di, O! Dduw.
Bydded i'r holl bobloedd dy foli di.'

Diolchwn i ti am y Sul arbennig hwn a'n gwna ni'n ymwybodol
ein bod ni oll yn ddeiliaid dy greadigaeth ac yn ddisteiniaid yr hyn
yr wyt ti wedi ei ymddiried inni.

Helpa ni i gofio taw dy fyd di yw hwn a'n bod yn atebol i ti am
ein gofal ohono. Cynorthwya ni i'w warchod a'i amddiffyn yn
hytrach na'i lygru a'i ecsbloitio, er mwyn inni fyw mewn harmoni
â'th fyd.

Rho dy gymorth inni hefyd geisio byw mewn cytgord â'n gilydd
fel dynoliaeth trwy ymdrechu i ymgadw rhag trais a gwrthdaro.
Dysg ni i gymodi a charu fel y bydd i ryfeloedd beidio ac fel y
bydd pobl o bob gwlad a hil ac iaith yn gweithio'n egnïol i geisio

sicrhau goddefgarwch a heddwch rhyngddynt a'i gilydd.

Cynorthwya ni i gydnabod ein cyfyngiadau a pharchu cryfderau ein gilydd ac i sylweddoli ein bod ni'n gynnyrch dy ddwylo a'th feddwl di. Ynot ti yr ydym ni'n un yn un byd, yn un greadigaeth, yn un bobl. Amen.

Peter Thomas

Sul Un Byd

Darlleniad: Hosea 14

'Duw a Thad yr holl genhedloedd, ti a folwn a thi
a gydnabyddwn yn Arglwydd. Yr holl ddaear a'th
fawl di, y Tad tragwyddol. Nefoedd a daear sydd
yn llawn o'th ogoniant.'

Gofynnwn iti faddau pob dim sy'n gyfrwng i achosi rhaniadau yn y
gymdeithas, yn yr Eglwys ac yn y byd. Maddau yr hyn sy'n creu
ofn ac amheuaeth rhwng pobl a'i gilydd. Maddau'r trachwant sy'n
rhoi bod i'r Trydydd Byd. Maddau'r hunanoldeb sy'n arwain at
ddioddefaint a rhyfela yn ein byd. Maddau i'r lleiafrif barus sy'n
ysbeilio dy greadigaeth di ar draul y gweddill gwan. Maddau i ni
am gyfeirio ein hadnoddau at ein lles ein hunain yn hytrach nag at
yr anghenus. Maddau i'r cyfoethog sy'n esgyn ar draul y tlawd
sy'n newynu. Maddau i'r cefnog cysurus sy'n sathru'r gwan a'r
trallodus. Maddau i'r rhai uchel eu gallu sy'n manteisio ar y sawl
sy'n brin o allu. Maddau i ni, ein Tad, ein bod yn llwyddo i gysgu'r
nos yn berffaith esmwyth a'n cydwybod yn berffaith dawel er
gwaetha'r rhaniadau sydd yn ein byd. Maddau i ni, O! Dad, ein
bod wrth bellhau oddi wrthyt ti wedi pellhau oddi wrth ein gilydd,
ac mai grym pechod sy'n ein gwahanu oddi wrth ein gilydd.

Diolch i ti am ein dysgu drwy dy broffwydi dy fod fel Duw cyfiawn
yn hawlio cyfiawnder fel egwyddor sylfaenol i'r rhai sy'n arddel dy
enw. Gweddïwn am i dlodion ein daear ac i holl deulu dyn
sylweddoli dy fod yn chwilio amdanom oll yn ein tlodi ysbrydol
gan ewyllysio inni droi atat ti.

Wrth inni droi atat ti, caiff y difrawder sy'n suro ein byd ei ddifa, a
chaiff y trachwantus sy'n sugno'r byd o'i gyfoeth weld mai trwy
estyn llaw at gyd ddyn mae darganfod gwir fwynhad a phwrpas
mewn bywyd.

Diolchwn i ti am y doniau a'r gallu a roddaist i ni fel pobl. Maddau i ni, ein Tad, ein bod wedi camddefnyddio dy roddion i greu offer dinistr yn hytrach na manteisio ar ein doniau i leddfu angen y gwan a'r gwael.

Nertha ni i sylweddoli bod dy dadolaeth di'n ein gwneud yn un teulu. Dyro inni, drwy dy ras, weld bod gennym gyfrifoldeb fel teulu i ofalu am ein gilydd yn un teulu dedwydd ynot ti.

> 'Pob lliw, pob llun, O! down ynghyd,
> Un teulu ydym ni;
> A wasanaetho Dduw ein Tad,
> Mae'n frawd neu chwaer i mi.'

Cofiwn am y rhai sy'n llafurio dan amodau anffafriol ac ar gyflogau prin i gynhyrchu nwyddau yn rhad i'r gweddill ohonom. Rho inni'r dewrder i ofalu nad oes neb yn dioddef er mwyn inni dderbyn ein danteithion yn rhatach.

Gweddïwn ar i'th ewyllys gael ei chyflawni hyd eithafoedd y ddaear fel bod trais a loes, tristwch a thrachwant yn cael eu diorseddu gan hedd a llawenydd, gan gyfiawnder a chariad.

> 'Hyn fo'n gweddi wrth ymestyn
> At bob llwyth a gwlad sy'n bod.'

Gofynnwn hyn yn enw Iesu Grist. Amen.

Gwyn Thomas

Sul y Genhadaeth

Darlleniad: Luc 9: 1 6, 10: 1 12

Hollalluog Dduw, bendithia ni fel y disgyblion annwyl gynt.
Cynorthwya ni i sylweddoli ein breintiau a chydnabod y gwaith
sydd o'n blaen fel aelodau o Eglwys Iesu Grist. Dymunwn
gydnabod yn ddiolchgar mai efengylwyr ydym, wedi ein galw i
lafurio'n ddiwyd mewn cariad ac amynedd i sefydlu dy deyrnas ym
mywyd ein cenedl. Diolchwn i ti am roddi inni'r efengyl sanctaidd
ac arweinyddion ymroddedig ar hyd yr oesoedd. Helpa ni drwy
nerth yr Ysbryd Glân i fynd i mewn i'w llafur â llawenydd.
Bendithia ni fel y bendithiaist eu llafur hwy. Cyfeillion a gysegrodd
eu doniau, eu hamser a'u hamynedd yn ddiflino a dirwgnach i
gyhoeddi'r efengyl lân gydag arddeliad ac argyhoeddiad. Diolchwn
i ti am gerddorion, emynwyr a llenorion a gyfrannodd mor hael i
fywyd ysbrydol ein cenedl. Mawrygwn dy enw am roddi i ni, fel yn
y dyddiau gynt, genhadon i ddiwygio ein cenedl mewn cariad ac i
fwynhau heddwch. Drwy rym dy Ysbryd Glân rhanna
anchwiliadwy olud Crist ein Gwaredwr. Ein gweddi a erys yn daer
o hyd, gan fenthyg geiriau'r emynydd:

> 'Bywha dy waith, O! Arglwydd mawr,
> Dros holl derfynau'r ddaear lawr,
> Trwy roi tywalltiad nerthol iawn,
> O'r Ysbryd Glân, a'i ddwyfol ddawn.'

Derbyn ein diolch am dy ofal di baid drosom heddiw yn y gwaith.
Cynorthwya ni i ufuddhau i'th gynghorion da, a chadw ni fel
eglwys rhag bod yn amharod i ufuddhau i'th alwad. Helpa ni i fod
yn ddewr gan ymateb yn brydlon i apêl dy gariad. Gwna ni'n
ddoeth ac addfwyn a rho inni galon dyner i ddeall amgylchiadau
anodd a chreulon ein hoes. Rho inni glustiau i wrando, llygaid i
weld a dwylo parod i helpu:

> 'Dyro Dduw dy nawdd, ac yn nawdd nerth,
> Ac yn nerth ddeall, ac yn neall gwybod,
> Ac yng ngwybod, gwybod y cyfiawn,
> Ac yng ngwybod y cyfiawn, ei garu,

Ac o garu, caru pob hanfod,
Ac ym mhob hanfod, caru Duw,
Duw a phob daioni.'

Boed i ni, fel y disgyblion annwyl gynt, dderbyn yr her i wynebu'r
byd a rhannu goleuni'r efengyl drwy Iesu Grist ein Harglwydd.
Cadw ni yn y golau:

'Cymer di fy nwylaw'n rhodd,
Fyth i wneuthur wrth dy fodd.'

Ar y Sul arbennig hwn, Sul y Genhadaeth, yn awr ein Tad deisyfwn
i ti gofio'n garedig y cenhadon sydd yn y maes. Gweddïwn dros yr
holl genhadon y gwyddom amdanynt sy'n wynebu anawsterau a
pheryglon enbyd. Mewn gwlad sy'n ddieithr iddynt, mae'r iaith yn
anodd, y bobl yn wahanol eu traddodiad a'u cred. Gweddïwn dros
y rhai sy'n brwydro dros gyfiawnder a hawliau dynol, yn wynebu
creulondeb ac erlid bob dydd yn eu gwaith; dros gyfeillion sy'n
ceisio gofalu am y gwan a'r llesg heb ddigon o adnoddau, bwyd na
diod   cynifer wedi wynebu sychder neu lifogydd ond yn dal i
geisio gweinyddu cymorth a chysur mewn caledi. Nid yn unig
rydym yn edmygu'r bobl hyn, ond gwyddom y dylem eu helpu
mewn modd ymarferol. Drwy gyfrwng ein gweddi a thrwy dy
gymorth, O! Dduw, rho arweiniad i ni fel eglwys. Rho inni'r awydd
a'r arweiniad i allu helpu'r cenhadon hyn i lwyddo yn eu gwaith er
clod i ti.

'Cymer di fy nwylaw'n rhodd,
Fyth i wneuthur wrth dy fodd;
Cymer, Iôr, fy neudroed i,
Gwna hwy'n weddaidd erot ti.'

Ymhob rhan o'r winllan helpa ni i ddwyn ffrwyth. Llusern yw dy
Air i'm traed, a llewyrch i'm llwybr. Arwain ni fel Cristnogion i
weithio'n ddi feth yn ystod ein bywyd fel y gweithiodd y cenhadon
gynt. Clyw ein gweddi a maddau bob diffyg a bai drwy Iesu Grist
ein Harglwydd. Amen.

Dewi Morris

Sul y Genhadaeth

Darlleniad 1: Ioan 21: 15 17
Darlleniad 2: Mathew 28: 16 20

Ein Tad, daethom at ein gilydd heddiw ar y diwrnod arbennig hwn i ddathlu'r genhadaeth.

Diolch fod gyda ni ddydd wedi ei neilltuo i gofio am y gwaith cenhadol, ac eto sylweddolwn nad oes modd cyfyngu'n meddwl amdano i'r un diwrnod. Arwain ni yn ein haddoliad heddiw i weld o'r newydd ehangder a phwysigrwydd y genhadaeth. Y neges y mae'n rhaid ei chyhoeddi yn gyson a'r gwaith nad yw byth yn darfod.

Gobeithio y bydd ein cofio ni heddiw yn ein helpu ni i weld pob dydd yn gyfle i genhadu. Diolchwn am y cenhadon a anfonaist i'n byd dros hanes dynoliaeth. Y proffwydi a'r offeiriaid, yr arweinwyr a'r apostolion, a'r gwŷr a'r gwragedd cyffredin, da a duwiol. Y rhai a ddaeth â gair a gweledigaeth, defod a gweithred yn gyfryngau dy neges a'th ewyllys. Gyda chywilydd yr ydym yn cydnabod na chafwyd y derbyniad yr oeddet ti yn ei haeddu. Bu anwybyddu a gwrthwynebu'r genhadaeth, a gwrthod ac erlid y cenhadon.

Eto, diolchwn am y rhai hynny a wrandawodd ar y neges ac a'i cymhwysodd i'w bywyd, ac a ddaeth yn eu tro yn gyfryngau newydd i'r genhadaeth. Trwy eu hymroddiad hwy a'r rhai a'u dilynodd cawsom ninnau glywed amdanat a rhannu yn y bywyd newydd yn Iesu Grist.

Arglwydd, trwy ein cofio, cynorthwya ni i ymdrechu i fod yn deilwng o weinidogaeth y gorffennol, ac i wneud ein rhan i barhau'r gwaith cenhadol i'r dyfodol.

Cofiwn heddiw, gyda gwerthfawrogiad a diolch, am y cenhadon a aeth o'r ynysoedd hyn i gludo'r efengyl i bedwar ban byd.

Diolchwn am eu hymrwymiad i'th wasanaeth. Diolchwn am eu dewrder a'u haberth. Diolchwn am eu cariad a'u gwasanaeth i'r bobl. Diolch fod cymaint ohonynt wedi'u huniaethu eu hunain â gwlad ac iaith a thraddodiad a diwylliant, gan gymhwyso'r efengyl ar gyfer amgylchiadau ac anghenion arbennig. Diolch am waith pwysig yn ei amser a'i gyfnod.

Ond wrth werthfawrogi'r gorffennol, helpa ni i gofio ein bod bellach yn rhan o bartneriaeth fyd eang, yn wledydd a chenhedloedd a phobloedd gyda'n gilydd.

Bydded inni ddathlu heddiw ein haelodaeth o'r teulu cenhadol, y cyfle i gael ein dysgu ac i dderbyn gan eraill, ac i gydweithio er llwyddiant y genhadaeth, gartref yn ogystal ag ym mhellafoedd daear.

Arglwydd, fe ddest ti â'r genhadaeth atom mewn modd arbennig iawn yn Iesu Grist, gan bregethu'r newydd da i dlodion a chyhoeddi rhyddhad i garcharorion, adferiad golwg i ddeillion a pheri i'r gorthrymedig gerdded yn rhydd, i gyhoeddi blwyddyn ffafr yr Arglwydd. Helpa dy Eglwys heddiw, yn ei chenhadaeth hi, i gofio hynny. Wrth ymwneud â'r byd yn ei anobaith a'i anghyfiawnder, a phobl mewn dioddefaint a phoen, helpa ni i rannu'r iachawdwriaeth gyflawn sydd yn Iesu Grist, y newydd da sy'n diwallu pob angen ac yn cyflenwi pob diffyg.

Cydnabyddwn, Arglwydd, mai dy enw di yn unig sy'n haeddu ei gyhoeddi, a'th gariad di yn unig sy'n teilyngu sôn amdano. I ti yr ydym yn cyflwyno'r gwaith, er clod a gogoniant i'th enw mawr. Amen.

Robin Samuel

135

Sul y Genhadaeth

Darlleniad: Rhufeiniaid 10: 1 17

O! Dduw, Ein Tad, wrth i ni agosáu atat mewn gweddi, pâr inni gofio am y rhai a'th wasanaethodd di ym mhob oes a chyfnod ac a dystiolaethodd i'w ffydd, mewn bywyd ac mewn marwolaeth.

Diolchwn i ti, O! Arglwydd, am yr esiampl a roddwyd i ni ym mywyd y disgyblion gynt wrth adael pob peth er mwyn dy wasnaethu di. Diolchwn am gadernid eu tystiolaeth wrth gychwyn ar y gwaith o gario'r efengyl i bedwar ban y byd. Cyfrennaist oleuni iddynt mewn tywyllwch, nerth mewn anhawster, ffydd mewn erledigaeth, a llawenydd mewn dioddefaint.

Diolchwn i ti am ymroddiad y cenhadon ddoe am eu hymdrechion dros y ffydd wrth lewyrchu goleuni a gwirionedd yr efengyl i fywyd dy blant yn y meysydd hynny lle buont yn dy wasanaethu; am ddylanwad eu tystiolaeth ar fywyd dynion, dylanwad sy'n aros hyd heddiw.

Diolchwn i ti am waith diflino'r rheiny a ddaeth â neges yr efengyl i'n gwlad, ac a gynorthwyodd i sefydlu eglwysi i Grist a chadarnhau grym yr efengyl ar fywyd ein cenedl.

Cofiwn a diolchwn am y rhai a rannodd yr efengyl gyda llawenydd a brwdfrydedd ymhob oes a chyfnod, y rhai a safodd yn dy enw di ac a dystiolaethodd i'r gwirionedd ar hyd y canrifoedd. Erfyniwn arnat ti i fendithio y rhai sy'n parhau â'r gwaith heddiw er sicrhau lledaeniad dy Air yn ein gwlad ac yn dy fyd.

Gweddïwn am fendith a'th gymorth heddiw eto i'r rhai hynny sy'n ymdrechu i arwain dy blant o'r newydd at y newydd da sydd yn Iesu Grist ac yn arbennig y rheiny, sy'n llafurio er mwyn mynegi dy gariad mewn lleoedd anodd. Na ad iddynt ddigalonni oherwydd dieithrwch a chaledi'r gwaith, ond yn hytrach nertha hwy i ddal ati yn y gras sydd ynot ti.

Cynorthwya ni, o gofio'u haberth, i ddyblu ein sêl, ac i'n hymgysegru ein hunain i fod yn ffyddlon i ti. Boed inni gofio mai ein braint ni yw lledaenu'r efengyl yn ein bro ac yn dy fyd. Tydi, O! Dduw, sydd wedi galw dynion i gyhoeddi'r efengyl ym mhob oes; ti a'u paratôdd mewn cariad ar gyfer y gwaith. Meithrin ni heddiw i fod yn dystion ffyddlon i ti. Agor ein clustiau i glywed dy alwad y dydd hwn, a rho inni'r ewyllys i ymateb heb aros i gyfri'r gost. Agor ein llygaid o'r newydd i'r cyfle i wasanaethu dy deyrnas di yn ein dydd a'n cenhedlaeth. Dangos inni'r hyn y mynni di i ni ei wneuthur. Gwna ni'n barod i ddysgu fel y medrwn ddysgu eraill am Iesu Grist drwy ein geiriau a'n hesiampl.

Rho yn ein calon yr awydd i'th wasanaethu di a'r rheiny sydd o'n hamgylch. Cynorthwya ni i fanteisio ar bob cyfle i siarad, i weithredu a bod yn ffyddlon i'n ffydd a'n cred yn yr Arglwydd Iesu Grist. Gwasgara ein hamheuon, cadarnha ein ffydd ac ysbrydola ni i gyflawni gweithredoedd mawr yn dy enw di, drwy gyfrwng yr efengyl.

Boed i'th enw di fod yn fyw ar wefusau dy blant ym mhob man, yn Iesu Grist, ein Harglwydd. Amen.

Graham Floyd

137

Sul y Cofio

Darlleniad 1: Salm 46
Darlleniad 2: Mathew 5: 1 12

O! Dduw, ein Tad tragwyddol, plygwn yn ddwys a difrifol gan geisio cynnal gwasanaeth o ddiolch i ti ar y Sul arbennig hwn, sef Sul y Cofio, gwasanaeth a fydd yn cael ei gynnal ym mhob rhan o'r byd. Yng nghalonnau a meddyliau cynifer bydd erchyllterau rhyfel yn dwyn atgofion trist a chreulon, fel mae Bardd y Gadair Ddu, Hedd Wyn, yn ein hatgoffa:

> 'Gwae fi fy myw mewn oes mor ddreng;
> A Duw ar drai ar orwel pell;
> O'i ôl mae dyn, yn deyrn a gwreng,
> Yn codi ei awdurdod bell.'

O! Dduw trugarog a graslon, rydym yn cydnabod gan gyffesu ger dy fron y dydd heddiw y drygioni sydd wedi creithio ein calonnau am byth gan oferedd hunanol a thwyll. Crwydrasom oddi ar ffordd cyfiawnder a heddwch. Nid ydym yn deilwng o'th bresenoldeb hardd di, nac yn haeddu gwrandawiad, na'n cynnal mewn gwasanaeth coffa. Ystyriwn yn ddifrifol y galar a'r hiraeth am y rhai a gollwyd mewn ing a phoen, y rhai sy'n gorwedd mewn pridd dieithr mewn gwlad estron. Gwŷr a merched ifainc, yn blant tyner, yn bobl, yn feibion a merched, yn dadau a mamau tirion, eu gwaed wedi llifo'n ofer ar dir a môr. Canys heddiw mae gwledydd yn dal i fyw dan ormes trais a sŵn bomiau rhyfel. Disgyn wnaethant fel blodau, drwy gael eu torri ymaith ac yna wywo. Nid ydym yn deilwng o'u haberth a'u dioddefaint. Y cyfan allwn ni ei wneud yw eiriol am faddeuant a thrugaredd wrth dy draed.

Diolch, O! Dduw ein Tad, am i ni gael cofio a rhannu heddiw brofiad y Salmydd:
'Y mae Duw yn noddfa ac yn nerth i ni, yn gymorth parod mewn cyfyngder ... y mae'r Arglwydd yn gweithredu cyfiawnder a barn i'r holl rai gorthrymedig ... Trugarog a graslon yw'r Arglwydd, araf i ddigio a llawn ffyddlondeb.'

Pwyso'n drwm ydym heddiw ar dy drugaredd; nid ydym deilwng o
aberth y rhai a gollwyd. Cyfaddef ydym ein bod mor araf i ddysgu,
mor barod i wylltio, i ymladd ac i ladd o hyd. Rydym wedi
camddefnyddio yn wir, rydym yn dal i gamddefnyddio ein
rhyddid a'n hawliau. Pechasom i'th erbyn gan fyw'n ofer a hunanol,
a hynny er cymaint yr wyt ti wedi ei roi inni. Helpa ni drwy
gyfrwng ein gwasanaeth i gofio am yr aberth mawr un prynhawn ar
Ben Calfaria. Yn sŵn y geiriau, arwain ein meddyliau yn edifeiriol
at y Groes:

> 'I Galfaria trof fy wyneb,
> Ar Galfaria gwyn fy myd!
> Y mae gras ac anfarwoldeb
> Yn diferu drosto'i gyd:
> Pen Calfaria,
> Yno f'enaid gwna dy nyth.'

Wrth olrhain hanes creulon y ddynoliaeth, gwna ni heddiw'n wir
edifeiriol. Helpa ni drwy dy ras i'n rhoi ein hunain o'r newydd i
wasanaeth Tywysog Tangnefedd. Defnyddia ni'n gyfrwng yn dy
law i ledaenu'r efengyl 'Efengyl tangnefedd, O! rhed dros y byd.'

Rhoddwn ein diolch a'n mawl i ti, O! Dad, wrth i ni gael y fraint o
gofio'r rhai a gollwyd, a hefyd gyflwyno rhai yn eu colled a'u
hiraeth. Canmolwn di am mai ti yw 'Tad yr amddifad, a Barnwr y
gweddwon'. Diolch am i ti fod yn barod i gynnal mor gadarn
heddiw y rhai sy'n ceisio ennill heddwch a chyfiawnder yn y byd.
Bendithia drwy dy Ysbryd Glân y rhai sy'n ceisio cyfamod a
heddwch rhwng holl wledydd y byd. Rho dy allu a'th ddoethineb i
holl arweinyddion y byd fel y gallant un ac oll wrando ar dy lais
a'th gyngor. Hollalluog a thragwyddol Dduw, yr hwn wyt yn
breswylfa i ni ym mhob cenhedlaeth, caniatâ i ni, wrth gofio, gofio
dy dosturiaethau di, a'u cyflwyno mewn cariad a chydymdeimlad
llwyr drwy dy Eglwys. Cyflwynwn ein diolch a'n deisyfiadau.
Cyflwynwn ein hunain yn llwyr i'th wasanaeth. Pâr inni rodio
llwybr cyfiawnder a thangnefedd trwy Iesu Grist ein Harglwydd a'n
Gwaredwr. Amen.

Dewi Morris

139

Sul y Cofio

Darlleniad: Salm 46

'Bydd ef yn barnu rhwng cenhedloedd ac yn torri'r
ddadl i bobloedd cryfion o bell; byddant hwy'n
curo'r cleddyfau'n geibiau, a'u gwaywffyn yn grymanau.
Ni chyfyd cenedl gleddyf yn erbyn cenedl, ac ni ddysgant
ryfel mwyach...'

Arglwydd Dduw, diolchwn i ti am y ddawn i gofio, er bod cofio ar
adegau'n gallu bod yn boenus. Cwyd ni uwchlaw pob dim sy'n
negyddol a rhwysgfawr mewn perthynas â'r dydd hwn a chyfeiria
ni yn hytrach i sicrhau cymod a gwell dealltwriaeth yn ein byd.
Helpa ni i ddysgu o gamgymeriadau ddoe ac ymdrechu i sicrhau
yfory mwy heddychlon.

Ar Sul y Cofio, diolchwn i ti am bob dim sy'n gwneud bywyd
yn werthfawr a diogel a bendithiol: y rhyddid a fwynhawn; y
cymod sy'n deillio o'n parodwydd i ystyried gwahaniaeth barn heb
orfodi eraill i gydymffurfio â ni; y cyfle i ailadeiladu ac ail greu
wedi dioddefaint a dinistr.

Diolchwn i ti am y rhai fu'n gyfryngau i sicrhau'r rhyddid hwn,
y rhai drwy eu haberth a'u gwroldeb a roes inni waddol mor
sylweddol. Na ad inni ddibrisio'u hymdrech hwy, a phâr i
deuluoedd y golled brofi o'r newydd heddiw o'th gysur a'th
dangnefedd di.

Diolchwn i ti am y rhai hynny a luniodd drwy eu dawn a'u gallu
ein hanes a'n treftadaeth ni, ac am y rhai hynny drwy eu
gweledigaeth a'u dycnwch a gynlluniodd yn fedrus a doeth ar gyfer
ein hyfory.

Wrth inni ddwyn i gof yr hyn a wnaed trosom ni, gad inni
ganfod y pethau hynny y mae'n rhaid inni eu sicrhau yn ein dydd

a'n cyfnod   y pethau hynny y mae'n byd yn amddifad ohonynt, ac
yn dal heb eu sylweddoli eto. Clyw gri ein byd ac arwain ni i geisio
ymateb iddo.

Cofiwn am y trais a'r cweryla, y gorthrwm a'r tensiynau, y
rhwygiadau a'r chwerwedd sy'n parhau i greu anghydfod a
rhyfeloedd yn ein byd. Gweddïwn iti faddau inni ein methiant i
fyw'n gytûn.

Cofiwn am yr apostolion heddwch hynny mewn llawer gwlad
sy'n ymdrechu'n egnïol i wireddu'r freuddwyd a'r broffwydoliaeth
y mae'r proffwyd Micha yn ei harddel, fel na chyfyd cenedl gleddyf
na gwn nac unrhyw rym dinistriol yn erbyn cenedl, 'ac na ddysgant
ryfel mwyach'.

Gweddïwn dros y rhai sydd mewn awdurdod ac mewn
llywodraeth   y rhai sy'n ffurfio polisïau'r cenhedloedd ac yn abl,
trwy'r awdurdod a ymddiriedwyd i'w gofal, i weithredu dros ryddid
a gwirionedd.

Gwna ni'n gyfryngau dy dangnefedd a'th heddwch, a thro'n
cofio yn ymgysegriad ar gyfer yfory gwell. Dysg ni i daenu dy
gariad ar led ac i ymddiried ynot fel Tad bythol a Thywysog
Tangnefedd. Amen.

Peter Thomas

Sul y Cofio

Darlleniad: 1 Ioan 4: 7 21

O! Dduw, ein Tad, yr hwn a ddysgaist ni drwy dy Fab dy hun beth sy'n dda, yn iawn ac yn deg, a sut i fyw mewn heddwch gyda'n cymdogion, llanw ein calonnau a chalonnau dy bobl ym mhob man gydag ysbryd cymodlon, fel y medrwn fyw gyda'n gilydd mewn heddwch.

Cymer oddi wrthym ysbryd casineb, chwerwder, cenfigen a dialedd, a phlanna yn ein calonnau ysbryd cariad. Rho awydd ynom i fyw gyda'n gilydd mewn heddwch gan gofio a gweddio:

am y rheiny a gollodd eu bywydau mewn dau ryfel byd;
(Tawelwch)

am y teuluoedd hynny sy'n dal i hiraethu;
(Tawelwch)

am y rheiny a anafwyd yn ddifrifol, ac a greithiwyd yn gorfforol ac yn feddyliol;
(Tawelwch)

am y rheiny sydd ag atgofion chwerw ac a gamdriniwyd, a ddifriwyd ac a ddifenwyd ac a anrheithiwyd ac a ddioddefodd
dan law y gelyn;
(Tawelwch)

am y rheiny sy'n dal i ddioddef o ganlyniad i ryfel.
(Tawelwch)

Maddau inni eto fod yna fwy o gasineb nac o gariad rhyngom, fod mwy o gweryla nac o gymod. Edrych mewn trugaredd ar genhedloedd daear. Gwêl gyflwr ein byd heddiw. Symud o fywyd ein byd bob dim sy'n rhwygo yn hytrach na chyfannu, yn creu gelyniaeth yn hytrach na chyfeillgarwch. Symud ymaith ddiffyg goddefgarwch, pob tuedd i ddial, a phob amharodrwydd i drafod a chytuno a siarad heddwch.

Gweddïwn am i ni gael gweld y dydd pan fydd dynion yn dysgu byw gyda'i gilydd mewn heddwch, ac yn barod i rannu yr hyn sydd ganddynt; fel y bydd y byd yn well ac yn hapusach lle nag ydyw ar hyn o bryd. Gweddïwn am y dydd pan una'r holl wledydd i frwydro yn erbyn tlodi ac angen, afiechyd a phoen a rhyfel.

Dysg ni i sylweddoli o'r newydd dy fod yn gosod cyfrifoldeb ar bob un ohonom i fyw a gweithio bob dydd dros ryddid, heddwch a chyfiawnder. Cynnal freichiau y rhai sydd yn wyneb pob gelyniaeth ac erledigaeth yn gwneuthur heddwch yn enw Tywysog Tangnefedd. Amen.

Graham Floyd

Sul y Mamau / Tadau

Darlleniad 1: Deuteronomium 5: 1 21
Darlleniad 2: Luc 2: 41 52

Arglwydd nef a daear, dysg inni'n awr ufudd dod a pharch wrth inni ddathlu Sul arbennig, sef Sul y Mamau/Tadau. Helpa ni i geisio diolch yn gywir i ti am rym y cariad sydd wedi taenu ei gysgod drosom ar hyd ein bywyd:

> 'Boed ein diolch byth i ti
> Am rieni gawsom ni.'

Gad inni sylweddoli drwy gyfrwng y gwasanaeth hwn gymaint fu'r ymdrech a'r aberth drosom. Diolchwn am bob gofal a chariad ar yr aelwyd. Diolch i ti, O! nefol Dad, am fendithio pob mam a thad heddiw. Diolch am bob esiampl dda a chyfle a roddwyd i ni drwy'r dwylo tyner a charedig:

> 'Boed pob aelwyd dan dy wenau
> A phob teulu'n deulu Duw.
> Rhag pob brad, nefol Dad,
> Cadw di gartrefi'n gwlad.'

Diolch am y cyfle hwn i gynnal gwasanaeth o ddiolch i ti am bob rhiant da, tyner a gofalus. Boed inni gydnabod ein dyled a'n diolch gan gyflwyno pob mam a thad i'th ofal tyner a thragwyddol, yn enw Iesu Grist, ein Harglwydd. Carem ddiolch am y croeso a gafodd pob rhiant wrth gyflwyno plentyn neu blant i ti i'w derbyn a'u bendithio. Diolch fod dy Eglwys yng Nghrist wedi bod yn gysgod ac yn gymorth i bob cartref. Wrth inni ddiolch a chofio heddiw am yr hyn a gawsom, helpa ni i geisio talu'n ôl mewn ffordd ymarferol. Gwna ni'n garedig a meddylgar, yn gymwynasgar a gofalus ohonynt hwy. Gad inni gofio bob amser eu gofal diflino a dirwgnach. Boed bendith a gofal dy Ysbryd Glân ym mhob cartref. Helpa ni i sylweddoli beth sy'n gwneud pob mam a thad yn hapus a dedwydd, sef plant da.

> 'N'ad i'n adeiladu'n ysgafn
> Ar un sylfaen is y nef.'

Gad inni weld y sylfaen, y graig, y gongl a roddwyd inni i adeiladu ein cymeriad, sef Iesu Grist ein Harglwydd. Nod rhieni da, ni a wyddom, ein Tad, yw ceisio sicrhau bod eu plant yn dod i adnabod a dilyn Iesu Grist. Helpa ni felly i fod yn ffyddlon mewn gair a gweithred i Iesu Grist. Bendithia a chynnal heddiw bob mam a thad sydd mewn trallod a phoen a gwewyr mawr dros eu plant er gwaethaf gofal da a thirion, eu plant wedi mynd ar gyfeiliorn ac yn disgyn i demtasiynau mawr. Clyw ein gweddi daer am dosturi a thrugaredd, gwrando'n garedig ar eu cri am gael gweld dyddiau gwell ac aelwyd hapus eto. Arglwydd, tyred â'r gobaith y lleddfir pob noswaith dywyll ac ochneidio trist. Dychwel yr amser y dymunem oll fwynhau dy dangnefedd pur. Gweld pob teulu'n cofleidio efengyl Iesu Grist gan fwynhau dy wledd gyda'r plant o gylch y tân. Yn dy gariad, yn dy ras, O! Nefol Dad, maddau bob pechod, diffyg a gwendid sydd ynom. Gwna i ni o'r newydd barchu a charu pob aelwyd a roddaist i ni drwy rieni da.

> 'Tywys di ni i'r dyfodol,
> Er na welwn ddim ond cam;
> Cariad Duw fydd eto'n arwain,
> Cariad mwy na chariad mam.'

Derbyn ein diolch er mawr glod i'th enw yn Iesu Grist, yr hwn a'n dysgodd pan weddïwn i ddweud gyda'n gilydd, 'Ein Tad ...' Amen.

Dewi Morris

Sul y Mamau

Darlleniad 1: Diarhebion 31: 10 21
Darlleniad 2: Luc 2: 41 52

Deuwn atat ti, ein Tad graslon a thrugarog, i ddiolch i ti am bob dylanwad dyrchafol a fu arnom yn ein bywyd. O bob dylanwad, diolchwn am ddylanwad mamau da. Mae'r rhain wedi perarogli oesoedd byd. Diolch i ti am Efa, y fam gynta, ond canmil mwy o ddiolch am Mair, mam Iesu.

Diolch i ti am gariad pob mam dda. Hwy fu'n suoganu uwch ein crud; yn gwylio'n cerddediad pan oeddem yn blant; yn aberthu, yn ceryddu ac yn disgyblu. Dyma'r cariad sy'n gwylio, y cariad sy'n galw, yn gwarchod ein cerddediad ym more oes, ac yn gwarchod ein bywyd hyd ei allu.

Diolch iddynt am gydio yn ein llaw ar ddechrau'r daith a'n harwain i'th gysegr di. Cydnabyddwn ein dyled iddynt am ein dysgu i barchu dy bethau di. Meddyliwn yn aml, O! Dduw ein Tad, beth fyddai ein hanes oni bai iddynt ein cyfarwyddo a'n dysgu i ddewis y gorau mewn bywyd.

Gwerthfawrogwn eu haberth, eu cariad a'u llafur yn paratoi cartref cysurus ar ein cyfer. Gwyddom fod eu cariad yn fawr tuag atom oherwydd eu gofal amdanom. Sylweddolwn fod lles a ffyniant y teulu yn cael blaenoriaeth ganddynt bob amser. Gofidiwn yn aml inni fethu ymateb fel y dylem i'r cariad a ddangoswyd ganddynt.

Derbyn ein diolch, O! Dduw, am bob cyfarwyddyd a chyngor a roddwyd inni gan ein mamau; oni bai amdanynt, ni fyddai unrhyw fath o drefn o gwbl arnom. Cydnabyddwn na fu inni wrando bob amser ar gyngor ein mamau, oherwydd ein bod yn meddwl ein bod yn gwybod yn well na hwy. Gwelsom fwy nag unwaith mai ein camgymeriad mawr oedd peidio â dilyn eu cyfarwyddyd.

Maddau inni am beidio eu parchu fel y dylem eu parchu;

maddau inni os nad ydym yn eu caru fel y dylem eu caru. Wrth inni ddod i weld a sylweddoli mor fawr yw ein dyled iddynt, arwain ni, os gweli'n dda, i'w caru ac i fod yn ofalus ohonynt. Dyro dy gymorth inni weld mai:

'Ein braint yw byw i'w caru hwy
Sy'n byw i'n caru ni.'

Er inni, O! Dduw ein Tad, ganmol y mamau a'u cariad, eto sylweddolwn fod dy gariad di'n fwy hyd yn oed na chariad mam.

'Cariad Duw fydd eto'n arwain,
Cariad mwy na chariad mam.'

Diolchwn i ti felly, O! Arglwydd, am y Sul arbennig hwn a neilltuwyd i fod yn Sul y Mamau. Dyro inni wrth weddïo gofio un o'r Deg Gorchymyn:

'Anrhydedda dy dad a'th fam, er mwyn amlhau dy ddyddiau yn y wlad y mae'r Arglwydd yn ei rhoi i ti.'

Cofiwn heddiw am y rhai na ŵyr ddim am ein braint a'n dyled ni; rhai sydd heb wybod am ofal a chariad mam. Cofiwn am y mamau hynny mewn rhannau tlawd o'r byd sydd heb fwyd i'w roddi i'w plant, mamau sy'n gorfod gwylio'u plant yn dioddef ac yn marw. Cofiwn amdanynt ar Sul y Mamau, ac am bob cymorth a roddir iddynt yn eu pryder am eu hanwyliaid.

Gweddïwn ar i holl famau Cymru ddod i adnabod y Gwaredwr, a thrwy hynny arwain eu plant i lwybrau'r efengyl. Gwrando ar ein gweddi ar ran holl famau ein gwlad, yn enw Iesu Grist ein Harglwydd. Amen.

Eifion Jones

Sul y Mamau / Tadau

Darlleniad 1: Exodus 2: 1 10
Darlleniad 2: Luc 15: 8 32

Ein Tad sanctaidd, diolchwn i ti am ein cartrefi ac am ein teuluoedd, ac am gael tad a mam i'n caru, i dylanwadu arnom, i'n hamddiffyn, i'n dysgu ac i'n harwain.

Bendigwn dy enw am ein hanwyliaid a ofalodd amdanom pan oeddym yn wan ac yn ddiymadferth ac a roddodd i ni o'u gorau gan ofalu am ymborth a dillad, cyfle a chefnogaeth. Mae arnom ddyled iddynt am eu cariad a'u haberth.

Pâr i ni ddiolch a gwerthfawrogi y gofal a'r cariad a amlygwyd tuag atom ym more oes. Diolchwn i ti am y berthynas arbennig sydd rhyngom, lle mae cariad yn rheoli, lle y ceir amynedd, tiriondeb a thrugaredd, lle y mae cyd lawenhau, cyd ddealltwriaeth a chydgario baich mor naturiol ac mor barod.

Mawrygwn y fraint inni gael ein magu ar aelwydydd dan dy arglwyddiaeth di. Diolchwn i ti am rieni ac eraill a fu'n ein meithrin mewn ffydd ac a ddysgodd inni beth sy'n bwysig, ac a fu yn ein harwain i'th addoli a'th adnabod. Diolchwn am y modd yr wyt ti'n ein caru, yn ein cynnal a'n cyrraedd trwy ein teuluoedd.

Diolchwn am yr aelwyd a gawsom, ac am y gofal, y consýrn, a'r gynhaliaeth a fu trosom. Diolchwn am bob ffyddlondeb a chariad a fendithiodd ein llwybrau. Diolchwn am y bendithion a gawsom yn ein cartrefi; am brofi cariad tad a mam a chyfeillgarwch brawd a chwaer; am y berthynas glòs rhwng aelodau o'r teulu.

Diolchwn am bob dylanwad, hyfforddiant a chefnogaeth a'n paratôdd ar gyfer bywyd. Diolchwn am wersi'r aelwyd lle y magwyd ni, am y disgyblu a fu arnom trwy fyw gydag eraill yn yr un cwmni. Diolch am yr hyn a gyfrannwyd i'n bywyd ni drwy fywyd y rhai a'n carodd, ac am y feithrinfa naturiol a'n gosododd ar ffordd bywyd. Cofiwn am y gofal a fu trosom yn ystod cystudd ac afiechyd.

Wrth inni ddiolch am yr hyn a brofasom mewn bywyd, cyflwynwn i ti deuluoedd ein dydd, yn arbennig y rhai sydd mewn dryswch a digalondid, mewn hiraeth a helbul. Gwared ni rhag y dylanwadau cyfrwys, grymus sydd heddiw'n tanseilio yr uned deuluol.

Erfyniwn arnat i gofio am holl blant y llawr, na wyddant beth yw gofal a chariad rhieni. Bydd drugarog wrth dy blant, lle bynnag y bônt ac yn arbennig y rhai sy'n dioddef oherwydd rhyfeloedd, afiechyd, newyn, dinistr ac eisiau.

Cofiwn, O! Dad nefol, am y rheiny sy'n profi casineb a chreulondeb ac sy'n cael eu cam drin.

Wrth i ni gyflwyno pob cartref i'th sylw, erfyniwn arnat i'w bendithio a'u cynnal yn nerth dy gariad. Er mwyn Iesu Grist. Amen.

Graham Floyd

149

Sul Heddwch

Darlleniad 1: Eseia 40
Darlleniad 2: Ioan 14: 15 27

O! Dduw, ein creawdwr a'n cynhaliwr, dyro inni weledigaeth o fyd cyfiawn, lle mae cariad yn teyrnasu yn lle casineb, lle mae daioni yn lle drygioni, lle mae digonedd yn lle tlodi, lle mae tangnefedd yn lle rhyfel. Arwain ein meddyliau a'n calonnau at y gwirionedd. Tywys ni drwy dy Ysbryd Glân at yr efengyl sanctaidd. Rho inni'r awydd a'r gallu i ddarllen a deall dy neges. Boed ystyr a phwrpas dy eiriau'n eglur inni. Ar Sul Heddwch fel hyn, deisyfwn glustiau i wrando, ysbryd i ufuddhau, calon i edifarhau a meddwl i ddeall. Deall yn eglur neges Iesu Grist yn y Bregeth ar y Mynydd. Cael ystyr a deall cywir o'r Gwynfydau:

'Gwyn eu byd y rhai addfwyn, y rhai sy'n newynu a sychedu am gyfiawnder. Gwyn eu byd y trugarog, y rhai pur eu calon.
Gwyn eu byd y tangnefeddwyr.'

Diolch, ein Tad, fod yna bobl felly heddiw yn brwydro dros heddwch. Diolch fod yna gyfle a rhyddid i bawb dderbyn a dilyn Iesu Grist. Diolch fod yna gyfle i ni i gyd fod yn halen y ddaear, yn oleuni'r byd yn enw Iesu Grist. Diolch am ddinas noddfa, 'dinas a osodir ar fryn, ni ellir ei chuddio'. Dinas a Christ Iesu yn sylfaenydd iddi, yn ben ac yn gongl yr un sy'n galw dynion a merched i dderbyn her a chyfrifoldeb yn achos cyfiawnder, gan ein hatgoffa o'r llawenydd a'r gorfoledd sy'n ein hanes ar y diwedd. Y wobr fawr, y fuddugoliaeth yn nheyrnas nefoedd drwy Iesu Grist.

'Hyfryd eiriau'r Iesu,
Bywyd ynddynt sydd;
Digon byth i'n harwain
I dragwyddol ddydd.'

Dydd y byddwn yn llawenhau a gorfoleddu am fod Iesu Grist wedi cael ei le ym mywydau plant a phobl y byd.

'Mae ei wenau tirion
Yn goleuo'r bedd;
Ac yn ei wirionedd
Mae tragwyddol hedd.'

Heddiw, mewn sawl gwlad yn y byd mae mor dywyll â'r bedd. Unman i droi o sŵn byddarol y bomiau; unman i guddio rhag ergyd y taflegrau; unman i weithio na gorffwys mewn tawelwch. Dim ond erlid, lladd a llygru diddiwedd. Erbyn hyn, ein Tad, rydym wedi colli cyfrif sawl rhyfel sydd *wedi* bod, ac yn methu cadw cyfrif o nifer y rhyfeloedd sy'n *dal* i fod. Drugarog Dad, clyw ein cri am ddoethineb, am gyfiawnder a all fod o oleuni i arweinyddion y byd, y rhai sydd mewn grym ac mewn llywodraeth. Mae'n gweddi am weld terfyn ar ladd, creulondeb a chasineb. Ein gweddi yw:

'Heddwch ar y ddaear lawr heb ryfel na phoen na phla.
Cyd fyw mewn hedd wnawn ni bob dydd, bydd ewyllys da,
A Duw'n Dad trugarog, brodyr oll ym ni,
Cerddwn oll gyda'n gilydd mewn hedd a harmoni.'

Annigonol yw geiriau ar gyfer ein gweddi. Ni allwn ond erfyn am i ti ein clywed, a deall ac ateb ein gweddi trwy dy dosturi, ein Tad nefol. Dyro i ni, O! Dduw, weld yn fuan y dydd y bydd heddwch a thangnefedd yn nodweddiadol o'n byd. Dysg ni i ymddiried yn llwyr ynot ti pryd na allwn weld y ffordd yn glir. Dysg ni i rodio mewn ffydd; cadw ni rhag chwerwi mewn ysbryd, na choleddu casineb at neb; gwna ni'n gymdeithas gref; arllwys arnom dy Ysbryd tirion. Maddau bob pechod sydd ynom a rho drwy dy faddeuant obaith am nerth i ennill buddugoliaeth. Sychedig a newynog ydym am gyfiawnder. O! perffeithia ni yn dy nerth, dyro inni flas gorfoledd dy iachawdwriaeth, ac â'th Ysbryd Glân cynnal ni yn ein gwendid. Gofynnwn hyn oll yn enw ac yn haeddiant dy Fab annwyl, Iesu Grist ein Harglwydd, yr hwn a'n dysgodd ni pan weddïwn i ddweud gyda'n gilydd, 'Ein Tad ... ' Amen.

Dewi Morris

Sul Heddwch

Darlleniad: Effesiaid 2: 8 22

Hollalluog Dduw, a Thad holl genhedloedd byd, wele ni'n nesáu atat yn awr gan ddiolch i ti am dy ddatguddio dy hun yn Dduw ac yn Dad i ni. Gan dy fod yn Dad i ni, yr ydym ninnau'n frodyr i'n gilydd. Maddau inni cyn lleied o ysbryd brawdgarwch a welir yn ein byd heddiw. Maddau inni am beidio â byw fel plant i ti, ac fel brodyr i'n gilydd. Deuwn atat gan weddïo dros y byd yr ydym yn byw ynddo.

'Deisyf wnawn i'r holl genhedloedd
Fyw fel brodyr yn gytûn.
Dyro ddiwedd ar ryfeloedd,
Rho dy ysbryd ym mhob dyn.'

Sylweddolwn, O! Dduw ein Tad, bod casineb, cenfigen, rhyfela ac anghyfiawnder yn hollol groes i'th ysbryd di. Ni allwn ond cydnabod ger dy fron fod y byd a'r hyn sy'n digwydd heddiw yn pwyso'n drwm ar ein meddyliau a'n calonnau. Mae'r byd yr ydym yn byw ynddo'n ymffrostio cymaint mewn nerth, gallu a grym.

Gwyddom hefyd mai ti yw ffynhonnell a sylfaen pob gwir heddwch a thangnefedd. Dangos inni nad oes diben o gwbl inni sôn am ffordd heddwch a thangnefedd os nad ydym yn byw mewn cymod a heddwch â'n cymydog. Cofiwn mai dy ewyllys di yw ar inni fyw mewn heddwch â'n gilydd. Erfyniwn arnat yn awr:

'Bwrw ymaith bob gelyniaeth
Welir yn ein dyddiau ni.
Argyhoedda ein cenhedlaeth
Mai Duw cariad ydwyt ti.'

Diolchwn i ti am ddangos i ddynion ffordd dra rhagorol yn dy Fab, ein Harglwydd Iesu Grist. Gorchmynnodd Iesu ni i garu ein gilydd. Erfyniwn yn daer ar i ddynion, drwy gymorth dy Ysbryd di, fedru ymateb i'w eiriau ef. Dangos inni eto mai 'nid trwy lu, ac nid trwy nerth', ond trwy dy Ysbryd di yng nghalonnau dynion y gallwn ni gyd fyw'n hapus â'n gilydd.

Arwain ddynion, O! Dduw, i anghofio amdanynt eu hunain, ac i feddwl yn gyntaf amdanat ti, ac am eu cyd ddynion. Arwain hwy i geisio dy arweiniad di ac i fyw fel plant i ti.

Bendithia bawb sy'n gweithio dros heddwch byd, ac sy'n gwneud popeth i gael pobl i barchu dy enw ac i ufuddhau i'th orchmynion. Cydnabyddwn nad yw ein ffordd o fyw fel cenhedloedd byd yn deilwng ohonot ti.

> 'Cofiwn am y rhai sy'n tystio
> Heddiw'n eofn yn ein tir
> Am efengyl sydd yn uno
> Ac yn rhoi tangnefedd gwir.'

Ein gweddi yma'n awr yw, 'O! cymoder pawb â'i gilydd wrth dy groes'. Bydded i dangnefedd y Gwaredwr ei hun drigo yng nghalonnau dynion.

> 'Efengyl tangnefedd, O! rhed dros y byd
> A deled y bobloedd i'th lewyrch i gyd.
> Na foed neb heb wybod am gariad y Groes,
> A brodyr i'w gilydd fo dynion pob oes.'

Gwrando arnom yn ein gweddi daer yn enw Iesu Grist sy'n cymodi dynion â'i gilydd. Amen.

Eifion Jones

Sul Heddwch

Darlleniad 1: Eseia 2:4
Darlleniad 2: Eseia 11: 6 9

Ein Tad, yr hwn wyt yn y nefoedd ac 'a wnaethost o un gwaed bob cenedl o ddynion i breswylio ar holl wyneb y ddaear', dyro ysbryd heddychol yn ein calonnau. Gwared ni rhag pob rhagrith wrth inni dy alw'n Dad, a'r un pryd anghofio ein bod yn frodyr a chwiorydd i'n gilydd. Maddau inni ein hunanoldeb fel cenhedloedd, a'r tueddiad sydd ynom i gael ein tynnu oddi wrth y datguddiad ohonot fel Tad pan fo gwleidyddion yn anghytuno â'i gilydd.

Ynghanol anawsterau ein dyddiau, cadw ein serch atat ti dy hunan. Dysg ni drwy ffolineb a thrasiedi y gorffennol na all casineb a lladd fedi heddwch, ac na all arfau dinistriol gynaefau tangnefedd. Planna yn ein calonnau fel pobloedd y byd yr egwyddorion hynny sydd yn dy natur di i'n gwneud yn gariadlawn, yn faddeugar ac yn frawdol.

Dysg ni i barchu ein cyfrifoldeb i baratoi byd dedwyddach ar gyfer cenedlaethau'r dyfodol, fel na bo anwireddau'r tadau yn disgyn ar dy blant. Dysg ni i sylweddoli mai gwell yw inni garu ein gilydd na chasáu ein gilydd.

Maddau inni, O! Dduw, fod ein byd yn dal i gredu mewn grym dinistr, ac mewn chwalu ac achub y blaen. Rho ras inni bob un i blygu mewn maddeuant a chymod o flaen ein gilydd, ac o'th flaen di, o gofio:

am y cynnwrf a'r terfysg mewn trefi a gwledydd a fu yn y newyddion yn ddiweddar;

y brwydrau cymdeithasol a chyhoeddus, cenedlaethol a lleol sy'n gonsýrn inni;

am y cartrefi sy'n adfeilion, a'r plant a'u hanwyliaid wedi eu lladd;

am y plant sy'n byw mewn ofn, chwerwder a drwgdybiaeth, ac sy'n cael eu dysgu yn gynnar i ddal dryll yn eu llaw.

Pâr inni sylweddoli fod pob cenedl yn gyfwerth yn dy olwg di er gwaethaf lliw a llun, sect a safle, economeg a datblygiad, a bod gan bob cenedl, pob unigolyn, hawl foesol i ryddid, cyfiawnder a heddwch.

Rho gymod a thangnefedd, gwasgara'r rhai mae'n dda ganddynt ryfel, ac arwain ni i wisgo dy arfogaeth di yn erbyn y drwg 'gwirionedd yn wregys am ein canol, a chyfiawnder yn arfwisg ar ein dwyfron, a pharodrwydd i gyhoeddi efengyl tangnefedd yn esgidiau am ein traed, tarian ein ffydd, iachawdwriaeth yn helm, a'r Ysbryd, sef Gair Duw, yn gleddyf'. Cynorthwya ni, yn dy gariad, i sicrhau cyfiawnder, maddeuant a chymod, fel y daw'r byd i wirionedd, bywyd a heddwch.

Llanw ni ag ysbryd y Crist, fel y byddwn o wirfodd calon yn rhannu bendithion dy gariad â holl drigolion y ddaear. Una dy blant mewn heddwch trwy Iesu Grist, ein tangnefedd ni, yr hwn a wnaeth y ddau yn un, gan gymodi'r ddau â Duw yn un corff trwy'r Groes. Amen.

Graham Floyd

Cynhaliaeth

Darlleniad 1: Salm 18: 1 18
Darlleniad 2: Ioan 6: 27 35

'Moliannwn Di, O! Arglwydd,
Wrth feddwl am dy waith
Yn llunio bydoedd mawrion
Y greadigaeth faith;
Wrth feddwl am dy allu
Yn cynnal yn eu lle
Drigfannau'r ddaear isod
A phreswylfeydd y ne.'

Ti, O! Arglwydd, yw ein crëwr a'n cynhaliwr. Ynot ti rydym yn byw, yn symud ac yn bod. Dywedwn fel y Salmydd '... bu'r Arglwydd yn gynhaliaeth imi'.

Molwn di am dy greadigaeth a'r gynhaliaeth a gawn i'n cyrff. Creaist y ddaear fel ei bod yn ein bwydo; derbyniwn yn helaeth o'i chynnyrch bob dydd o'n hoes.
'Cysgod, bwyd a dillad
Ti a'u rhoddaist im.'

Dyma yw cri pob un ohonom. Derbyn ein diolch am y digonedd a dderbyniwn, ond maddau inni am ein hunanoldeb, a'n hamharodrwydd i rannu ag eraill. Gwyddom fod digon o gynhaliaeth i bawb trwy'r holl fyd, ond maddau inni am besgi cymaint tra bod eraill yn newynu. Cynorthwya ni, O! Arglwydd, i gyflawni dy fwriad trwy ymdrechu'n galetach i sicrhau cynhaliaeth i bawb.

Molwn di am y gynhaliaeth a gawn i'n meddyliau. Derbyniasom addysg yn ein cartrefi, yn ein hysgolion dyddiol a'n hysgolion Sul. Cawsom wybodaeth a gwirioneddau a fu'n gynhaliaeth faethlon i'n meddyliau. Diolchwn yn arbennig i ti am 'ddidwyll laeth y gair', ac am inni gael ein dysgu nad 'ar fara yn unig y bydd byw dyn, ond ar bob gair a ddaw allan o enau Duw ei hun'. Maddau i ni, O!

Arglwydd, am anghofio hyn ac am inni geisio 'y bwyd sy'n darfod', yn hytrach na'r 'bwyd sy'n parhau i fywyd tragwyddol'. Cynorthwya ni, O! Arglwydd, i geisio Iesu Grist, yr hwn yw 'bara'r bywyd', y bywyd sydd yn fywyd yn wir. Dyro i ni archwaeth newydd amdano ef, fel y cawn ei dderbyn o'r newydd ym mhregethau'r Gair ac yng ngweinyddu'r sacramentau.

Molwn di am y gynhaliaeth a gawn i'n hysbryd. Derbyniasom gymaint o gymorth oddi wrth ein teuluoedd, oddi wrth ein ffrindiau gorau, ac oddi wrth dy eglwys. Diolchwn i ti am ein cynnal ar adegau anodd bywyd, pan oedd siom a hiraeth, ofnau a phryderon bron â'n llethu. Pan oedd ein hysbryd yn isel, buost mor agos atom trwy eraill yr oedd eu cyfeillgarwch a'u gofal amdanom yn gynhaliaeth wirioneddol i ni. Derbyn ein diolch am gyfeillion da. Cynorthwya ni, O! Arglwydd, i fod yn gyfeillion da i'n gilydd fel y medrwn gario beichiau'r naill a'r llall. Ti a wyddost am ambell ddolur sy'n aros, ac am yr ing sydd mewn aml i galon. Gweddïwn gyda'r emynydd:

> 'Tydi, ddiddanydd mawr y saint,
> Yn nydd yr haint echryslon,
> O dyro dy dangnefedd pur
> I symud cur y galon.'

Cyflwynwn i ti bawb sy'n cynnal eraill trwy eu gwaith o ddydd i ddydd, gan gyfrannu tuag at iechyd, corff, meddwl ac ysbryd y rhai sydd o dan eu gofal   meddygon a gweinyddesau; gweithwyr cymdeithasol; y rhai sy'n gofalu am blant, yr ifanc, yr hen a'r methedig; gweithwyr dy eglwys, gweinidogion, blaenoriaid ac athrawon; cenhadon dy Eglwys ledled y byd.

Gweddïwn y bydd i ti barhau i'w cynnal. Dyro iddynt nerth i ddyfalbarhau a gweledigaeth eglur o'u rhan yng ngwaith dy deyrnas. Dyro iddynt sylweddoli eu bod yn cydweithio â thi. Cynorthwya hwy a ninnau bob amser i droi atat i geisio'r gynhaliaeth honno, a gwna ni'n fwy effeithiol yn ein gwaith ac yn ein tystiolaeth. Cynorthwya ni oll i fedru dweud drachefn, 'Bu'r Arglwydd yn gynhaliaeth i mi ...' Clyw ein gweddi yn enw Iesu Grist. Amen.

Eric Jones

Cynhaliaeth

Darlleniad 1: Salm 65
Darlleniad 2: Salm 104

Plygwn ger dy fron, O! Dduw ein Tad, i'th ganmol ac i'th glodfori di am y cyfan sydd wedi ein cynnal a'n cadw hyd yn awr. Diolchwn i ti am yr amrywiol fendithion sydd wedi ein cynnal yn gorfforol ac yn ysbrydol. Ti, ein Tad, sy'n ein cynnal ni o ddydd i ddydd ac o nos i nos. Pobl yn byw, yn symud ac yn bod ynot ti ydym.

'O! plygwn bawb ei lin
O flaen ein Brenin mawr;
Addolwn ef, ein dyled yw,
Rŷm arno'n byw bob awr.'

Ni fyddai'r un ohonom yn medru symud o gwmpas, ni fyddai'r un ohonom yn medru mynd a dod oni bai dy fod ti, O! Dduw, yn ein cynnal bob munud awr. Bob eiliad, bob munud, bob awr a phob dydd yr ydym yn dibynnu arnat ti.

'Duw'r bendithion yw dy enw
Yn cyfrannu'n helaeth iawn.
Rôl cyfrannu yn y bore
Rhoddi eilwaith y prynhawn.'

'Pob rhodd berffaith, pob rhodd ddaionus, oddi wrth Dduw y mae.'

Cydnabyddwn yn agored ger dy fron mai 'Ar dy drugareddau yr ydym oll yn byw'. Wrth inni sylweddoli ein dibyniaeth arnat ti, teimlwn hi'n ddyletswydd arnom i ddod i gyflwyno ein diolchgarwch i ti. Gwyddom, O! Dduw ein Tad, bod gennym anghenion corfforol, ac mai tydi yn unig sy'n darparu ar gyfer yr anghenion hynny. Fe wyddost ti, O! Arglwydd, beth yw ein hanghenion ni; fe wyddost ti beth yw galw mawr ein bywyd ni. Diolchwn i ti am gwrdd ag anghenion dy blant. Derbyn ein diolch

am ein bara beunyddiol. Wele ni ger dy fron yn dy gydnabod fel ein gwir gynhaliwr mewn bywyd.

Gwyddom na fedr ein cyrff ni ddim byw heb fwyd a diod, ond gwyddom hefyd, O! Arglwydd, na fedr ein heneidiau ni ddim byw chwaith heb faeth ysbrydol. Cydnabyddwn mai ein tuedd yw anghofio bod gennym ni anghenion ysbrydol ac mai ti sy'n eu cynnal. Er cymaint yw ein hangen ni am fara beunyddiol, arwain ni i weld ein hangen am Iesu Grist, 'Bara'r Bywyd':

> 'A boed ein llais o hyd, a'n llef
> Am gael o fara pur y nef.'

Arwain ni fel pobl i sylweddoli mor wir yw geiriau'r emyn:

> 'Holl angen dyn, tydi a'i gŵyr,
> D'efengyl a'i diwalla'n llwyr,
> Nid digon popeth hebot ti:
> Bara ein bywyd, cynnal ni.'

Diolchwn o waelod calon am efengyl sy'n ein cynnal ynghanol amrywiol brofiadau bywyd, ac yn arbennig am y ffydd sy'n ein cynnal fel pobl ar daith bywyd.

> 'Rwy'n gweled bob dydd
> Mai gwerthfawr yw ffydd;
> Pan elwy' i borth angau
> Fy angor i fydd:
> Mwy gwerthfawr im yw
> Na chyfoeth Periw;
> Mwy diogel i'm cynnal
> Ddydd dial ein Duw.'

Gofynnwn i ti, y cynhaliwr mawr, dderbyn ein diolch am bob cynhaliaeth ar gyfer corff ac enaid, yn enw Iesu Grist dy Fab. Amen.

Eifion Jones

Cynhaliaeth

Darlleniad: Ioan 6: 46 51

Ein Tad, yr hwn wyt yn y nefoedd, diolchwn i ti am amrywiaeth diderfyn dy gread, am dy haelioni rhyfeddol tuag atom, ac am y modd yr wyt wedi cynnal a darparu ar gyfer dyn ac anifail.

Buost yn Dad haelionus i ni holl ddyddiau ein bywyd. Rwyt wedi rhoi, pan na fyddwn yn gofyn, ac yn parhau i roi, pan na fyddwn yn diolch. Ond diolch a wnawn yr awr hon am allu gweld ôl dy law yn amlwg ar bob peth a greaist ac sy'n ein cynnal o ddydd i ddydd.

Ti yw ein creawdwr a'n cynhaliwr, a gwelwn dy ogoniant yn y byd o'n hamgylch ac yn nhrefn dy greadigaeth; mor gyfoethog yw'n byd o'r herwydd. Derbyn ein diolch am bob dim sy'n ein cynnal, am bryd hau a medi, am ein bara beunyddiol, am dy ddaioni a'th drugaredd holl ddyddiau ein hoes.

Wrth inni ddiolch am dy gynhaliaeth, dysg ni, O! Dduw, wedi derbyn yn helaeth, i beidio ag afradloni'r da a roddaist inni. Helpa ni i oresgyn ein hunanoldeb, ein cybydd dod, a'r trachwant sy'n ein hatal rhag helpu pobl eraill. Helpa ni i ddefnyddio ein holl adnoddau er lles ein gilydd. Gwna inni sylweddoli dy fod ti wedi darparu digon ar gyfer yr holl ddynoliaeth. Na âd inni flino dy bwrpas drwy ddal yn ôl ac ymatal rhag rhannu'n deg ag eraill. Rho inni weledigaeth o'r byd fel y dymunaist iddo fod:

byd lle yr amddiffynnir y gwan

byd heb na newyn na thlodi

byd lle y rhennir holl fendithion bywyd

byd lle y bydd pob enaid byw yn cyfranogi o'th gynhaliaeth

byd lle y gall pob iaith, llwyth, cenedl a diwylliant fyw mewn goddefgarwch a pharch tuag at ei gilydd

byd lle yr adeiledir heddwch ar gyfiawnder, ar gariad a rhyddid.

Cydnabyddwn ein bod yn hunanol wrth fwynhau cyfoeth a phrydferthwch dy fyd. Maddau i ni ein hanniolchgarwch, yn enw dy Fab, Iesu Grist. Amen.

Graham Floyd

Unigrwydd

Darlleniad 1: Salm 22: 1 22
Darlleniad 2: Mathew 18: 15 20, 28: 16 20

Arglwydd, aethom i deimlo'n unig iawn yn ein heglwysi.
Gostyngodd ein rhifau, aeth addolwyr yn brin, diflannodd y plant
a'u teuluoedd o gymaint o'n hoedfaon. Rydym bron ag anobeithio
am oedfa'r nos, heb sôn am y dyfodol. Cawn aml i Sul unig, neu Sul
gwag fel y mae rhai'n ei alw, a neb yma i bregethu'r Gair i ni. Mae'r
cwbl, O! Arglwydd, yn ychwanegu at yr ymdeimlad o unigrwydd
yn ein plith. Ofnwn fod cymaint wedi'n gadael, gan gefnu arnat ti,
yr efengyl a'th Eglwys. Mae'r unigrwydd bron â'n llethu. Aeth y
gwaith o fugeilio a chynnal dy eglwys yn faich ar sawl un ohonom.
Prin y medrwn ystyried cenhadu buasem yn rhy unig yn y gwaith
hwnnw. I ble'r aeth pawb? Pam yr ydym mor unig? Rydym yn
deall profiad y Salmydd, yn ei unigrwydd yntau, pan ofynnodd, 'Fy
Nuw, fy Nuw, pam yr wyt wedi fy ngadael ...'

Diolch, Arglwydd, am brofiadau dy bobl o'th gwmni di.

'Agos yw yr Arglwydd at y rhai oll a alwant arno, ie at y rhai oll a
alwant arno mewn gwirionedd. Nesáu at Dduw sydd dda inni.'

Deisyfwn am gymorth dy Lân Ysbryd fel y byddwn yn teimlo dy
bresenoldeb gyda ni. Deisyfwn am inni gael cymundeb â thi ac â'th
annwyl Fab, Iesu Grist. Cofiwn mai ef a'n dysgodd i weddïo, ein
Tad, gan ddangos ei ddyhead am i ni gael ymdeimlo â'th
agosrwydd. Cofiwn am y modd y bu iddo alw'r disgyblion ato ni
allai gyflawni ei waith ar ei ben ei hun, yr oedd am iddynt fod
gydag ef. Addawodd ef hefyd fod gyda ni, pa le bynnag y mae dau
neu dri wedi ymgynnull yn ei enw ef. Cofiwn am ei gomisiwn i'w
ddisgyblion:

'Ewch a gwnewch ddisgyblion o'r holl genhedloedd gan
eu bedyddio hwy yn enw y Tad, y Mab a'r Ysbryd Glân ... ac yr

wyf gyda chwi bob amser hyd ddiwedd y byd.'

Arglwydd, maddau inni am feddwl ein bod yn unig. Arglwydd,
maddau inni am deimlo'n unig a thithau'n bresennol gyda ni.
Arglwydd, maddau inni am yr unigrwydd a ddaw i'n rhan pan
fyddwn yn anghofio dy addewidion mawr, ac am anghofio dy fod
yn Dduw sy'n eu cadw bob amser. Arglwydd, maddau inni am
ymdeimlo ag unigrwydd yn ein gwaith a'n cenhadaeth, a thithau
wedi addo cydweithio â ni, ac wedi addo bod gyda ni. Arglwydd,
daw geiriau'r emynydd yn eiriau i ninnau:

> 'Awr o'th bur gymdeithas felys,
> Awr o weld dy wyneb pryd,
> Sy'n rhagori fil o weithiau
> Ar bleserau gwag y byd:
> Mi ro'r cwbwl
> Am gwmpeini pur fy Nuw.'

Arglwydd, dyro inni fedru rhoi'r cwbl hefyd am gwmpeini eraill.
Cofiwn mai cymdeithas yw dy eglwys, a bod angen cryfhau'r
gymdeithas hon. Cynorthwya ni i agor ein llygaid i weld cyfle i
genhadu oddi mewn ac oddi allan i furiau ein hadeiladau.
Cynorthwya ni i agor ein llygaid i weld y posibiliadau a ddaw trwy
uno cynulleidfaoedd ac ysgolion Sul. Cynorthwya ni i agor ein
llygaid i weld nad oes rhaid inni fod yn unig a gwan.

Cyflwynwn eraill i'th ofal grasol, yn enwedig y rhai sy'n unig.
Cofiwn amdanynt ger dy fron ... yn unigolion, eglwysi eraill, yr
hen a'r methedig, y diymgeledd a'r digartref, y gwrthodedig a'r
galarus. Gweddïwn yn daer y byddant yn ymdeimlo â'th
agosrwydd di, O Arglwydd. Hyd y bo modd, bydded iddynt
ymdeimlo â'th bresenoldeb ynom ni, a thrwom ni. Cymhwysa ni fel
unigolion ac eglwysi i leddfu unigrwydd eraill, ac unigrwydd ein
gilydd, trwy Iesu Grist ein Harglwydd. Amen.

Eric Jones

Unigrwydd

Darlleniad 1: Salm 23: 1 6
Darlleniad 2: Mathew 8: 18 20

Diolchwn i ti, O! Dduw ein Tad, y gallwn ni nesáu atat ti bob amser gan gofio a chredu ein bod yn dod at un sy'n ein deall ni, ac yn gwybod popeth amdanom ni. Rwyt ti'n gwybod yn well na neb arall amdanom ni. Gwyddost am ein hofnau ac am ein teimladau. Gwyddom hefyd, ein Tad, dy fod ti nid yn unig yn ymwybodol ohonom, ond dy fod yn meddwl amdanom bob amser:

> 'Yr Arglwydd a feddwl amdanaf
> A dyna fy nefoedd am byth.'

Dwyt ti ddim yn debyg o anghofio'r un o'th blant; ni sy'n anghofio. Deisyfwn dy gymorth i gofio ac i feddwl am yr unig a'r digalon yn ein cymdeithas. Sylweddolwn, O! Arglwydd, o hyd ac o hyd bod yna lawer o bobl unig yn ein byd, a'r unigrwydd hwnnw'n codi ofn arnynt. Pobl sy'n gorfod byw heb gwmni rhai oedd yn annwyl yn eu golwg, rhai oedd yn golygu popeth iddynt. Eraill yn gorfod wynebu profiadau anodd a newydd heb neb i wrando arnynt ac i fod yn gwmni iddynt.

Gweddïwn dros y rhai hynny mae'r hen aeaf yma wedi gadael ei ôl arnynt, y rheiny sy'n dlotach ar ei ddiwedd am nad yw rhai oedd yn annwyl iddynt gyda nhw bellach y gwanwyn hwn; y rhai sy'n teimlo rhyw wacter ac unigrwydd mawr yn eu bywydau.

Diolch i'th enw mawr bod yna un mwy o lawer na ni wedi bod yn unig droeon yn ystod ei fywyd. Bu Iesu'n unig yn yr anialwch am ddeugain niwrnod. Roedd yn unig ar ben y mynydd heb neb i gadw cwmni iddo. Cofiwn hefyd i Iesu Grist fod yn sobor o unig ar ddydd Gwener y Groglith, wrth brofi unigrwydd ingol ar y Groes. 'Fy Nuw, fy Nuw, pam yr wyt wedi fy ngadael?' Roedd ei eiriau'n dangos yn aml ei fod yn teimlo'n unig:

'Y mae gan y llwynogod ffaeau a chan adar yr awyr nythod, ond gan Fab y Dyn nid oes lle i roi ei ben i lawr.'

Gan fod Iesu da wedi profi unigrwydd llethol ar sawl achlysur, mae'n medru ei uniaethu ei hun â'n holl unigrwydd ni. Yng nghanol unigrwydd ansicrwydd, unigrwydd afiechyd, unigrwydd henaint neu unrhyw unigrwydd arall a ddaw i'n rhan, diolchwn fod Iesu ei hun gyda ni i'w rannu:

'Er i mi gerdded trwy ddyffryn tywyll du, nid ofnaf unrhyw niwed, oherwydd yr wyt ti gyda mi.'

Diolchwn o waelod calon, Arglwydd, am dy addewid i fod gyda ni bob amser, ac ym mhob profiad a ddaw i'n rhan. Yn sicr, y mae'r fath addewid, y fath eiriau, yn gysur i ni pan fyddwn yn teimlo'n unig ac yn ofnus. Felly, Arglwydd, dilea ein hunigrwydd drwy gynnig golwg newydd ar Iesu Grist, a thrwy adael i'w law sanctaidd ef gyffwrdd ein bywydau.

Gofynnwn i ti, O! Arglwydd, ein defnyddio ni i godi calon y digalon ac i fod yn gwmni i'r unig.

Gwrando ar ein gweddi yn enw Iesu Grist, ffrind a Gwaredwr oesoedd di ri. Amen.

Eifion Jones

Unigrwydd

Darlleniad: Mathew 25: 31 46

Cyfeiriwn ein meddyliau atat ti, O! Dad, yn ein gweddi'n awr.
Dyro inni'r ysbryd i weddïo fel ag y dylem. Gogoneddwn dy enw
am yr hyn wyt ti, sef Duw cadarn a nerthol i bob un ohonom, y
Duw a'i daearodd ei hun mor wyrthiol yn ei Fab Iesu Grist, ac a
ddaeth yn ryfeddol o agos trwy ddod yn un ohonom ni.

Mawrygwn a chlodforwn di am iti amlygu dy hun trwy'r proffwydi
ac 'yng nghyfiawnder yr amser' ddisgleirio dy wyneb yn gyflawn
yn Iesu Grist. Daethost yn agos yng Nghrist Iesu a phontiaist y
gagendor ynddo a thrwyddo ef. Cydnabyddwn yn wylaidd na
fuasem yr hyn ydym, oni bai amdanat ti. Derbyn felly, ein diolch
a'n parch.

Gweddïwn yn arbennig dros y sawl sy'n teimlo'n unig a
gwrthodedig yn y byd. Profodd dy fab dy hun, O! Dduw, wewyr
unigrwydd pan oedd ar y ddaear hon.

> 'Bûm yn newynog ac ni roesoch fwyd imi; bûm sychedig
> ac ni roesoch ddiod imi; bûm yn ddieithr ac ni chymerasoch
> fi i'ch cartref, yn noeth ac ni roesoch ddillad amdanaf, yn
> glaf ac yng ngharchar ac nid ymwelsoch â mi.'

Dyna oedd ei brofiad ef.

Gwridwn gydag euogrwydd, O! Dad, ein bod ni heddiw'n gyfrifol
o'i esgymuno o'n bywyd ac o'i fyd, ac o'r herwydd yn esgymuno'n
cyd ddyn yn ogystal. Gweddïwn, O! Dduw, am ras i fwydo'r
newynog, i estyn diod i'r sychedig, i roi lloches i'r digartref, i
ddilladu'r noeth ac ymgeleddu'r sawl sy'n glaf a chaeth.

Cofiwn yn arbennig am y sawl sy'n garcharorion i'w cartref ac i'w
cymuned oherwydd amgylchiadau arbennig. Bydd yn gwmni
iddynt, O! Dad, ym mha le bynnag y bônt a phwy bynnag ydynt.

Gweddïwn gyda John Roberts, pan ganodd:

'Pan fwyf yn teimlo'n unig lawer awr,
Heb un cydymaith ar hyd llwybrau'r llawr,
Am law fy Ngheidwad y diolchaf i,
Â'i gafael ynof er nas gwelaf hi.

Pan fyddo beichiau bywyd yn trymhau,
A blinder byd yn peri im lesgáu;
Gwn am y llaw a all fy nghynnal i,
Â'i gafael ynof er nas gwelaf hi.'

Boed inni deimlo'r llaw sy'n gafael ynom yn awr, O! Dduw, er mwyn troi'r nos yn ddydd, anobaith yn obaith, pryder yn hyder ac unigrwydd yn gwmnïaeth.

Cofia, felly, O! Dad, y sawl sy'n ddigwmni, yn ddigymydog, yn ddiymgeledd ac yn ddiamddiffyn yn y byd. Agor ein llygaid a theneua'n clustiau i weld a chlywed cri ein cyd ddynion. Maddau inni am eu hesgeuluso, a gwna ni'n debyg i Iesu yn ein hawydd i'w hadfer yn ôl i'r gymdeithas.

Clyw ni yn ein gweddïau. Rhagora lawer arnynt. Maddau i ni ein camweddau a'n hanwireddau. Maddau bopeth annynol, angharedig ac anghristnogol sydd ynom. Gofynnwn hyn yn enw ac yn haeddiant ein Harglwydd Iesu Grist, dy Fab, ein Prynwr. Amen.

Eric Williams

Cariad

Darlleniad 1: Mathew 6: 43 48
Darlleniad 2: Ioan 4: 7 16

O! Dduw ein Tad, clywsom pan oeddem yn ifanc iawn yr adnod
'Duw cariad yw'. Prin y buasem wedi cymryd unrhyw sylw ohoni,
oni bai am gariad y rhai a'i dysgodd inni. Diolchwn i ti amdanynt,
ac am i ni gael cipolwg ar dy gariad trwyddynt hwy. Wrth i ni dyfu
daethom i ddeall ystyr cariad, a'i fod yn golygu gofal, a gofalu.

Molwn di am dy gariad tuag atom, am dy ofal amdanom. Molwn di
am i ti ein caru'n ddiwahân gan beri i'r haul godi ar y drwg a'r da
ac i'r glaw ddisgyn ar y cyfiawn a'r anghyfiawn. Diolchwn i ti am
ewyllysio'r gorau i bawb bob amser.

'Prawf Duw o'r cariad sydd ganddo tuag atom yw i Grist
farw trosom, a ni eto'n bechaduriaid.'

Molwn di am i ti ein caru yn ddiarbed gan roi 'dy unig Fab, er
mwyn i bob un sy'n credu ynddo ef beidio â mynd i ddistryw ond
cael bywyd tragwyddol'. Molwn di am fod dy gariad tuag atom yn
ddi droi'n ôl, ac i'th annwyl Fab ddangos hynny'n eglur i ni trwy ei
aberth drosom ar y Groes:

> 'Ymlaen y cerddaist, dan y groes a'r gwawd
> Heb neb o'th du.
> Cans llosgi wnaeth dy gariad pur bob cam
> Ni allodd angau'i hun ddiffoddi'r fflam.'

Molwn di am fod dy gariad yn ddigyfnewid; 'Duw y cariad nad
yw'n oeri' ydwyt. Wrth inni edrych ar y Groes gallwn ddweud
drachefn gyda'r emynydd:

> 'Fel fflamau angerddol o dân
> Yw cariad f'Anwylyd o hyd;'

Cyffeswn, O! Dduw ein Tad, gyda llawer iawn o gywilydd, er i ti
ein caru yn y fath fodd, fod ein cariad ni'n wahanol iawn i'th gariad

di. Mae ein cariad ni'n gwahaniaethu rhwng hwn ac arall; nid ydym yn medru ewyllysio'r gorau i bawb. O! Dad, maddau i ni. Mae ein cariad ni'n mynnu ein harbed ni o hyd; mae'n hunanol, ac ni allwn rannu a rhoi fel y gwnaethost ti. O! Dad, maddau i ni. Mae ein cariad yn medru troi'n ôl; byddwn mor aml yn methu â charu hyd yr eithaf. O! Dad, maddau i ni. Mae ein cariad mor gyfnewidiol; bydd weithiau'n gynnes ac yna mor oer, byddwn weithiau'n gryf ac yna'n wan. O! Dad, maddau i ni.

O! Dduw ein Tad, cynorthwya ni i edrych drachefn ar ein Harglwydd croeshoeliedig a gweld ynddo ef hyd a lled, uchder a dyfnder dy gariad tuag atom   'Dy gariad cryf rho yn fy ysbryd gwan.'

Cynorthwya ni, O! Dad, i garu'r rhai sy'n ymwneud â ni ac i ofalu amdanynt. Ein hanwyliaid   O! cynorthwya ni i'w caru trwy ofalu'n fwy tyner amdanynt. Ein cymdogion   O! cynorthwya ni i'w caru hwy fel ni ein hunain. Ein cyd Gristnogion, o sawl enwad a thraddodiad   cofiwn eiriau ein Harglwydd, 'Cerwch eich gilydd fel y cerais i chwi'. Ein gelynion   'Cerwch eich gelynion, gweddïwch dros y rhai sy'n eich erlid'. Ni allwn wneud hyn, O! Arglwydd, ond trwy dy nerth a'th ras di dy hun.

Clyw ein gweddi dros bawb y mae angen diddanwch a nerth dy gariad disyfl arnynt. Cyflwynwn i'th sylw y rhai nad oes ganddynt adnabyddiaeth ohonot ti a'th gariad. Cyflwynwn i'th sylw y rhai nad oes ganddynt neb i'w caru. Cyflwynwn i'th sylw y rhai sy'n dioddef afiechyd o bob math, ac sy'n ofni'r dyfodol. Cyflwynwn i'th sylw y rhai sy'n galaru am eu hanwyliaid. Cyflwynwn i'th sylw y rhai sy'n dioddef newyn a thlodi ac anghyfiawnder. Cyflwynwn i'th sylw bawb sy'n ceisio ffordd cymod a chariad rhwng pobl â'i gilydd.

Dyro iddynt hwy a ninnau, O! Dad, ddiddanwch a nerth dy gariad a'r sicrwydd 'hwnnw na all angau nac einioes ... na'r presennol, na'r dyfodol ... na dim arall a grewyd, ein gwahanu ni oddi wrth dy gariad yng Nghrist Iesu ein Harglwydd'.

Derbyn ein diolch, O! Dduw, am dy gariad, ac am dy ofal tymhorol a thragwyddol amdanom, trwy Iesu Grist. Amen.

Eric Jones

169

Cariad

Darlleniad: 1 Ioan 3: 1 3, 11 18

Nesawn atat ti, O! Arglwydd ein Duw, yn enw dy Fab, ein Harglwydd Iesu Grist, gwrthrych mawr ein ffydd a Gwaredwr ein heneidiau.

Deuwn atat gan ddiolch i ti am ddangos maint dy gariad tuag atom yn yr Iesu hwn. Mae dy Air yn ein hannog i feddwl, i sylweddoli ac i weld sut gariad yw dy gariad di:

'Gwelwch pa fath gariad a roes y Tad arnom fel y'n gelwid yn feibion i Dduw.'

Anfonaist dy unig anedig Fab i fyw a marw er ein mwyn, ac i ddangos mor fawr yw dy gariad tuag atom ni. Cariad sy'n dangos consýrn a diddordeb ynom ni yw dy gariad di, O! Dduw ein Tad. Cariad diddiwedd yw.

'O! gariad heb ddiwedd na dechrau,
Ar gariad mor rhyfedd rwy'n byw.'

Diolchwn i ti am garu rhai nad ydynt yn haeddu cael eu caru gennyt. Rhyfeddwn dy fod yn caru pobl anffyddlon, anufudd ac annheilwng iawn fel ni sy'n plygu ger dy fron yn awr. Ond fe lwyddaist ti i garu pobl bechadurus:

'Af ato ef dan bwys fy mai,
A maddau'r camwedd ef a fynn:
Nid yw ei gariad ronyn llai
Er maddau myrdd o'r beiau hyn.
A dyna pam rwy'n llawenhau,
Am fod fy Iesu'n trugarhau.'

Ein caru wnest ti er maint ein gwendidau a'n ffaeleddau i gyd:

'Fe'm carodd i er maint fy mai,
Ni allaf lai na'i garu.'

Yn sicr, ynot ti, O! Dduw ein Tad, y gwelwyd y cariad mwyaf erioed. Rwyt ti'n gwybod mwy amdanom na neb arall, yn gwybod popeth amdanom ni, yn gwybod sut rai ydym ni, ac eto rwyt yn dal i'n caru. Ni allwn lai na synnu a rhyfeddu a bod yn ddiolchgar am y fath gariad. Gofidiwn yn fawr nad ydym, fel pobl, yn ymateb fel y dylem i'th gariad di. Nid ydym yn dy garu â'n holl galon ac â'n holl feddwl:

'O! na fyddai cariad Iesu
Megis fflam angerddol gref,
Yn fy nghalon i'w chynhesu,
Fel y carwn innau ef:'

Gwyddom, O! Arglwydd, mai dy ddymuniad, a'th orchymyn di, yw ar i ni garu ein gilydd. 'Dyma fy ngorchymyn i, ar i chwi garu eich gilydd fel y cerais i chwi.' Rhaid inni gydnabod nad ydym yn llwyddo i wneud hynny bob amser. Yn aml iawn, wrth inni ddod i wybod mwy am ein gilydd, mae'n cariad ni'n mynd yn llai. Ofnwn hefyd mai caru'r bobl sy'n ein caru ni yn unig a wnawn, er dy fod ti am inni garu pawb. Nid ydym yn llwyddo i garu'r bobl sy'n byw drws nesaf. Nid ydym yn llwyddo i garu'r bobl sy'n mynychu'r un eglwys. Gwyddom, O! Dduw ein Tad, bod rhai pobl yn hawdd eu caru ac eraill heb fod mor hawdd.

Diolch i ti am y rhai sy'n ein caru ni er eu bod yn ymwybodol o'n gwendidau. Rwyt ti, O! Arglwydd, am inni garu pawb, ein cyfeillion a'n gelynion, y rhai sy'n bell a'r rhai sy'n agos. Rwyt ti am inni garu pobl fel y maen nhw.

'Gwna'n cariad fel dy gariad di
I gynnwys yr holl fyd.'

Nid ydym yn dy garu di os nad ydym yn caru ein gilydd.

Dyro i ddynion ym mhob gwlad ddod i sylweddoli o'r newydd fod cariad yn rhagori ar gasineb, a daioni yn rhagori ar ddrygioni. Gwrando arnom yn ein gweddi, a derbyn ni yn dy gariad a'th drugaredd gan edrych heibio i'n gwendidau amlwg, yn enw Iesu Grist ein Harglwydd. Amen.

Eifion Jones

Cariad

Darlleniad: 1 Corinthiad 13: 1 13

Atat ti, O! Arglwydd, ein Duw a'n Tad, yr agosawn yn awr mewn gweddi. Fe'th gydnabyddwn ac fe'th glodforwn am ein creu a'n cynnal ac am dy gariad dihysbydd tuag atom yn dy Fab, Iesu Grist, ein Harglwydd. Canmolwn di am y datguddiad cyflawn ohonot a gawn ynddo ef, ac am ei fod yn esiampl berffaith i ni ei efelychu.

Diolchwn, O! Dduw, am y rheiny a'n carodd ni pan oeddem yn blant. 'Am dadau pur a mamau mwyn, ein Tad, moliannwn di.' Am inni gael y sicrwydd o'th gariad di trwy gariad ein rhieni tuag atom; am iddynt barhau i'n caru a'n canmol er ein hannheilyngdod yn aml; am inni dderbyn o eithaf eu cariad hwy a hynny hyd at aberth yn fynych, O! Dad, derbyn ein diolch.

A ninnau'n diolch i ti, O! Dduw, am ein breintiau a'n bendithion, dymunwn gofio'r sawl sydd yn byw mewn arswyd ac ofn yn y byd; y sawl sy'n byw mewn chwerwder a chasineb ac wedi'u hamddifadu o gariad a charedigrwydd yn eu bywyd. Clyw ein cri, dirion Dad, dros y trueiniaid hyn i gyd.

Cyffeswn ger dy fron, O! Arglwydd, ei bod yn anodd ac weithiau yn amhosibl, cyrraedd y patrwm delfrydol o garu, 'fel y ceraist ti ni.' Weithiau, O! Dduw, gall caru gelyn fod yn fwrn ac yn faich. Am hynny, dyro inni dy Ysbryd a llanw'n calonnau o'r gwir gariad nad yw'n ein gollwng byth. Cynorthwya ni i gyd i geisio, 'gweld yr enfys drwy y glaw' ac i'n perthynas â'n cyd ddyn fod yn iachach, yn lanach, yn burach, yn gyfoethocach ac yn berffeithiach nag erioed o'r blaen.

Tosturia, O! Arglwydd, wrthym ni ac wrth bobloedd yr holl fyd yn ein methiant ymddangosiadol i'th ddatguddio'n 'dduw y cariad nad yw'n oeri' yn ein bywydau; maddau'r chwerwder a'r dicter sy'n llanw'n calonnau ni ac sy'n llifo'n fôr ym mywyd trigolion byd.

Diolchwn er hynny, am boced o obaith sydd i'w gweld yma a thraw ar wyneb daear, lle mae dyn yn mynnu bod yn frawd i'w gyd ddyn er gwaethaf yr amgylchiadau a'r anawsterau i gyd.

Planna, O! Dduw, dy Ysbryd o'n mewn er mwyn cael gwell byd, lle y gall dynion gyd fyw'n gytûn mewn harmoni a heddwch. Helpa ni, O! Dad, ym mlwyddyn rhyngwladol 'goddefgarwch' i ddangos trwy gariad, ein bod yn barod i, 'oddef i'r eithaf, i gredu i'r eithaf, i obeithio i'r eithaf ac i ddal ati i'r eithaf', er mwyn ein gilydd ac er clod i ti.

Wrth inni, O! Dduw, ofyn am dy bardwn am ein ffaeleddau, deisyfwn yr un pryd i ti'n cynorthwyo ni i wneud popeth yn ein gallu i sefydlu cariad a chymod, dealltwriaeth a doethineb rhwng pobloedd a chenhedloedd byd.

'O! nefol Dad, dy gariad di, sydd wedi dysgu'n cariad ni, gwrando'n drugarog ar ein cri, er mwyn yr Oen.'

Gweddïwn hyn, yn enw a haeddiant dy Fab, ein Harglwydd Iesu Grist. Amen.

Eric Williams

Henaint

Darlleniad: Salm 90

O! Arglwydd ein Duw, mae geiriau'r Salmydd mor wir. Dywedant y gwir amdanat ti, y digyfnewid Dduw, ac amdanom ninnau yn ein henaint. Pa un a ydym yn hen neu'n ifanc, dysg ni i gyfrif ein dyddiau, ac i fod yn ddigon doeth i ddal ar bob cyfle i fyw yn ôl dy ewyllys. Dysg ni i weld y gwerth sydd ymhob diwrnod, gan ei drysori fel rhodd werthfawr a ddaw oddi wrthyt ti.

Os ydym yn ifanc, dyro inni ddoethineb i drysori a pharchu henaint y rhai sydd o'n cwmpas. Cynorthwya ni i wrando ar eu hatgofion. Cynorthwya ni i ddysgu oddi wrth eu profiadau. Cynorthwya ni i fod yn amyneddgar a charedig. Cynorthwya ni i gyfathrebu'n groyw, gan godi ein llais a symud ein gwefusau wrth siarad â hwy. Cynorthwya ni i ymateb yn chwim os oes angen cymorth arnynt. Cynorthwya ni i gofio y byddwn ninnau'n hen ryw ddiwrnod. Os ydym yn hen, dyro, O! Arglwydd, ddoethineb inni i sylweddoli na allwn wneud yr hyn yr oeddem yn arfer ei wneud. Mae'n fwy anodd symud a siarad bellach. 'Henaint ni ddaw ei hunan.'

Cynorthwya ni i fod yn siriol ac addfwyn, fel y byddwn yn denu eraill atom, gan nad yw hi'n bosibl i ni fynd atynt hwy. Cynorthwya ni i fod yn amyneddgar gyda'r ifanc yn eu gwamalrwydd, gan sylweddoli nad oes ganddynt brofiad o fywyd fel ni. Cynorthwya ni i fod yn dawel weithiau, gan fod yn barotach i wrando. Cynorthwya ni hefyd i sylweddoli nad oes gan y rhai sydd yn ymweld â ni gymaint o amser ag sydd gennym ni. Cynorthwya ni i beidio â'u cadw a'u blino gyda'n straeon. Cynorthwya ni i rannu ein llawenydd, nid ein cwynion; ein bendithion, nid ein pryderon. Cynorthwya ni i aeddfedu yn ein henaint ac i heneiddio'n rasol.

Uwchlaw pob dim, O! Arglwydd ein Duw, cynorthwya ni i ddal ati i weddïo. Dyma rywbeth y gallwn ei wneud, er mor fregus yw ein cyrff. Gweddïwn dros yr ifanc ... Gweddïwn dros y rhai sy'n meddwl amdanom ... Gweddïwn dros y rhai sy'n gofalu amdanom ... Gwrando'n gweddi yn enw Iesu Grist, ein Harglwydd a'n Gwaredwr.

Arglwydd, maddau inni am feddwl ein bod yn unig. Arglwydd, maddau inni am deimlo'n unig a thithau'n bresennol gyda ni. Arglwydd, maddau inni am yr unigrwydd a ddaw i'n rhan pan fyddwn yn anghofio dy addewidion mawr, ac am anghofio dy fod yn Dduw sy'n eu cadw bob amser. Arglwydd, maddau inni am ymdeimlo ag unigrwydd yn ein gwaith a'n cenhadaeth, a thithau wedi addo cydweithio â ni, ac wedi addo bod gyda ni. Arglwydd, daw geiriau'r emynydd yn eiriau i ninnau:

'Awr o'th bur gymdeithas felys,
Awr o weld dy wyneb pryd ...'

'Tydi ddiddanydd mawr y saint,
Yn nydd yr haint echryslon,
O dyro dy dangnefedd pur
I symud cur y galon.'

Cyflwynwn i ti bawb sy'n cynnal eraill trwy eu gwaith o ddydd i ddydd, gan gyfrannu tuag at iechyd, corff, meddwl ac ysbryd y rhai sydd o dan eu gofal meddygon a gweinyddesau; gweithwyr cymdeithasol; y rhai sy'n gofalu am blant, yr ifanc, yr hen a'r methedig; gweithwyr dy eglwys, gweinidogion, blaenoriaid ac athrawon; cenhadon dy Eglwys ledled y byd.

Gweddïwn y bydd i ti barhau i'w cynnal. Dyro iddynt nerth i ddyfalbarhau a gweledigaeth eglur o'u rhan yng ngwaith dy deyrnas. Dyro iddynt sylweddoli eu bod yn cydweithio â thi. Cynorthwya hwy a ninnau bob amser i droi atat i geisio'r gynhaliaeth honno a gwna ni'n fwy effeithiol yn ein gwaith ac yn ein tystiolaeth. Cynorthwya ni oll i fedru dweud drachefn, 'Bu'r Arglwydd yn gynhaliaeth i mi ...' Clyw ein gweddi yn enw Iesu Grist. Amen.

Eric Jones

175

Henaint

Darlleniad 1: Josua 14: 6 14
Darlleniad 2: Luc 2: 25 38

Ein Tad nefol, sy'n Dduw pob cyfnod a chenhedlaeth, addolwn di. Diolchwn dy fod yn oleuni ac yn waredigaeth inni ar hyd ein bywyd, yn Arglwydd arnom o gri ein geni hyd flynyddoedd henaint. Ti sy'n symbylu breuddwydion ein hieuenctid, yn ein cynnal ym mlynyddoedd ein hanterth, ac yn gydymaith a gobaith inni yn nyddiau ein haeddfedrwydd. Yr un wyt ddoe, heddiw ac am byth, ac nid oes terfyn ar dy drugaredd.

Cofiwn ger dy fron heddiw bawb a welodd hir ddyddiau, y rhai sy'n tystiolaethu i ti mewn henaint, a'r rhai y mae arnynt angen dy gynhaliaeth pan fo'u blynyddoedd yn byrhau.

Diolchwn am y rhai a dreuliodd 'o dan iau Crist eu dyddiau oll'. Am eu bod 'yn adnabod yr hwn sydd wedi bod o'r dechreuad', y mae eu tystiolaeth gyson i'r efengyl yn parhau. Llawenhawn wrth werthfawrogi eu cyfraniad, ac wrth iddynt rannu eu profiad ag eraill. Diolchwn am eu cof a'u doethineb, eu cyngor a'u cwmni. Mawrygwn y cyswllt rhwng y cenedlaethau sydd o fewn dy Eglwys, am gadwyn o dystiolaeth, ac am bob traddodiad sy'n fyw ac yn werthfawr.

Diolchwn am rai mewn oedran teg sydd â'u gweledigaeth yn glir a'u ffydd yn loyw, ac am bobl nad yw eu gallu i edrych yn ôl yn pylu eu dawn i edrych ymlaen. Diolchwn am rai sy'n mynd yn hŷn heb heneiddio, y rhai y mae eu meddwl yn ieuanc a'u dychymyg yn effro, y rhai na phallodd eu brwdfrydedd na'u chwilfrydedd. Diolchwn am y rhai sy'n fodlon bellach i ddal yn ôl fel y caiff cenhedlaeth newydd ei chyfle y rhai sy'n cefnogi to iau, ond sydd hefyd ar gael bob amser i wrando ac i roi cyngor.

Derbyn ein hymbil a'n heiriolaeth dros bobl oedrannus sy'n ymdopi â'r cyfyngu sydd arnynt bellach yn rhodio lle gynt y rhedent. Cofiwn y rhai sy'n gorfod dysgu bodloni i arafu cam, i wynebu rhwystredigaeth pan fo rhai o'u pum synnwyr yn pylu, neu i ddygymod â llesgedd cynyddol. Dyro dawelwch meddwl a dewrder i'r rhai sy'n ofni henaint, a'th fendith i bawb sy'n ei wynebu â dycnwch a sirioldeb.

Gweddïwn dros y rhai y mae eu cof yn pallu, a'r meddwl ar chwâl. Cofiwn am y rhai sy'n gofalu amdanynt, aelodau o'u teulu, a phawb sy'n gwasanaethu mewn ysbytai, cartrefi preswyl a chartrefi nyrsio. Dyro i'r gofalwyr hyn amynedd a thynerwch, hiwmor a charedigrwydd, parch a chariad. Diolchwn i ti am eu hymroddiad.

Gweddïwn dros y gymdeithas yr ydym yn byw ynddi yn ei darpariaeth ar gyfer yr henoed. Rho ras a dawn i barhau i feithrin ysbryd cymdogol, ac ymwybod gwâr o ofal am bobl. Bendithia fudiadau sy'n hyrwyddo lles yr henoed, yn diogelu eu buddiannau, yn llais i'w hanghenion. Arddel eu hymdrechion trwy'n gwlad ac ym mhob un o'n hardaloedd. Bendithia'r cymdeithasau a'r clybiau henoed lleol sy'n dod â'r bobl hŷn at ei gilydd, yn meithrin cwmnïaeth, yn rhoi cyfle i'w doniau a'u dyfeisgarwch. Pâr i fywyd bro a diwylliant ardaloedd gael eu cyfoethogi trwy gyfraniad eu cenhedlaeth.

Uwchlaw pob dim, bendithia'r henoed yn dy Eglwys. Arddel eu ffyddlondeb a bendithia'u tystiolaeth i'r efengyl. Dwg bob oed a chenhedlaeth yn un gymdeithas gyflawn, fel y bydd cyfoeth y bywyd newydd sydd yn Iesu Grist yn dod i'r amlwg ynddi.

Gwrando arnom er mwyn dy Fab. Amen.

John Rice Rowlands

Henaint

Darlleniad: Ioan 21: 15 19

Hollalluog a Thragwyddol Dduw, cydnabyddwn di am ein creu a'n cynnal hyd yn awr. Gwerthfawrogwn, O! Arglwydd, dy allu a'th amddiffyn trosom gydol ein hoes. Sylweddolwn mai dy drugaredd a'th dosturi di sy'n gyfrifol am anadl ein heinioes ni ar y ddaear.

Helpa ni, O! Dad, i gofio beunydd mai 'pererinion' ydym ni yma ac mai 'draw mae'n genedigol wlad.' Cynorthwya ni'n wastadol i gymryd 'un dydd ar y tro' fel rhodd oddi wrthyt ti, ac fel arwydd o'th gariad a'th gonsýrn tuag atom i gyd.

Planna ynom o'r newydd yr ymdeimlad o'n dibynnu arnat, a thosturia wrthym am inni gredu mwy ynom ein hunain nag ynot ti. Buost yn ein gwylio a'n gwarchod gydol ein hoes, a chydnabyddwn dy fawredd a'th fendithion i ni. Maddau ein ffolineb yn byw bywyd annibynnol gan ein hynysu'n hunain yn aml oddi wrth deulu a châr a chymydog. Agor ein llygaid, O! Dduw, i sylweddoli y daw dydd y bydd yn rhaid i'n hannibyniaeth droi'n ddibynnu ar eraill.

Helpa ni i gredu'n fwy angerddol nag erioed mai ti yw awdur bywyd a chynhaliwr pob peth byw. 'Duw biau edau bywyd, a hawl i fesur ei hyd,' meddai'r gair. Credwn, Arglwydd mai yn dy law di y mae'n hyfory ni ac mai ti yn dy ddoethineb dy hun sy'n trefnu ein dyddiau ar y ddaear. Diolchwn am flynyddoedd ein bywyd, O! Dduw, ac am bawb a phopeth a gyfoethogodd y bywyd hwnnw i bob un ohonom. Fe'n galluogaist ni i fwynhau bywyd trwy roi mesur o iechyd da i ni, yn gorfforol a meddyliol.

Bendigwn di am bawb sy'n fawr eu gofal am eraill yn y byd, yn arbennig y rheiny sy'n agos atom ac yn ein cysuro a'n cynorthwyo'n wastadol. Am y rheiny sy'n tywys ac amddiffyn buddiannau eu cyd ddynion ar y ddaear, derbyn ein diolch, O!

Arglwydd; am y rheiny sy'n llaw a llygaid i eraill, derbyn ein diolch, O! Arglwydd; am y rheiny sy'n llais ac yn glyw i eraill, derbyn ein diolch O! Arglwydd; am y rheiny sy'n draed ac yn ymgeledd i eraill, derbyn ein diolch, O! Arglwydd.

Gweddïwn yn benodol gyda diolch am dywyswyr a gofalwyr y sawl sy'n teimlo'n ddiymadferth. Helpa ni i werthfawrogi pob ymdrech a wneir i leddfu gofidiau a phrofedigaethau mynd yn hen.

Arglwydd, erglyw ein gweddi dros y rheiny sy'n amddifad o gwmni a chysur yn eu henaint; y sawl sy'n teimlo bod y byd yn mynd heibio iddynt; y sawl sy'n teimlo'n ddigymydog ac yn ddigyfaill. Arglwydd, yn dy drugaredd, clyw ein gweddi drostynt i gyd. Cofia di, O! Dad y rheiny yr ydym ni wedi'u anghofio, a dyro iddynt ymdeimlad sicr dy fod yn eu hymyl gydol y daith.

Parha i'n tywys, O! Dduw ein Tad, hyd ddiwedd ein taith, pryd bynnag a sut bynnag y daw hynny. Gwna ni i deimlo'n ddiogel yn dy gwmni gan ymddiried ynot yn fwy nag erioed. Ac yn hwyrddydd ein bywyd, Arglwydd, helpa ni i bwyso mwy arnat, gan wybod na fydd dy fraich byth yn torri.

Clyw ni yn dy nefoedd, am ein bod yn gofyn y cyfan hyn yn enw a haeddiant Crist Iesu, ein Harglwydd. Amen.

Eric Williams.

Plant ac Ieuenctid

Darlleniad 1: Salm 127
Darlleniad 2: 1 Timotheus 4: 12 16

O! Dduw ein Tad, tad ein Harglwydd a'n Gwaredwr Iesu Grist, tad pob rhodd werthfawr, diolchwn i ti am blant ac ieuenctid ein heglwysi. Cynorthwya ni i edrych arnynt fel y gwna'r Salmydd gan weld eu bod yn 'etifeddiaeth oddi wrth yr Arglwydd', ac mai 'gwobr yw ffrwyth y groth'. Rhyfeddwn, O! Arglwydd, at yr amrywiaeth o bersonoliaethau sydd yn eu plith, a'r amrywiaeth mawr o ddoniau. Rhyfeddwn dy fod wedi rhoi'r fath gyfoeth i gynifer o'n heglwysi. Dyro gymorth inni, O! Dad, i fod yn wirioneddol ddiolchgar am y cyfoeth hwn.

Derbyn ein diolch am rieni a gadwodd yr addewidion a wnaethant wrth fedyddio a chyflwyno eu plant. Derbyn ein diolch am y dylanwadau da a dyrchafol sydd ymysg teuluoedd cynifer o'n plant a'n hieuenctid, y perthnasau hynny sy'n amlwg wedi eu hymgysegru eu hunain yn dy waith. Derbyn ein diolch am bopeth sy'n gadarnhaol ynglŷn â pherthynas y plant a'r ieuenctid o fewn dy eglwys, eu parodrwydd i gymryd rhan yn y gwasanaeth, eu parodrwydd i helpu eraill, eu parodrwydd i gymryd eu dysgu a'u harwain. Dyro gymorth inni, O! Dad, i werthfawrogi ymdrechion y rhai sydd â chyfrifoldeb arbennig amdanynt.

Cyflwynwn eu rhieni i ti, gan weddïo y byddant yn dyfalbarhau i gadw eu haddewidion i'w magu'n ddisgyblion i'th annwyl Fab Iesu Grist. Cyflwynwn i ti weinidogion ac athrawon Ysgol Sul, sy'n dyfalbarhau i'w dysgu a'u caru, Sul ar ôl Sul, flwyddyn ar ôl blwyddyn. Cyflwynwn i ti eraill sy'n cefnogi'r gwaith hwn megis Cyngor Ysgolion Sul Cymru sy'n paratoi'r holl ddefnyddiau ar gyfer y gwersi. Cofiwn ger dy fron am weithwyr canolfannau'r enwadau Coleg y Bala, gwersylloedd yr Urdd a'r ysgolion haf. Cyflwynwn i ti athrawon ein hysgolion cynradd ac uwchradd, a darlithwyr y colegau. Bydded iddynt hwy fel pob un ohonom ninnau, O! Dad, sylweddoli cymaint yw ein cyfrifoldeb i roi esiampl dda ac arweiniad cadarn i'r to sy'n codi.

Gofynnwn am dy faddeuant hefyd. O! maddau inni am feddwl amdanynt fel dyfodol ein heglwysi, yn hytrach na'r presennol. O! maddau inni am ddisgwyl iddynt ymddwyn, ymateb ac addoli fel pobl hŷn. O! maddau inni am anghofio ein bod ninnau wedi bod yn blant ac yn ieuenctid. O! maddau inni am beidio â sylweddoli mai lleiafrif bychan ydynt bellach o rai sy'n mynychu capel neu eglwys, ac felly mor anodd yw hi iddynt fynd yn erbyn y llif. O! maddau inni am ddisgwyl i blant yr Ysgol Sul, na chawsant fawr o gyfle i addoli'n gyson, ddod yn addolwyr ffyddlon, trwy ryw ryfedd wyrth, yn y dosbarthiadau derbyn. O! maddau inni am bob cyfle a gollwyd gennym i droi ein heglwysi a'n capeli yn aelwydydd, a'th eglwys yn deulu croesawgar a chynnes i rai o bob oed.

Cynorthwya ni, O! Arglwydd, i ddilyn yr esiampl a roddodd dy Fab inni, trwy roi'r plant a'r ieuenctid yn y canol: yng nghanol ein syniadau am eglwys; yng nghanol ein cynlluniau; yng nghanol ein paratoadau i'th addoli; yng nghanol ein cenhadaeth; yng nghanol ein gweledigaeth am dy eglwys heddiw ac yfory.

Pan fyddwn yn ymdeimlo â'n methiant i'w cyrraedd, pan fyddant yn ymddangos fel petaent wedi crwydro ymhell oddi wrthyt ti, a ninnau, cadw hwy, O! Dad, yn ddigon agos at ein calonnau fel y byddwn yn parhau i weddïo'n daer drostynt.

> 'Ni fethodd gweddi daer erioed
> Â chyrraedd hyd y ne.'

O! gwrando ein gweddi daer, yn enw Iesu Grist. Amen.

Eric Jones

Plant ac Ieuenctid

Darlleniad 1: Samuel 3: 1 10
Darlleniad 2: Mathew 18: 1 5

O! Dduw ein Tad, yr ydym yn cydnabod dy ffyddlondeb di o dragwyddoldeb i dragwyddoldeb. Bendigwn dy enw am dy fod yn drugarog a graslon, ac am fod dy gyfiawnder i bob cenhedlaeth. Diolchwn am dy fod yn bendithio plant, yn rhoddi egni a gobeithion i'r ifainc, ac am dy fod yn gyson yn adnewyddu ieuenctid dy bobl.

Deuwn yn awr i gofio ger dy fron blant a phobl ifainc ein heglwysi a'n hardal, a holl ieuenctid ein gwlad a'n byd. Diolchwn i ti am y rhai ifainc yn ein cymdeithas, am glywed eu lleisiau a'u chwerthin, am y bywyd a'r asbri sy'n perthyn iddynt, am eu chwilfrydedd a'u brwdfrydedd, am y llaw sy'n gafael a'r llygaid sy'n rhyfeddu, am bob ffydd ac ymddiriedaeth a geir ynddynt. Wrth ymateb i ofynion plant, dyro i'r rhai sy'n hŷn hiwmor ac amynedd, gostyngeiddrwydd i ddysgu, a gras i wrando a chynghori. Rho i bob un gofio'i blentyndod ei hunan. Dyro hynawsedd wrth ddelio â direidi plant, cadernid i roi iddynt safonau a chanllawiau, a pharodrwydd i'w hyfforddi ar ddechrau eu taith.

Deisyfwn am y ddawn i drafod a pharchu'r rhai sy'n tyfu'n bobl ifainc, yng nghyfnod eu twf a'u datblygiad. Dyro i bawb o'u cwmpas ddealltwriaeth a gallu i gydymdeimlo, unplygrwydd i roi esiampl ddilys, a'r gefnogaeth sy'n rhoi cyfle iddynt ddysgu ymarfer eu rhyddid mewn perthynas iach ag eraill. Gweddïwn dros blant ac ieuenctid trwy'r byd, yn enwedig y rhai sy'n cael cam; y rhai sy'n cael eu cam drin lle dylent gael gofal; yn blant o ran oed, ond wedi'u hamddifadu o blentyndod; yn ysglyfaeth i gyffuriau, budr elwa a militariaeth; y rhai sy'n marw o effeithiau tlodi a newyn; y rhai sy'n dioddef lle ceir gorthrwm a rhyfela; y rhai sy'n gwbl amddifad ac yn tyfu'n galed mewn awyrgylch ddidostur; y rhai sy'n brin o addysg; y rhai sydd heb feddyginiaeth i'w hafiechydon.

Cofiwn ieuenctid difreintiedig y byd, a phob un a phob mudiad sydd ar waith i'w helpu a'u gwasanaethu. Deisyfwn dy fendith ar bawb sy'n gofalu am blant: rhieni da sy'n rhoi i'w plant gariad a diogelwch a disgyblaeth; athrawon ymroddedig a llawn dychymyg sy'n eu dysgu; rhai sy'n gweithio gyda phlant mewn angen; rhieni maeth; mudiadau sy'n achub cam llawer plentyn; athrawon Ysgol Sul, ac eglwysi sy'n effro i'w cyfle i gyflwyno Iesu Grist i'r plant. Deisyfwn dy arweiniad i bawb sy'n gweithio gyda ieuenctid i ysgolion a cholegau, ar iddynt ddeffro meddwl a rhoi cyfle i ddatblygu doniau, ennyn brwdfrydedd, a pharatoi pobl ifainc, nid yn unig ar gyfer gyrfa a galwedigaeth ond hefyd i feddu ar bersonoliaeth gytbwys; i fudiadau ieuenctid, gan gofio'n neilltuol yr holl fudiadau sy'n gwasanaethu pobl ifainc Cymru, yn rhoi cyfle iddynt feddwl a gweithredu, mwynhau bywyd a chyfrannu i'r gymdeithas o'u cwmpas.

Gweddïwn yn neilltuol dros ein heglwysi, am ennyn o'u mewn weithgarwch newydd gyda'r ifainc, am iddynt fod yn barod i roi i'r ifainc eu cyfle, i ddeall eu byd, eu ffordd o feddwl, eu dyheadau a'u pryderon. Gweddïwn am achub ac ennill yr ifainc i'r efengyl, ac am i'r Eglwys gyfan ddarganfod ysbryd y plentyn o'r newydd. Dyro lygad i ganfod holl ryfeddod y bywyd a roddaist. Adnewydda'n ffydd a'n hymddiriedaeth ynot ti, y Tad. Ac fel y tyfo pob cenhedlaeth, pâr iddynt dyfu yng Nghrist, yn ei gariad ac yn ei waith. Er mwyn dy enw, ac er mwyn dy ogoniant. Amen.

John Rice Rowlands

Plant ac Ieuenctid

Darlleniad: Marc 10: 13 16

O! Dduw, ein Tad nefol, atat ti y dymunwn droi yn awr mewn gweddi. Cymhwysa ni i gyd i agosáu atat mewn ysbryd a gwirionedd er mwyn i'th enw di a'th enw di yn unig, gael ei ddyrchafu yn ein plith.

Trugarha wrthym, O! Arglwydd, am inni'n aml ein dyrchafu'n hunain, hyd yn oed o'th flaen di. Dysg ni, felly, o'r newydd, pwy wyt ti a beth ydym ni mewn gwirionedd.

Canmolwn di am dy fawredd a'th allu yn cynnal ac yn cyfarwyddo pob un ohonom hyd y foment hon. Diolchwn i ti, Arglwydd, am blant ein gwlad a'n byd ti, yr un a gymerodd blant yn ei freichiau ei hun a'u bendithio. Deisyfwn arnat i gymryd plant Cymru a'r byd yn dy freichiau heddiw, O! Dad.

Fe ddatguddiaist dy hun O! Dduw yng nghyflawnder yr amser, yn dy fab dy hun, Iesu Grist ein Harglwydd. Ac fel y bu yntau'n blentyn unwaith, gweddïwn heddiw dros holl blant ein gwlad a'n byd yn eu diniweidrwydd, eu symlrwydd a'u naturioldeb. Cawn ein hatgoffa O! Dad yng ngeiriau Crist ei hunan:

> 'Gadewch i'r plant ddod ataf fi; peidiwch â'u rhywstro, oherwydd i rai fel hwy y mae teyrnas Dduw yn perthyn. Yn wir, rwy'n dweud wrthych, pwy bynnag nad yw'n derbyn teyrnas Dduw yn null plentyn, nid â byth i mewn iddi.'

Maddau inni, Arglwydd, am inni'n aml lesteirio dy freichiau di rhag anwesu ac anwylo'r plant sydd o'n cwmpas heddiw. Dysg ni mai trwy fod fel plentyn, yn naturiol a gonest, y mae inni etifeddu'r deyrnas. Bendigwn di, Arglwydd, am dwf a thyfiant a phrifiant corfforol a meddyliol yn hanes pob plentyn. 'Cynyddu mewn doethineb a maintioli, a ffafr gyda Duw a dynion,' wnaeth Iesu ei hun, meddai'r Gair. Diolchwn i ti, O! Dad, am asbri a nwyf ac anturiaeth pobl ifanc pob oes. Gwyddost Arglwydd, bod pobl ifanc yn agored ac yn hawdd eu dylanwadu a'u niweidio. Gwared ni, O! Dduw rhag inni eu ffrwyno a'u rhwystro a phylu eu ffyniant a'u tyfiant. Helpa ni i'w helpu hwy i sefydlu gwell byd o ddealltwriaeth a doethineb i'r dyfodol.

Diolchwn i ti, ein Tad, am bob awydd ac arwydd i dyfu fel Iesu ei hun, mewn maintioli a doethineb. Boed i'th Ysbryd yng Nghrist sicrhau dyfodol llawn a llawen i blant ac ieuenctid y cyfnod, er mwyn iddynt hwy yn eu tro arwain eraill at berson Crist.

Deisyfwn y cyfan hyn yn enw a theilyngdod Crist Iesu, ein Harglwydd. Amen.

Eric Williams

Y Teulu

Darlleniad: Effesiaid 2: 19 22, 4: 2 7, 5: 1 2, 8 21

Diolch i ti, ein Tad, am roi inni'r profiad o fyw fel teulu. Pan yw eraill yn troi i'n herbyn, yn ein gwawdio, yn ein dirmygu a'n bwrw i lawr, gallwn droi at y teulu am swcwr, am gymorth cyntaf (yn ôl y Ffrangeg *secours*). Mae aelodau'r teulu'n ein derbyn fel yr ydym, yn gymysgedd ryfedd o orchestion a gallu, o wendidau a methiant. Iddynt hwy, does dim rhaid inni lwyddo ym mhob peth dim ond bod yn ni'n hunain, y person y maen nhw'n ei adnabod a'i garu. Mynnant ein bod yn rhan fyw o'u byd a'u profiad, beth bynnag ddaw i'n rhan. Maent yn chwilio am barhad y cwlwm personol, y cwlwm cariad sy'n ein dal ynghyd. Oherwydd hwnnw sy'n rhoi nerth i'r teulu a'i holl aelodau yn wyneb pawb a phopeth. Rhown loches i'n gilydd, gan atgyfnerthu ac ailadeiladu yn ôl yr angen unigol, er mwyn llwyddo fel uned fyw.

Diolch i ti am estyn y darlun o'r teulu i'th Eglwys pobl, teulu Iesu Grist. 'Tra bydd amser gennym,' medd y Gair, 'gadewch inni wneud da i bawb, yn enwedig i'r rhai sydd o deulu'r ffydd.' Cwlwm dy gariad di sy'n ein clymu ynghyd yma eto. Gallwn fwynhau a dioddef egni chwareus a direidus y plant, tafod miniog eu rhieni mewn clod a beirniadaeth, cwynion a chwerthin yr aelodau canol oed, a rhyfeddod llygatrwth yr hynafiaid yn ein plith. Daw'r chwarae a'r gweddïo, y gwasanaethu a'r cyfeillachu, y canu a'r addoli oll yn gytsain fyw. A gwelwn nad yw ffiniau cymdeithas y teulu hwn yn gorwedd o fewn un wlad ac un ardal. Teimlwn y berthynas yng Nghrist wrth gwrdd â'r bobl o Korea, Sri Lanka, Burkina Faso a'r holl wledydd o'r cyfoethocaf i'r tlotaf ohonynt. A'r un cwlwm sydd yno rhwng aelod ac archesgob, rhwng meudwy a mynach a rhiant meidrol. Maent oll yn un ynot ti.

Efallai mai hon yw'r rhodd fwyaf sydd gennym heddiw i'w chyflwyno i'r teulu cyfan, teulu dyn. Cymundeb a chymuned, y cwlwm cariad na ellir ei ddatod pan y'i clymir yn iawn. Hyn sy'n ein huno â'n gilydd ac yn ein huno gyda thi.

'Yr wyf fi wedi rhoi iddynt hwy y gogoniant a roddaist ti i mi,
er mwyn iddynt fod yn un fel yr ydym ni yn un: myfi
ynddynt hwy, a thydi ynof fi, a hwythau, felly, wedi eu
dwyn i undod perffaith, er mwyn i'r byd wybod mai tydi
a'm hanfonodd i, ac i ti eu caru hwy fel y ceraist fi.'

Diolch i ti am y cymorth a gawn gennyt yn y teulu. Diolch i ti am
ein derbyn ni fel yr ydym ni, yn Iesu Grist, 'D'allu Di a'm gwna yn
agos   'F'wyllys i yw mynd ymhell ... '

Does dim rhaid inni ymddangos yn llwyddiant mawr i ti   dim ond
bod yn ni'n hunain, y rhai yr wyt ti'n eu hadnabod a'u caru. Rwyt
am inni gymryd ein lle yn y teulu. Rwyt am inni gyflawni ein
'haddoliad ysbrydol' (neu'n 'rhesymol wasanaeth' yn ôl yr hen
gyfieithiad o'r Beibl) drwy ein rhoi ein hunain i ti.

Trawsffurfia ni, felly; adnewydda'n meddwl ni; galluoga ni i ganfod
yr hyn sy'n dda a derbyniol a pherffaith yn dy olwg di. Trwy Iesu
Grist. Amen.

Roger Ellis Humphreys

Y Teulu

Darlleniad 1: Effesiaid 3: 14 21
Darlleniad 2: Luc 2: 41 52

Dduw tragwyddol, rhoddwr ein bywyd ni, addolwn di. Ti yw
lluniwr a chynhaliwr popeth sy'n bod, a thydi sy'n rhoi ystyr a
phwrpas i'n byw. Ohonot ti y mae pob cymdeithas a chariad sy'n
sylfaen i'n bywyd yn tarddu. Tydi ydyw'r Tad y mae pob teulu yn
y nefoedd ac ar y ddaear yn cymryd ei enw oddi wrtho. Ynot ti y
mae dy bobl yn profi tynerwch a gofal cyffelyb i gysur mam i'w
phlentyn.

Yn dy Fab, Iesu, a wybu'n llawn beth oedd bywyd teulu ar
aelwyd yn Nasareth, y mae i ninnau Frawd sy'n cyfrif pawb a gred
ynddo'n frodyr a chwiorydd. Ac yng Nghrist, achubwr a gobaith y
ddynoliaeth, y gwneir ni'n un, yn gyd ddinasyddion â'r saint, ac yn
deulu Duw. Diolchwn i ti am y drefn sydd wedi'n gosod i fyw
gyda'n gilydd; am gwmni ar daith bywyd; am ein geni i deuluoedd,
ac am y rhai a ddaeth â ni i'r byd; am rieni a pherthnasau i'n magu
a'n meithrin; am gyfraniad pob plentyn ar aelwyd; am fywyd
cartref, ac am ddysgu cyd fyw; am brofi cariad a gofal, ac am
ddisgyblaeth rasol; am gyfranogi yn llawenydd teulu, a rhannu
cyfrifoldeb o'i fewn; am bob ymwybod o dderbyn a rhoddi, cymryd
a chyfrannu.

Mewn edifeirwch, ceisiwn dy faddeuant i'r gymdeithas yr ydym
yn rhan ohoni, am bob dim sy'n dibrisio a bychanu bywyd teulu,
yn chwalu bywyd aelwyd, yn oeri cariad at rywun arall, yn llacio'n
gofal a'n cyfrifoldeb tuag at ein gilydd, yn peri nad yw plant yn
anrhydeddu eu rhieni, ac yn peri i rieni fod yn ddifater ynghylch eu
plant. Maddau lle mae gorthrwm o fewn teulu, lle mae'r naill aelod
yn defnyddio'r llall i'w ddiben ei hun, lle nad oes i bob aelod o'r
teulu gyfle i dyfu a datblygu a chyfrannu i eraill mewn rhyddid a
chariad. Maddau lle mae teulu'n byw iddo'i hun, yn cau eraill
allan, yn crafangu popeth yn hunanol, yn hytrach na bod ei

ddrysau'n agored; yn troi'r berthynas deuluol yn eilun, pan fwriadwyd iddi fod yn fendith.

Bendithia deuluoedd sy'n ymwybodol o orwelion llydan, pob teulu clòs, cynnes sy'n arddel y sawl sy'n berthynas o bell ac yn ysgwyddo'u cyfrifoldeb tuag at estron. Bendithia bob ymwybod o gyfrifoldeb at genedl, sy'n deulu o deuluoedd, a bendithia'r awydd i feithrin ei diwylliant a'i hetifeddiaeth, ac i greu cymdeithas iach rhwng ei phobl. Bendithia ni â chariad at y ddynoliaeth gyfan, a dyro inni ei gweld yn deulu o genhedloedd. Maddau bob ymraniad ar sail hil a lliw, iaith a dosbarth, sy'n cau allan yn hytrach na chynnwys pawb. Dysg ni i weld y cyfoeth a roddwyd i'r teulu dynol trwy amrywiaeth pobloedd, a thrwy gyfraniad pob un ohonynt.

Uwchlaw popeth, diolchwn i ti am gymdeithas Eglwys Iesu Grist, ac am ein bod ynddi yn profi beth yw bod yn 'ddynoliaeth newydd', yn 'deulu Duw'. Diolchwn am berthynas â'n gilydd ynddi, am gariad ac undod ac ymwybod o gyfoeth tystiolaeth pawb, am gael ynddi ernes o fywyd dy deyrnas dragwyddol, a blaenbrawf o'th fwriad ar gyfer y ddynoliaeth yn dy Fab. Gweddïwn am ddyfod holl deulu dyn yn deulu Duw trwy'r Ysbryd Glân. Gwrando ni yn ein deisyfiadau a'n mawrhad yn enw Iesu Grist ein Harglwydd. Amen.

John Rice Rowlands

Y Teulu

Darlleniad 1: Effesiaid 3: 14 21
Darlleniad 2: Ioan 11: 1 16

Trown yn wylaidd a gostyngedig atat yn awr, O! Dad nefol, mewn gweddi. Cymhwysa ni mewn meddwl ac ysbryd i ddynesu atat ac i deimlo dy fod yn ein plith y munudau hyn. Clodforwn a chanmolwn dy enw am yr hyn a fuost i ni yn Iesu Grist, dy Fab, am yr hyn wyt ti i ni'n awr, ac am yr hyn a fyddi i ni i'r dyfodol.

Ti, y Duw tragwyddol sy'n hollbresennol, hollalluog a hollwybodol, a gydnabyddwn am dy fawredd a'th ras yn a thrwy Iesu Grist, dy Fab, ein Ceidwad.

Creaist ddyn 'ar dy ddelw dy hun' a gwelaist yn dda i'w blannu ar y ddaear; rhoddaist iddo'r gallu a'r awydd i sefydlu 'teulu,' a thrwy'r cenedlaethau buost yn fawr dy ofal i ddiogelu'r patrwm arbennig hwnnw. Bendigwn di, O! Dad, am yr hil ddynol, a llawenhawn iti fod yn gyfrifol i'n rhoi ni'n deuluoedd ar y ddaear. Cydnabyddwn yn ddiolchgar ger dy fron y dilyniant unigryw hwn o berthyn i deulu a thylwyth. Ymfalchïwn, O! Arglwydd, nid yn unig yn ein teulu ni'n hunain , ond yn holl deuluoedd y ddaear. Sylweddolwn, O! Dduw, pa mor bwysig yr ystyria Iesu ei hun yr elfen deuluol yn ei fywyd yntau ar y ddaear, ac iddo uniaethu'i hunan â theulu Bethania. Cynorthwya ni, O! Dad, i werthfawrogi cyfraniad pob aelod o fewn i'r teulu, boed yn Fair neu'n Fartha neu'n Lasarus. Helpa ni i sylweddoli bod lle i bawb a phawb a'u lle o fewn y cylch teuluol. Diolchwn i ti am bobl debyg i Martha sy'n gweini'n ddirwgnach, ac am bobl debyg i Mair sy'n ystyriol a defosiynol ei naws. Canmolwn di O! Arglwydd, am iddynt ill dwy ddangos consýrn a chariad tuag at eu brawd Lasarus, yn eu hawydd i Iesu, y Meddyg mawr, ddod i'w weld.

Deisyfwn, O! Dduw, ar i deuluoedd daear ddilyn esiampl chwiorydd Bethania mewn cariad a chonsýrn tuag at eraill.

Gweddïwn, Arglwydd, dros deuluoedd Cymru heddiw, ac yng ngeiriau Elfed, deisyfwn:

'Boed pob aelwyd dan dy wenau
A phob teulu'n deulu Duw;
Rhag pob brad, nefol Dad
Cadw di gartrefi'n gwlad.'

Gweddïwn hefyd, O! Dduw, yng ngeiriau J.T. Job:

'Dyro fwynder ar yr aelwyd,
Purdeb a ffyddlondeb llawn,
Adfer yno'r sanctaidd allor
A fu'n llosgi'n ddisglair iawn:
Na ddiffodded
Arni byth mo'r dwyfol dân.'

Gweddïwn dros deuluoedd yr holl fyd yn eu hamrywiol amgylchiadau. Dyro gariad a phurdeb; dyro ymddiriedaeth a dealltwriaeth; dyro ras a chymod yng nghalonnau aelodau pob teulu er mwyn sefydlu heddwch byd.

Cynorthwya ni, O! Arglwydd, i wneud y cyfan hyn er lles a llwyddiant y teulu dynol yr wyt ti, o'th ras a'th gariad, yn ei gynnal a'i gadw â'th law dy hun.

Tosturia wrthym, O! Dduw, a dyro i ni yn enw a thrwy haeddiant dy Fab, Iesu Grist ein Harglwydd, bardwn am ein beiau oherwydd mai trwyddo ef y gweddïwn hyn. Amen.

Eric Williams

Amynedd

Darlleniad: Luc 8: 4 8, 8: 11 15, 19: 9 19

Sut medri di, Dduw, ofyn inni fod yn amyneddgar?

Mae cymaint i'w wneud. Mae amser yn hedfan heibio inni. Aros mae'r dasg o ddwyn dy Eglwys yng Nghymru i mewn i'r ugeinfed ganrif cyn iddi orffen!

Gadewch inni adrodd gyda'n gilydd emyn 782 yn Atodiad y Methodistiaid. (*Cydadrodd yr emyn*)

Fe'th glywn di'n siarad â ni heddiw:

'Y mae angen dyfalbarhad arnoch i gyflawni ewyllys Duw a meddiannu'r hyn a addawyd.'

Rwyt ti'n ein dysgu ni bod amynedd, neu ddyfalbarhad, yn un o'n harfau mawr ni yn dy frwydr yn ein dyddiau. Oherwydd, yng ngeiriau'r ysgrythur:

'Ymhen ennyd, ennyd bach, fe ddaw yr hwn sydd i ddod, a heb oedi; ond fe gaiff fy ngŵr cyfiawn i fyw trwy ffydd, ac os cilia'n ôl, ni bydd fy enaid yn ymhyfrydu ynddo. Eithr nid pobl y cilio'n ôl i ddistryw ydym ni, ond pobl y ffydd sy'n mynd i feddiannu bywyd.'

Diolch i ti am ddweud wrthym bod amynedd yn arwain at feddiannu'n bywyd. Mae hyn yn ein harafu o'n gwylltineb ac yn rhoi cyfle inni atgyfnerthu ar dy obaith. Tybed a ddown trwy hynny'n well gweithwyr trosot gan weithio mwy yn ôl d'amserlen dithau? Fedrwn ni ddygymod â'th amserlen di?

'Gadewch i ddyfalbarhad gyflawni ei waith, er mwyn ichi fod yn gyfan a chyflawn, heb fod yn ddiffygiol mewn dim.'

Mae'n anodd wedyn inni dderbyn llwyddiant dy Eglwys mewn gwledydd eraill. Hithau'n llwyddo drwy wneud pethau sydd o fewn ein cyrraedd ninnau hefyd! Maddau inni na wnaethom ni'r pethau hynny eto yng Nghymru dim ond meddwl a siarad am eu gwneud! Dy Eglwys yn y gwledydd eraill sydd mewn gogoniant yn ei llwyddiant a rhuthrwn ninnau i genfigennu wrthynt hwy.

Atgoffa ni, ein Tad, bod y canghennau hynny o'th Eglwys yn talu'n ddrud am eu llwyddiant yn yr efengyl. Talu maent trwy dlodi eu pobl, merthyrdod eu Cristnogion, chwys a llafur eu datblygu a phoen eu haberth a'u sefyllfa. Faint bynnag fo'n cenfigen, fedrwn ni ddim mynd i'w lle nhw er mwyn cael eu llwyddiant nhw.

Rhaid i ni aros wrthyt yng Nghymru heddiw. Rhaid i ni ddisgwyl wrthyt yn ein cymunedau a'n capeli. Rhaid i ni fyw ynot trwy ein hymdrechion ein hunain a thrwy gynhaeaf y tir da yma lle rydym yn byw.

'Y mae arnom angen dyfalbarhad i gyflawni d'ewyllys di a meddiannu'r hyn a addawyd.'

Plygwn yn ostyngedig o'th flaen gyda'n gilydd.

'Yr hyn nad ydym yn ei weld yw gwrthrych gobaith, ac felly yr ydym yn dal i aros amdano mewn amynedd.'

Derbyn ni i'th Eglwys ac i'th gwmni ar hyd y llwybrau byw. Gweddïwn am nerth i weithio drosot ac am fwy o nerth i aros yn dy waith yn wyneb pob siom ac anhawster, yn Iesu Grist. Amen.

Roger Ellis Humphreys

Amynedd

Darlleniad 1: Iago 5: 7 11
Darlleniad 2: 2 Pedr 4: 8 13

O! Dduw, deuwn atat gan ryfeddu at gyfoeth dy diriondeb a'th ymatal a'th amynedd. Diolchwn ninnau am:

'Ryfedd amynedd Duw
Ddisgwyliodd wrthym cyd.'

Ein cyffes bob un ydyw:

'Araf iawn wyf i i ddysgu,
Amyneddgar iawn wyt ti.'

Am dy fod mor amyneddgar, y mae gobaith i ninnau. Pâr inni gofio dy hirymaros di, a phwyso ar dy ddaioni tuag atom, a'th awydd i ddwyn pawb i edifeirwch. Gofynnwn am ras i fyfyrio ar dy amynedd, i ymgadw rhag dy demtio, ac i beidio ag oedi cyn ymateb i ti. Gwna ni'n ystyriol o'r cariad tuag atom sydd wrth wraidd dy amynedd. Cadw ni rhag rhyfygu i gymryd mantais arno, a rhag tristáu dy Ysbryd Glân.

Diolchwn hefyd am amynedd pobl: amynedd rhieni gyda'u plant; dyfalbarhad athrawon da gyda'u disgyblion; ffyddlondeb cyfeillion sy'n glynu mewn amgylchiadau sy'n rhoi prawf ar gyfeillgarwch; goddefgarwch rhai sy'n hŷn at ormod brys rhai sy'n ifanc; sirioldeb rhai sy'n ifanc wrth genhedlaeth hŷn sy'n amharod i newid; hynawsedd ambell un sy'n brofiadol at fyrbwylltra ambell un sy'n anwybodus; tiriondeb pobl rasol at rai sy'n anodd eu trin a'u trafod. Diolchwn yn arbennig am amynedd rhywrai tuag atom ninnau, yn wyneb ein harafwch a'n diffygion.

Deuwn yn awr i ofyn am ras i gofio'r anogaeth i'th bobl 'fod yn amyneddgar wrth bawb', ac i oddef ein gilydd mewn cariad. Dyro inni amynedd yn ein bywydau personol, i osgoi gwylltio'n ffôl am bethau dibwys, i dderbyn siomedigaethau heb chwerwi, i ddal ati pan fydd pethau'n gwrthod dod ar unwaith, i dderbyn y pethau na fedrwn eu newid, i ymostwng heb anobeithio, i ddysgu pwyll heb fod yn segur nac esgeulus, i drechu digalondid, ac i brofi dy rymuster di. Dyro inni amynedd at bobl eraill, rhag inni fod yn fyrbwyll tuag at rywun arall mewn ffordd na fynnem i neb ei dangos tuag atom ni, rhag inni gamfarnu neb, mewn anwybodaeth neu heb gydymdeimlad.

Helpa ni i feithrin ysbryd trugarog, i ddysgu rhoi'n hunain yn lle rhywun arall, i geisio deall cymhellion a gwendidau pobl. Dyro inni'r ddawn 'i obeithio i'r eithaf', ac i fod yn garedig i'r gwan a'r diamddiffyn, y rhai syml a phobl ddi weld. Yn ein holl ymwneud ag eraill, dyro inni'r cariad i ddal ati, a chaniatâ inni'r llawenydd o weld amynedd yn dwyn ffrwyth.

Yn bennaf, dyro inni amynedd yng ngwaith dy deyrnas di. Pâr inni gredu yn dy lywodraeth di a'th bwrpas. Pâr inni fod yn fodlon yn dy waith, a boed inni ymhyfrydu yn dy wasanaeth ac amlygu dy gariad a'th ofal tuag at eraill. Pâr inni ymroi i hau had y gwirionedd, ac i fod yn effro bob amser i achub ein cyfle yn dy enw. Pan fo'n amser hau, dyro argyhoeddiad y daw cynhaeaf. Pan fo'n gweithwyr trosot yn brin, pâr i'n llafur ninnau fod yn helaeth. Dyro inni'r ddawn i ddyfalbarhau, ac i barhau hyd y diwedd. Dyro inni'r nerth mewnol sy'n drech nag amgylchiadau croes. 'Rho inni'r ffydd ddi ildio a llwyr orchfyga'r byd.' Gofynnwn hyn er mwyn Iesu, awdur a pherffeithydd ein ffydd. Amen.

John Rice Rowlands

Amynedd

Darlleniad: Iago 5: 7 11

O! Dduw, 'ffynhonnell pob dyfalbarhad ac anogaeth', canmolwn di am dy fawr amynedd tuag atom. Diolchwn i ti dy fod yn Dduw trugarog a graslon, 'araf i ddigio a llawn ffyddlondeb'. Ni wnaethost â ni yn ôl ein pechodau, ac ni thelaist i ni yn ôl ein troseddau. Gwyddost ein deunydd, ac yr wyt yn cofio mai llwch ydym.

'Rhyfedd amynedd Duw
Ddisgwyliodd wrthym cyd'.

Clodforwn di, O! Arglwydd, am 'amynedd Crist'. Diolch am iddo fod mor amyneddgar â phechaduriaid, yn condemnio'r drwg, ond yn fodlon achub hyd yr eithaf. Rhyfeddwn at ei ras a'i drugaredd yn ei ymwneud â phobl, a diolchwn ei fod mor amyneddgar heddiw ag y buodd erioed:

'Mae e'n maddau beiau mawrion,
Mae e'n caru yn ddi drai,
A'r lle caro, mae ei gariad
Yn dragywydd yn parhau:
Nid oes terfyn
I'w amynedd ef, a'i ras'.

Gofynnwn i ti, O! Arglwydd da, i feithrin amynedd ynom ni. Helpa ni i ddisgwyl 'yn dawel am yr Arglwydd', ac i 'aros yn amyneddgar amdano'. Y mae 'amynedd yn well nag ymffrost', a dymunwn ei feithrin yn ein bywyd.

'Araf iawn wyf fi i ddysgu,
Amyneddgar iawn wyt ti.'

Cyffeswn ger dy fron ein diffyg amynedd. Rydym yn aml yn llawdrwm ar eraill, heb oddef ein gilydd mewn cariad. Cyfeiria ein calonnau 'at amynedd Crist', gan ein hatgoffa mai digon i ni dy ras di, a bod y prawf ar ein ffydd 'yn magu dyfalbarhad'.

Sylweddolwn fod arnom angen amynedd yn fawr iawn. Hir pob aros, ond yn fynych nid oes gennym yr amynedd i ddisgwyl cyhyd. Atgoffa ni'n barhaus 'fod un diwrrnod yng ngolwg yr Arglwydd fel mil o flynyddoedd, a mil o flynyddoedd fel un diwrnod'. Anfonaist dy Fab i'r byd yng nghyflawniad yr amser, ac nid wyt Ti'n oedi cyflawni addewid Ei ailddyfodiad. Bod yn ymarhous wrthym yr wyt am nad wyt yn 'ewyllysio i neb gael ei ddinistrio, ond i bawb ddod i edifeirwch'.

Cynorthwya ni felly, O! Arglwydd, i fod yn amyneddgar 'hyd ddyfodiad yr Arglwydd'. Gwelwn 'fel y mae'r ffermwr yn aros am gynnyrch gwerthfawr y ddaear, yn fawr ei amynedd amdano nes i'r ddaear dderbyn y glaw cynnar a'r diweddar'. Helpa ninnau hefyd i fod yn amyneddgar, gan ein cadw'n hunain yn gadarn, 'oherwydd y mae dyfodiad yr Arglwydd wedi dod yn agos'. Ystyriwn 'fel esiampl o ddynion yn dioddef yn amyneddgar, y proffwydi a lefarodd yn enw'r Arglwydd'. Clywsom hefyd am ddyfalbarhad Job, a gwelsom 'y diwedd a gafodd ef gan yr Arglwydd; y mae'r Arglwydd yn dosturiol a thrugarog'.

O! Iesu da, dywedaist mai'r 'sawl sy'n dyfalbarhau i'r diwedd a gaiff ei achub'. Rho i ni felly'r grymuster 'i ddyfalbarhau a hirymaros yn llawen ym mhob dim'.

'Dal fi, Arglwydd, hyd y diwedd,
N'ad im fethu ar fy nhaith;
Cadw ynof yr amynedd
Nad yw'n blino yn dy waith;
Rho imi'r hyder
Nad yw'n edrych byth yn ôl!'

Nertha ni i wneud ein galwad a'n hetholedigaeth yn sicr, gan gofio fod gennyt ti'r gallu i'n cadw rhag syrthio, a'n gosod yn ddi fai a gorfoleddus gerbron dy ogoniant.

Ac i ti, yr unig Dduw, ein Gwaredwr, trwy Iesu Grist ein Harglwydd, y byddo gogoniant a mawrhydi, gallu ac awdurdod, cyn yr oesoedd, ac yn awr, a byth bythoedd! Amen.

Peter Davies

197

Bendithion

Darlleniad 1: Rhufeiniaid 12: 14
Darlleniad 2: Effesiaid 1: 3 14

(*Llafarganu*)
Benedictus ... Maledictus.
Dweud yn dda ... Drygeirio.
Benedictus ... Bendith; *Maledictus ...* Melltith.

Ein Tad, sut mae 'dweud yn dda' am rywun yr ydym yn ei gasáu?
Sut mae 'bendithio' rhywun sy'n mynnu ymosod arnom neu
wneud drwg inni? Ein tuedd naturiol, a'n teimlad cyntaf, cryf,
cyntefig yw talu'n ôl gyda mwy o nerth nag sydd ynddyn nhw. Sut
mae arfer hunanddisgyblaeth y Cristion a dweud rhywbeth da yn
ôl, ac ad dalu trwy wneud rhywbeth positif? Fedrwn ni faddau?
Fedrwn ni anghofio?

Gwyddom yn dda, ein Tad, bod ceisio dial yn adweithio'n ddrwg
arnom ni ein hunain. Er bod y dialedd cyntaf yn gallu llwyddo a
dwyn boddhad amlwg inni, byrhoedlog yw'r blas melys. Mae blas
chwerw yn ein cegau wrth ddeall bod dial yn ein dibrisio ni ein
hunain. Ni sy'n chwerwi o ran natur; ni sy'n datblygu obsesiwn
drwy gatalogio dulliau dial; ni sy'n troi'n bobl fach fileinig wrth
geisio gwella'n briw ninnau trwy agor un mwy ynddyn nhw. Dyna
pam y dywed dy Air wrthym, 'Myfi piau'r dial; myfi a dalaf yn ôl
...' Maddau inni am fethu aros i'th ddialedd dithau ddod i'r golwg.
Maddau inni am fethu cario'r briwiau gyda ni, heb rwgnach na
theimlo inni gael cam. A maddau inni am fethu ymddiried digon
ynot i ddeall mai cariadus yw dy fwriadau tuag atom ac nid
gelyniaethus.

'Yr wyf yn galw'r nef a'r ddaear yn dystion yn dy erbyn
heddiw, imi roi'r dewis iti rhwng bywyd ac angau, rhwng
bendith a melltith. Dewis dithau fywyd, er mwyn iti fyw,
tydi a'th ddisgynyddion, gan garu'r Arglwydd dy Dduw, a

gwrando ar ei lais a glynu wrtho; oherwydd ef yw dy fywyd ...'

Gosod y geiriau hyn yn ein meddyliau a'n calonnau, os gweli di'n
dda. Argraffa'n eglur arnynt mai bywyd yw dy fendith di. Gad inni
dyfu'n well pobl wrth inni garu'n gelynion. Aeddfeda ni fel
unigolion wrth inni faddau i'n gilydd fel y maddeuaist ti i ni.
Meithrin ni fel personau crwn a chyflawn wrth inni ddysgu cario
creithiau'r geiriau cas a'r gweithredoedd creulon. Helpa ni i gofio
mai ennill, gorchfygu, concro, wnaeth dy Grist, trwy gario
creithiau'r dyddiau diwethaf hynny cyn y Groes. Bywyd a
ddewisodd ef, a'r bywyd newydd yw ef yn awr i bawb sy'n ei
geisio. Gallwn ninnau, gydag ef yn gefn inni, ganolbwyntio arnat ti.

Bonws yw'r bendithion eraill   teulu sy'n ein caru er gwaethaf ein
gwendidau; ffrindiau sy'n ein cynnal ymhob storm a heulwen fel ei
gilydd; pobl sy'n dy ddangos di inni bob dydd mewn gair llawen,
gwên gyfeillgar, stori gellweirus a ddena'r chwerthin ynom, neu law
o gymorth yn ôl yr angen. Bonws yw hawddfyd a hamdden,
digonedd (heb ormodedd) o fwyd a diod, gwres a chysur. Bonws
yw'r cyfle i weithio mewn swydd gan ddefnyddio'n talentau
personol a'n gallu proffesiynol. Bonws ar dy ben di. Oherwydd
ynot ti y cawsom y cyfan, yr holl fendithion   yn dy gwmni ar y
llwybrau byw, ac yn dy Iesu.

(*Llafarganu*)
>   *Benedictus.*
>   Bendith.
>   Dweud yn dda ... Byw yn llawn.

'Bendigedig fyddo Duw a Thad ein Harglwydd Iesu Grist,
y Tad sy'n trugarhau a'r Duw sy'n rhoi pob diddanwch.' Amen.

Roger Ellis Humphreys

Bendithion

Darlleniad 1: Salm 34: 1 8
Darlleniad 2: Salm 145

O! Dduw, ffynnon bywyd a gwreiddyn pob daioni, deuwn i mewn i'th byrth â diolch, ac i'th gynteddau â mawl. Diolchwn am yr awr dawel hon yn dy dŷ, pan gawn gyfle i edrych ar ein bywyd a chyfrif ein bendithion. Rho gymorth inni sylwi ar bethau a gymerwn mor ganiataol yn ein bywyd prysur, a myfyrio ar eu hystyr. Pan wnawn ni hynny, fe fydd ein tafod a'n calon yn dweud:

'Fy enaid, bendithia'r Arglwydd, a phaid ag anghofio'i holl ddoniau.'

Bendithiwn di am dy holl roddion inni am fywyd sy'n wyrth ac yn rhyfeddod, yn gyfle ac yn gyfrifoldeb; am bob dim sy'n cynnal ein bywyd ac yn rhoi inni o ddydd i ddydd ein bara beunyddiol; am drefn natur ac adnoddau tir a môr; am lafur pobl a'u cydweithrediad, sydd trwy dy fendith di yn dwyn ffyniant a thangnefedd i fywyd cymdeithas. Bendithiwn di am iti'n creu i fyw gyda'n gilydd, am gwmni ar daith bywyd, am fywyd teulu ac aelwydydd dedwydd, am bawb a fu'n gofalu amdanom trwy'n hoes, ac am bawb y cawsom ninnau ofalu amdanynt, am gyfeillion a chydnabod a ddaeth â llawenydd a chyfoeth i'n bywyd, am bawb a fu'n ddylanwad arnom, yn agor ein llygaid, ac yn cyfeirio'n llwybrau. Bendithiwn di am bopeth a roddodd inni flas ar fyw harddwch a rhyfeddod y cread o'n cwmpas, campweithiau meddwl a dychymyg dyn, pob crefft a chelfyddyd, llyfrau a llenyddiaeth, cerddoriaeth ac arlunio, doniau a roed i'r ddynoliaeth i ddarganfod ac i ddyfeisio, a phob mynegiant o'r ysbryd creadigol.

Yn bennaf, bendithiwn di am dy Fab Iesu Grist, am y newydd da a ddaeth i'r byd ynddo ef, ac am fod inni faddeuant a gobaith a bywyd newydd trwyddo ef. Bendithiwn di am iddo ddod i ganol bywyd ein byd, yn un ohonom, i rannu'n profiad ac i wynebu'r un amgylchiadau â ninnau. Bendithiwn di am iddo ddwyn i ni 'fywyd yn ei holl gyflawnder' yn ei gariad at ei bobl, yn y modd yr aeth oddi amgylch gan wneuthur daioni, yn ei aberth trosom ar y Groes, a thrwy ei gyfodi i roi inni obaith na all dim ei ddwyn oddi arnom.

Bendithiwn di am iddo ef yn ei fywyd, ei Groes, a'i atgyfodiad drechu'r pethau sy'n ein trechu ni a'n gwahanu oddi wrthynt, gan roi i ninnau fuddugoliaeth dros ddrygioni ac angau. Bendithiwn di fod inni yn Iesu Grist fywyd newydd ei ansawdd, sy'n parhau hyd byth.

Diolchwn i ti, ein Tad, am fod y bywyd newydd hwnnw eisoes ar waith yn ein bywyd ninnau; am fod inni yng Nghrist oleuni ar y ffordd i fywyd, ac yntau'n rhoi arweiniad a chyfarwyddyd ac esiampl; am fod yr efengyl yn dwyn maddeuant, sy'n ein codi pan syrthiwn, yn ein hadfer pan fethwn, yn dod â ni'n ôl atat ti pan grwydrwn, ac yn rhoi ail gyfle rhag i ni anobeithio, am dy fod trwy'r Ysbryd Glân yn ein sicrhau ni o'th gariad a'th ofal amdanom, yn gynhaliaeth mewn cyfnodau anodd, yn gysur a chalondid pan ddigalonnwn, ac yn ein symbylu i ddyfalbarhau o wybod dy fod di'n cydweithio er daioni â'r rhai sy'n dy garu. Am dy holl fendithion, bendithion ein creu a'n cadw, ein cynnal a'n hachub, rhoddwn i ti, O! Dduw, glod a gogoniant a diolch. Yn enw Iesu Grist. Amen.

John Rice Rowlands

Bendithion

Darlleniad: Effesiaid 1: 3 14

O! Dduw hollalluog, 'Craig Israel', clodforwn di am ein bendithio 'â bendithion y nefoedd uchod'. Y mae'r ddaear, 'sy'n yfed y glaw sy'n disgyn arni'n fynych, ac sy'n dwyn cnydau addas i'r rhai y mae'n cael ei thrin ar eu mwyn, yn derbyn ei chyfran o fendith Duw'. Ti hefyd sy'n peri i'th 'haul godi ar y drwg a'r da', ac sy'n 'rhoi glaw i'r cyfiawn a'r anghyfiawn'. Cedwi'r amddifaid yn fyw, a gofali'n dirion am ein gweddwon. Bendithiaist blant gynt, gan eu cymryd hwy yn dy freichiau, a rhoi dy ddwylo arnynt.

'Rhown glod i'r Arglwydd Iôr,
Â llais a llaw a chalon,
Mae ganddo ras yn stôr
I leddfu ein gofalon;
Bu'n dirion iawn i ni
Er dyddiau mebyd gwan;
Bendithion yn ddi ri
O hyd a ddaw i'n rhan.'

Canmolwn di am ein galw i etifeddu bendith. Gwelaist yn dda i fendithio 'holl dylwythau'r ddaear' yn Abraham, gan fwriadu i'r fendith 'ymledu i'r Cenhedloedd yng Nghrist Iesu, er mwyn i ni dderbyn, trwy ffydd, yr Ysbryd a addawyd'. Diolchwn i ti fod 'pobl ffydd yn cael eu bendithio ynghyd ag Abraham ffyddiog'. Bendigedig fyddo Duw a Thad ein Harglwydd Iesu Grist! Y mae wedi'n bendithio ni yng Nghrist 'â phob bendith ysbrydol yn y nefoedd'. Molwn di am ein dewis yng Nghrist cyn seilio'r byd 'i fod yn sanctaidd ac yn ddi fai' ger dy fron mewn cariad. Moliannwn di am ein rhagordeinio 'i gael ein derbyn yn feibion' i di dy hun trwy Iesu Grist, er clod i'th ras gogoneddus. Bendithiwn di am fod 'i ni brynedigaeth trwy ei farw aberthol', ac am i ti roi mesur helaeth o'th ras inni. Diolchwn i ti am hysbysu dirgelwch dy ewyllys i ni, ac am roi i ni yng Nghrist ran yn yr etifeddiaeth.

Bendigwn di am osod arnom yng Nghrist sêl yr Ysbryd Glân, yr hwn 'yw'r ernes o'n hetifeddiaeth', 'er clod i ogoniant Duw'.

'Daeth ffrydiau melys iawn
Yn llawn fel llu
O ffrwyth yr arfaeth fawr
Yn awr i ni;
Hen iachawdwriaeth glir
Aeth dros y crindir cras;
Bendithion amod hedd
O! ryfedd ras!'

Molwn di am dy fod yn Dduw cariad. Ohonot ti y daw cariad, ac fe welaist yn dda i ddangos dy gariad tuag atom. Diolchwn i ti am garu'r byd gymaint nes i ti roi dy unig Fab, 'er mwyn i bob un sy'n credu ynddo ef beidio â mynd i ddistryw ond cael bywyd tragwyddol'.

Moliannwn di am fod bendithion yn 'disgyn ar y cyfiawn', ac am y caiff y dyn ffyddlon lawer o fendithion. Addewaist fendithion dy bobl gynt 'yn y dref ac yn y maes', ac fe ddiolchwn i ti am wneud dy Fab 'yn ddoethineb i ni', 'yn gyfiawnder a sancteiddhad a phrynedigaeth'.

Diolchwn i ti am rodd yr Ysbryd Glân. dy Ysbryd sy'n rhoi bywyd, ac yn galluogi dy blant i lefain, 'Abba! Dad!' Molwn di am 'ffrwyth yr Ysbryd', ac am yr 'amrywiaeth doniau' y mae'r Ysbryd yn eu rhoi i bob un, er lles pawb:

'Dy Ysbryd sy'n goleuo,
Dy Ysbryd sy'n bywhau,
Dy Ysbryd sydd yn puro,
Sancteiddio a dyfrhau.'

Ac yn awr, i ti, ein Duw ni, y byddo'r mawl a'r gogoniant a'r doethineb a'r diolch a'r anrhydedd a'r gallu a'r nerth byth bythoedd! Amen.

Peter Davies

203

Y Greadigaeth

Darlleniad 1: Rhufeiniaid 1: 19 23, 8: 18 25
Darlleniad 2: Effesiaid 1: 9 10

Ein Tad, maddau i ni am ystyried y greadigaeth o'n safbwynt materol a gorllewinol. Aethom i gredu ei bod yno i'w hecsploitio. Dyna'r meddylfryd yr ydym wedi'i allforio i'r gwledydd eraill a'i orfodi arnynt drwy Fanc y Byd a'r Gronfa Ariannol Ryngwladol (IMF).

Diolch i ti nad yw pobl na llywodraethau'r gwledydd wedi derbyn hyn fel efengyl pur. Diolch i ti eu bod yn gosod safbwyntiau gwahanol gerbron fforwm y byd, safbwyntiau ysbrydol yn hytrach na rhai materol, rhai cymdeithasol yn hytrach na rhai hunanol. Agor ein clustiau a'n calonnau i glywed beth a ddywedant wrthym. Gostwng ni i ddeall bod cymunedau sy'n dlawd mewn arian yn gyfoethog mewn patrymau byw. Dyrchafa ni fel y gallwn ddysgu oddi wrthynt sut i adfer bywyd ein gwlad ni.

Mae'n od bod Cymry fel ni wedi llyncu'r hunanoldeb materol sydd mor gyffredin yn ein cymdeithas gyfoes. Ers rhyw ganrif y digwyddodd hyn, medd rhai haneswyr ers inni gael ein meddiannu gan y pwyslais Prydeinig ar 'ddod ymlaen yn y byd'. Ond fe ddywed ein cefndir Celtaidd a Christnogol yn wahanol wrthym. Oddi yno y daw ein parch at y coed (y derw yn enwedig) a'n mawrygu o'r dŵr (yn afon, llyn neu ffynnon sanctaidd). Maddau inni os ydym yn bradychu'n hanian hanesyddol trwy ein harferion modern. Arwain ni'n ôl at ein gwreiddiau ynot ti.

'Oherwydd y mae'r hyn y gellir ei wybod am Dduw yn amlwg ... Yn wir, er pan greodd Duw y byd, y mae ei briodoleddau anweledig ef, ei dragwyddol allu a'i dduwdod, i'w gweld yn eglur gan y deall yn y pethau a greodd ... '

Diolch i ti am y blodau a'r creaduriaid sy'n eu peillioni. Diolch i ti am y *Madagascar periwinkle* sy'n gallu lliniaru effaith cancr gwaed y plant. Agor ein meddyliau i ddysgu am y llu planhigion llesol sydd gennym ar draws ein daear. Boed inni eu defnyddio a'u diogelu yn ôl dy weledigaeth di.

Diolch i ti am y coed sydd yn ein byd. Deffro ni i'w pwrpas yn cadw'r dŵr gyda'r wyneb, yn clymu'r pridd ynghyd, yn cyfrannu at ein hawyr iach a'r lleithder ynddo. Rho ynom awydd i blannu coed yn lle eu torri a'u clirio o ffordd ein datblygiadau ni. Maent yn llythrennol yn anadlu bywyd i'r byd ac yn cadw'r anialwch draw.

Diolch i ti am deulu dyn a'i amrywiaeth rhyfeddol. Yn y corff, yr ydym yn rhan o fywyd y cread yn dilyn patrwm amser a daear. Mae hadau'r dyfodol i'w hau gennym o hyd. Ond dysgwn (gan genhedloedd y dwyrain gan mwyaf) bod undod cofforol ar ei orau yn arwain at undod ysbrydol. A dyna'th wers di yn ein hwynebu eto trwy ein huniaethu'n hunain â thi ac â'r cread, cawn fywyd llawn a chytbwys.

'Hysbysodd i ni ddirgelwch ei ewyllys, y bwriad a arfaethodd yng Nghrist yng nghynllun cyflawniad yr amseroedd, sef dwyn yr holl greadigaeth i undod yng Nghrist, gan gynnwys pob peth yn y nefoedd ac ar y ddaear.'

Bendithia ni i'th waith, i'th Eglwys, i'th fyd, i'th bobl, oherwydd Iesu Grist, dy Fab. Amen.

Roger Ellis Humphreys

Y Greadigaeth

Darlleniad: Salm 8

O! Dduw, creawdwr a chynhaliwr pob peth byw, trown atat yn awr i fyfyrio o'r newydd ar waith dy fysedd.

Diolchwn am y gallu i ryfeddu at brydferthwch a gogoniant y cread; ac i ryfeddu dy fod ti, O! Dduw, wedi ein creu ni, a'n creu ychydig is na'r angylion, a'n creu i fyw er gogoniant i'th enw.

Ategwn eiriau'r salmydd pan ddywed, 'Y mae dy weithredoedd yn rhyfeddol', a 'Mawr yw gweithredoedd yr Arglwydd, fe'u harchwilir gan bawb sy'n ymhyfrydu ynddynt'.

Wrth inni edrych drwy'r telesgop ar y sêr dirifedi yn y nen, ni allwn lai na rhyfeddu at fawredd ac ehangder dy waith. Ac wrth inni fyfyrio ar fanylder a bychander dy waith yn yr atom, ni allwn lai na rhyfeddu at dy ddoethineb ac ymhyfrydu ynddo:

'Fy Nuw, uwchlaw fy neall
Yw gwaith dy ddwylo i gyd;
Rhyfeddod annherfynol
Sydd ynddynt oll ynghyd;'

Gwelwn fod yna drefn berffaith a doethineb perffaith yn holl waith dy fysedd; ac 'Y mae dy holl waith yn foli . . .'

Ymunwn ninnau i'th foli a'th ogoneddu y dydd hwn am dy waith yn llunio'r greadigaeth. Dymunwn fynegi fel y salmydd:

'O Arglwydd, ein Iôr, mor ardderchog yw dy enw ar yr holl ddaear! Gosodaist dy ogoniant uwch y nefoedd . . . Pan edrychaf ar y nefoedd, gwaith dy fysedd, y lloer a'r sêr, a roddaist yn eu lle, beth yw meidrolyn, iti ei gofio, a'r teulu dynol, iti ofalu amdano?'

Diolchwn i ti, O! Dad, am dy ofal tyner drosom. Diolchwn dy fod ti yn darparu at raid dynol ryw yn ddi ffael:

'Tra pery'r ddaear,
ni pheidia pryd hau a medi, oerni a gwres,
haf a gaeaf, dydd a nos.'

Er ein ffaeleddau a'n gwendidau, diolchwn nad wyt ti, drugarocaf Dad, yn ymwrthod â'th gadwraeth a'th gynhaliaeth ohonom.

Fel dy greaduriaid, sylweddolwn ein dibyniaeth lwyr arnat ti, am ein bwyd a'n cynhaliaeth. Yn wir, ynot ti yr ydym yn byw, yn symud ac yn bod. Er dy fod yn llawer mwy na'th greadigaeth, ac uwchben dy greadigaeth, eto yr wyt yng nghanol dy greadigaeth, yn llenwi'r nefoedd a'r ddaear, yn cynnal ac yn cadw holl waith dy fysedd, ac yn peri nad oes un aderyn yn syrthio heb i ti, O! Dad, wybod. Felly, dywedwn gyda'r emynydd:

'Er dy fod yn uchder nefoedd,
Uwch cyrhaeddiad meddwl dyn,
Eto dy greaduriaid lleiaf
Sy'n dy olwg bob yr un;'

Ond wrth ddiolch am dy ofal trosom, a thros dy greaduriaid lleiaf, boed inni weld y cyfrifoldeb sydd wedi ei osod arnom fel stiwardiaid dy greadigaeth. Oblegid rhoist inni 'awdurdod ar waith dy ddwylo'. Gresynwn nad ydym wedi defnyddio'r awdurdod hwn yn y modd gorau bob amser. Yn wir, yr ydym wedi camddefnyddio a difetha dy greadigaeth. Yr ydym wedi bod yn wastrafflyd a thrachwantus yn ein defnydd o adnoddau'r ddaear.

Gofynnwn am dy faddeuant am fethu yn y gorffennol, a nerth i gywiro ein ffyrdd i'r dyfodol. Boed i ni, yn unol â'th ewyllys, barchu a thrysori dy greadigaeth ym mhob ffordd bosib. Gofynnwn i ti ail greu dy ddelw ynom fel y byddwn yn dy ogoneddu di fel stiwardiaid gwaith dy ddwylo.

I ti y bo'r gogoniant am ein creu, a'n hail greu yng Nghrist yr hwn yw cyntaf anedig yr holl greadigaeth. Amen.

Dewi Roberts

Y Greadigaeth

Darlleniad: Salm 8

'O Arglwydd, ein Iôr, mor ardderchog yw dy enw ar yr holl ddaear!' ... 'Teilwng wyt ti, ein Harglwydd a'n Duw, i dderbyn y gogoniant a'r anrhydedd a'r gallu, oherwydd tydi a greodd bob peth, a thrwy dy ewyllys y daethant i fod ac y crewyd hwy.' ... 'Duw tragwyddol yw'r Arglwydd a greodd gyrrau'r ddaear; ni ddiffygia ac ni flina, ac y mae ei ddeall yn anchwiliadwy.'

'Moliannwn di, O! Arglwydd,
Wrth feddwl am dy waith
Yn llunio bydoedd mawrion
Y greadigaeth faith;'

Canmolwn di, O! Dduw hollalluog, am y greadigaeth gyfan. 'Gwelodd Duw y cwbl a wnaeth, ac yr oedd yn dda iawn'. Dengys dy waith dy dragwyddol allu a'th dduwdod, ac 'y mae'r nefoedd yn adrodd gogoniant Duw, a'r ffurfafen yn mynegi gwaith ei ddwylo'. 'Oddi uchod y daw pob rhoi da a phob rhodd berffaith. Disgyn y maent oddi wrth Dad goleuadau'r nef, ac iddo ef ni pherthyn na chyfnewid na chysgod troadau'r sêr.' Derbyniwn â diolch roddion y greadigaeth, gan sylweddoli fod pob dim felly yn 'cael ei sancteiddio trwy Air Duw a gweddi'.

'Am brydferthwch daear lawr,
Am brydferthwch rhod y nen,
Am y cariad rhad bob awr
Sydd o'n cylch ac uwch ein pen,
O! Dduw graslon, dygwn ni
Aberth mawl i'th enw di.'

Ti a greodd ddyn ar dy ddelw dy hun, yn wryw ac yn fenyw, ac a'u bendithiodd hwy, gan orchymyn iddynt hwy lanw'r ddaear a'i llywodraethu. Ti hefyd 'sy'n rhoi i bawb fywyd ac anadl a'r cwbl oll'. Ti a wnaeth 'o un dyn bob cenedl o ddynion, i breswylio ar holl wyneb y ddaear, gan bennu cyfnodau ordeiniedig a therfynau eu preswylfod'. Ti, 'Arglwydd nef a daear', a'm creaist i, ac a'm lluniaist 'yng nghroth fy mam'.

Cydnabyddwn fod pob peth wedi ei greu trwy Iesu Grist, 'ac er ei fwyn ef'. Ef yw'r Gair oedd 'yn y dechreuad gyda Duw', ac wrth enw Iesu fe blŷg 'pob glin yn y nef ac ar y ddaear a than y ddaear'. Ef yw 'cyntaf anedig yr holl greadigaeth', ac ynddo ef y caiff yr holl greadigaeth ei dwyn i undod:

> 'Rwy'n gweld o bell y dydd yn dod
> Bydd pob cyfandir is y rhod
> Yn eiddo Iesu mawr;
> A holl ynysoedd maith y môr
> Yn cyd ddyrchafu mawl yr Iôr,
> Dros wyneb daear lawr.'

O! Arglwydd da, addewaist greu 'nefoedd newydd a daear newydd' 'lle bydd cyfiawnder yn cartrefu'. 'Darostyngwyd y greadigaeth i oferedd', ac mae arno angen 'ei rhyddhau o gaethiwed a llygredigaeth, a'i dwyn i ryddid a gogoniant plant Duw'. Mae'r 'holl greadigaeth yn ochneidio, ac mewn gwewyr drwyddi draw, hyd heddiw'. Mae'n disgwyl yn daer 'am i feibion Duw gael eu datguddio', a diolchwn i ti dy fod eisoes wedi dechrau ar y gwaith o greu drachefn. Molwn di am fod dyn yng Nghrist yn 'greadigaeth newydd', a'i fod yn gwisgo amdano 'y natur ddynol newydd sydd wedi ei chreu ar ddelw Duw, yn y cyfiawnder a'r sancteiddrwydd sy'n gweddu i'r gwirionedd'. Diolchwn hefyd y bydd yr Arglwydd Iesu Grist 'yn gweddnewid ein corff darostyngedig ni ac yn ei wneud yn unffurf â'i gorff gogneddus ef, trwy'r nerth sydd yn ei alluogi i ddwyn pob peth dan ei awdurdod'.

Ac yn awr, i ti, Brenin tragwyddoldeb, yr anfarwol a'r anweledig a'r unig Dduw, y byddo'r anrhydedd a'r gogoniant byth bythoedd! Amen.

Peter Davies

Gwirionedd

Darlleniad 1: Colosiaid 3: 1 17
Darlleniad 2: Ioan 18: 28 38

Ein Tad, clywsom gwestiwn Pontius Peilat, 'Beth yw gwirionedd?'
Gwyddost fod llawer heddiw yn ein plith yn dal i ofyn yr un
cwestiwn. Tybed beth oedd bwriad Peilat yn dweud y fath beth? Ai
awgrymu yr oedd nad yw gwirionedd o unrhyw werth yn wyneb y
dasg anodd o redeg y byd? Bod rhaid i'r gwirionedd a phobl fel
Iesu fod yn 'hyblyg' a chael eu derbyn neu eu gwrthod fel mae'n
gyfleus? Ai bod yn wawdlyd oedd ef?

Beth bynnag oedd ei bwrpas manwl, mae'n amlwg fod dy Eglwys
wedi dysgu'n wahanol ar hyd yr oesau:

'Y mae'r glaswellt yn crino a'r blodeuyn yn gwywo (medd
y proffwyd), ond y mae gair ein Duw ni yn sefyll hyd byth.'

Ac yn ogystal â'n hatgoffa mai glaswellt yw'r bobl, fe ddywed dy
Feibl wrthym, 'Dy Air di yw'r gwirionedd.'

'Er mwyn hyn (meddai Iesu wrth Peilat) yr wyf fi wedi cael
fy ngeni, ac er mwyn hyn y deuthum i'r byd, i dystiolaethu
i'r gwirionedd. Y mae pawb sy'n perthyn i'r gwirionedd
yn gwrando ar fy llais i.'

Wyt ti, ein Duw, yn ein gweld fel rhai sy'n perthyn i'r gwirionedd?
Ydym ni heddiw yn gwrando ar lais dy Grist?

Helpa ni wrth inni wynebu'r cwestiwn mawr hwn, oherwydd sefyll
drosot ti a chyda thi yw ein dymuniad. Yn nyfnder ein calonnau yr
ydym am fod ymhlith dy bobl di. Hwy sy'n deall cyfrinach y
gwirionedd mai dy gariad yw ei graidd a'i galon. Hwy sy'n gallu
arfer a defnyddio'r gwirionedd i wneud bywyd yn werth ei fyw. Dy
Eglwys di sy'n gofalu, heb amodau, am bobl a daear, natur ac
ysbryd. Hithau sy'n gallu newid y byd ei newid o'n ffordd ni i'th
batrwm dithau. Dyma'r iachawdwriaeth sydd gan dy Grist i'w
chynnig i'r holl bobl! Ti yw'r gwirionedd y bu ef yn dyst iddo.

Ynghanol sŵn y lleisiau sydd heddiw'n dweud wrthym nad oes
Duw, dy fod ti'n ffrwyth dychymyg pobl ofnus (rhai sy'n ofni byw,
medden nhw), helpa ni i'th gyhoeddi fel yr unig Dduw byw sy'n
bod. Galluoga ni i'th sefydlu fel craidd bywyd ei hunan. Gad inni
dy ddisgrifio fel yr un sy'n rhoi blas ar y broses fecanyddol o
fodoli. Gweithreda trwom ni fel yr wyt yn gweithio trwy dy Grist.

Gwna ni'n gyfryngau i'th Faddeuant.
Gwna ni'n gyfryngau i'th Gariad.
Gwna ni'n gyfryngau i'th Obaith.
Gwna ni'n gyfryngau i'th Wirionedd.

Beth yw gwirionedd? Dy wirionedd sy'n rhoi inni lwybr i'w
gerdded ar hyd ein byw; a'th wirionedd di yn Iesu Grist sy'n rhoi
nerth i ddilyn y llwybr tra byddwn ni. Dy wirionedd di sy'n taflu
goleuni arnom ni'n hunain ac ar y ffordd wrth inni ei thramwyo.

Y gwirionedd yw ein bod yn byw o'th herwydd   'Ar wahân i mi, ni
allwch chwi wneuthur dim.'

Cadw ni gyda thi, yn bobl y ffordd, y gwirionedd a'r bywyd   er
gogoniant i'th enw. Amen.

Roger Ellis Humphreys

Gwirionedd

Darlleniad: Salm 119: 1 24

'Anfon dy oleuni a'th wirionedd . . . bydded iddynt fy nwyn i'th fynydd sanctaidd ac i'th drigfan. Yna dof at allor Duw, at Dduw fy llawenydd.'

O! Arglwydd ein Duw, yr hwn wyt gyfiawn a sanctaidd, ac a geisi gariad a gwirionedd oddi mewn, llanw ninnau â'r pethau hyn, gan ein nerthu i ymwrthod â phob cymhelliad hunanol. Symud ymaith o'n bywyd, ac o fywyd ein gwlad, bob anonestrwydd a thwyll. Cadw'r cyfoethog a'r breintiedig rhag anwybyddu anghenion y gwan a'r tlawd. Bydd di, O! Arglwydd, yn swcwr i bob person diamddiffyn. Bydded i egwyddorion dy deyrnas fod yn rhan o holl weithrediadau ein llywodraeth, a holl arferion y farchnad ariannol. Dymunwn weld dy wirionedd di yn ymledu i bob cylch o'n bywyd fel gwlad. Cwyd yn ein gwlad genhedlaeth a gais oleuni a gwirionedd, ac a fydd yn ffyddlon iddynt. Dyro inni'r gwyleidd dra i eistedd wrth draed yr Athro mawr, fel y dysgwn ganddo, ac y rhodiwn yn ei lwybrau. Arwain ni ar hyd llwybrau cyfiawnder a dysg i ni dy wirionedd, oherwydd ti yw Duw ein hiachawdwriaeth.

Dyro inni galon uniawn i ymhyfrydu yn dy ddeddfau, a phâr inni fedru dweud gyda'r salmydd: 'Ymhyfrydaf yn dy orchmynion am fy mod yn eu caru.' Wrth inni weld dy ddeddfau di'n cael eu hamharchu, dyro inni sensitifrwydd ysbrydol i ymateb megis y salmydd: 'Y mae fy llygaid yn ffrydio dagrau am nad yw pobl yn cadw dy gyfraith'.

Cydsyniwn â'r salmydd wrth iddo fawrhau gwerth dy ddeddfau i'n henaid: 'Y mae dy gyfraith yn berffaith, yn adfywio'r enaid; y mae dy dystiolaeth yn sicr, yn gwneud y syml yn ddoeth; y mae dy ddeddfau yn gywir, yn llawenhau'r galon; y mae dy orchmynion yn bur, yn goleuo'r llygaid; y mae dy ofn yn lân, yn para am byth; y mae dy farnau yn wir, yn gyfiawn bob un. Mwy dymunol ydynt

nag aur, na llawer o aur coeth, a melysach na mêl, ac na diferion
diliau mêl.'

'Ti, O! Nefol Athro,
Dysg i mi dy ffyrdd;
Arwain i'r wybodaeth
A oleua fyrdd;
Sanctaidd yw dy Ddeddfau,
Cyfiawn, gwir, a doeth,
Ac sydd werthfawrocach
Im nag yw aur coeth.'

Gad inni brofi o'r newydd flas a gorfoledd y bywyd uniawn.
Tywallt dy oleuni a'th wirionedd i'n calon fel y rhodiwn dy lwybrau
di holl ddyddiau ein bywyd, ac y cawn ein dwyn yn ddiogel i'th
drigfan sanctaidd.

'Mi wyraf weithiau ar y dde,
Ac ar yr aswy law;
Am hynny, arwain, gam a cham,
Fi i'r Baradwys draw.'

Arwain ni felly, ein harweinydd a'n bugail, ar hyd llwybrau
cyfiawnder a gwirionedd. Er mwyn dy enw. Amen.

Dewi Roberts

Gwirionedd

Darlleniad: 2 Ioan

O! Dduw ffyddlon, yr 'un cyfiawn ac uniawn', canmolwn di am dy fod 'yn Dduw trugarog a graslon, araf i ddigio, a llawn ffyddlondeb a gwirionedd'. 'Cyfiawnder a barn yw sylfaen dy orsedd,' ac mae dy holl lwybrau 'yn llawn cariad a gwirionedd.' Rwyt yn 'caru cyfiawnder a barn' ac 'mae cariad a gwirionedd yn mynd o'th flaen'. 'Y mae dy gyfiawnder di yn gyfiawnder tragwyddol, ac y mae dy gyfraith yn wirionedd.'

Clodforwn di, 'y digelwyddog Dduw', am fod 'd'eiriau di yn wir'. 'Gwir yw gair yr Arglwydd,' ac nid oes ansicrwydd yn perthyn i ti. 'Y mae dy holl orchymynion yn wirionedd,' ac 'yr wyt yn dymuno gwirionedd oddi mewn.' 'O! Arglwydd, dysg i mi dy ffordd, i mi rodio yn dy wirionedd; rho i mi galon gywir i ofni dy enw'. 'Arglwydd, pwy a gaiff aros yn dy babell? Pwy a gaiff fyw yn dy fynydd sanctaidd? Yr un sy'n byw'n gywir, yn gwneud cyfiawnder, ac yn dweud gwir yn ei galon.'

'O! Arglwydd, gwêl dy was,
A phrawf fy nghalon i;
Os gweli ynof anwir ffordd,
I'r uniawn tywys fi.'

Moliannwn di, O! Arglwydd, am fod dy Fab 'yn llawn gras a gwirionedd'. Ef 'yw'r ffordd a'r gwirionedd a'r bywyd', ac mae ei eiriau'n wirionedd i gyd. Daeth i'r byd 'i dystiolaethu i'r gwirionedd', ac mae pawb sy'n perthyn i'r gwirionedd yn gwrando ar ei lais. Rwyt ti yn dwyn tystiolaeth wir amdano, ac mae Ysbryd y Gwirionedd hefyd yn tystio amdano. Ynddo ef y mae'r 'Ie' i holl addewidion Duw, a thrwyddo ef yr ydym yn dweud yr 'Amen' er gogoniant Duw.

Diolchwn i ti fod y gwirionedd yn rhyddhau caethweision pechod, ac yn eu gwneud 'yn rhydd mewn gwirionedd'. 'Lle y mae Ysbryd yr Arglwydd, y mae rhyddid.' Molwn di am fod Ysbryd y

Gwirionedd yn arwain dy blant 'yn yr holl wirionedd', ac mai 'dy air di yw'r gwirionedd'.

> 'O! Arglwydd Dduw'r Hwn biau'r gwaith,
> Arddel dy faith wirionedd,
> Fel byddo i bechod o bob rhyw
> Gael marwol friw o'r diwedd.'

O! Dduw byw, dy Eglwys di yw 'colofn a sylfaen y gwirionedd'. Am hynny, gofynnwn i ti ei chadw rhag gau broffwydi sy'n dod ati 'yng ngwisg defaid, ond sydd o'u mewn yn fleiddiaid rheibus'. Rhybuddiaist ni rhagddynt, a dywedaist wrthym mai 'wrth eu ffrwythau yr adnabyddwch hwy'. Gwared ni rhag cael ein 'gyrru yma a thraw gan bob rhyw awel o athrawiaeth'. Nertha ni yn hytrach i sefyll â gwirionedd yn wregys am ein canol, gan 'ddilyn y gwir mewn cariad, a thyfu ym mhob peth i Grist', ein Pen. Cynorthwya ni i 'garu nid ar air nac ar dafod, ond mewn gweithred a gwirionedd'. Cryfha ni i 'fod yn gydweithwyr dros y gwirionedd', gan gofio fod cariad 'yn cydlawenhau â'r gwirionedd'.

> 'Am wirionedd boed ein llafur,
> Am wirionedd boed ein llef,
> Dim ni thycia ond gwirionedd
> O flaen gorsedd bur y nef:
> Gwir wrth fyw, a gwir wrth farw,
> Fydd yn elw mwy na'r byd;
> Arglwydd grasol, o'th drugaredd,
> Rhoi wirionedd inni i gyd.'

Ac yn awr, iddo ef, sydd â'r gallu ganddo i wneud yn anhraethol well na dim y gallwn ni ei ddeisyfu na'i ddychmygu, trwy'r gallu sydd ar waith ynom ni, iddo ef y bo'r gogoniant yn yr eglwys ac yng Nghrist Iesu, o genhedlaeth i genhedlaeth, byth bythoedd! Amen.

Peter Davies

Addoli

Darlleniad: Salm 96

'Deuwn, canwn yn llawen i'r Arglwydd, rhown wrogaeth i graig ein hiachawdwriaeth. Down i'w bresenoldeb â diolch, rhown wrogaeth iddo â chaneuon mawl. Oherwydd Duw mawr yw'r Arglwydd, a brenin mawr goruwch yr holl dduwiau.'

Diolchwn i ti, ein Tad, am y gallu i addoli, a rhyfeddwn at ba mor barod wyt ti i dderbyn ein haddoliad. Cofiwn mai creaduriaid syrthiedig ydym, ac eto gwyddom nad oes dim yn fwy hyfryd gennyt ti na sŵn moliant dy bobl. Rho yn ein calonnau ni felly yr awydd i'th ganmol, ac agor ein meddyliau i dderbyn dy wirionedd.

O! Dduw, rho inni'r doethineb yn awr i ymatal rhag ceisio dy rwydo mewn geiriau, ymaflyd ynot â'n meddwl, caethiwo dy ryfeddod â'n syniadau'n hunain. Yn hytrach, gad inni syllu arnat, a gad i'r syllu hwnnw droi'n adnabyddiaeth, a'r adnabyddiaeth yn fawl. Gwared ni rhag llefaru geiriau gwag a bodloni ar hen ddelweddau, arbed ni rhag llygru dy burdeb â'n pechod, a rho inni'r wefr honno a deimla'r sawl a ddaw i undeb bywiol â thydi.

A ninnau'n dyfod atat fel y daw plentyn at dad sy'n ei garu, gwna ni'n ymwybodol o'th gariad anhraethol tuag atom. Cariad a ddatguddiwyd inni yn dy Fab, Iesu, a chariad y dylem ninnau ei adlewyrchu yn ein hymwneud â'n gilydd. Gwyrth fwyaf ein hanes ni yw i'r fath gariad gael ei dywallt dros y fath rai. Boed ein haddoliad felly yn ddim llai nag ymateb byw i'r cariad hwnnw. Boed inni bob amser ymroi i'w adlewyrchu, a boed inni sylweddoli nad yw sôn am garu'n ddigon, na ellir moli heb weithio, ac na ellir addoli'n iawn heb dorri'r groes sydd ar lwybr bywyd. Ein Duw, cynnal ni ac arwain ni, boed dy Air yn gysur ac yn gerydd inni, a thu ôl i'r dirgelwch sy'n dy guddio oddi wrth dy blant gad i ni ganfod gwedd yr Arglwydd Iesu.

Gweddïwn, Arglwydd, dros y rhai hynny nad ydynt heddiw'n gallu addoli. Rhai am fod eu calon yn drwm a'u byd yn dywyll, rhai am na fu iddynt erioed gael eu hannog i blygu glin a chanu emyn, rhai am fod casineb ac ofn yn llenwi eu calon. O! Dad, gwared hwy a ninnau oddi wrth bob trychineb a thrallod, pob rhagfarn ac anwybodaeth, pob pechod a bai. A hynny, nid am fod ynom ni haeddiant, ond er mwyn dy enw a'th ogoniant di dy hun, ac er mwyn i'r môr o fawl ehangu a gorchuddio'r ddaear.

Ac o gofio'r ddaear, O! Arglwydd, cyflwynwn i'th sylw di y rhai sydd heddiw'n glaf ac mewn poen, yn bryderus ac mewn trallod, yn wynebu glyn cysgod angau, a heb wybod i ba le i droi. Boed i'th dangnefedd di fod arnynt a'th ysbryd yn eu plith, ac os yw'n bosibl i ti ein defnyddio ninnau i helpu'r llesg a'r gwan, boed felly. Caniatâ i'n mawl orlenwi'n bywyd, ac i'n haddoliad fynd yn gymysg â'n gwaith wrth inni ennill y byd i ti. Amen.

Elwyn Richards

Addoli

Darlleniad 1: Salm 147: 1 13
Darlleniad 2: Ioan 4: 19 24

'Mawl sy'n ddyledus i ti, O! Dduw, yn Seion.'

'Dyfod y mae yr awr ac yn awr y mae hi, pan addolo'r gwir addolwyr y Tad mewn ysbryd a gwirionedd.'

O! Arglwydd ein Iôr, ni a ddymunwn roddi i ti yr anrhydedd a'r mawl sy'n ddyledus i'th enw sanctaidd.

O! Arglwydd ein Iôr, ni a ddymunwn roddi i ti addoliad ysbrydol ein calon, ac addoliad rhesymol ein meddwl. Oherwydd y gwir addolwyr yw'r rhai sy'n addoli'r Tad mewn ysbryd a gwirionedd. Dyna'r addolwyr yr wyt ti, O! Dad, yn eu ceisio.

Ond er ein hawydd i'th addoli di mewn modd sy'n deilwng o'th enw sanctaidd, gresynwn ein bod, oherwydd llesgedd ysbrydol, yn syrthio'n fyr yn fynych o'r nod aruchel hwn. Nid ydym yn rhoddi i ti yr addoliad a'r mawl yr wyt ti'n ei ddymuno ac yn ei haeddu ei gael gennym. Rhoddaist i ni fywyd, a gras ar ôl gras yng Nghrist Iesu ein Harglwydd, ac eto syrthiwn yn fyr o'th ogoniant yn ein haddoliad.

Maddau i ni, O! Dduw, am bob gwendid ynom sy'n peri bod ein haddoliad yn annheilwng ohonot ti. Ond erfyniwn ar i ti ein derbyn ni, a derbyn ein haddoliad amherffaith yn haeddiant ein Harglwydd a'n Gwaredwr Iesu Grist. Ac erfyniwn ar i ti hyrwyddo a bywhau ein hymdrechion i'th addoli drwy ddylanwad dy Lân Ysbryd yn ein calon.

A thrwy'r orig hon o addoliad deisyfwn ar iti ein bywiocáu yn ein hysbryd fel y byddwn yn dy wasanaethu di'n ffyddlonach yn ein bywyd beunyddiol, ac yn derbyn sêl newydd i anrhydeddu dy enw ar y ddaear. Yn wir, dymunwn i ti ein tanio ni o'r newydd â thân dy Lân Ysbryd. Boed inni brofi dy sêl di yn llosgi yn ein calon sêl megis ein Harglwydd Iesu Grist yn glanhau y deml, yn pregethu'r newyddion da i'r tyrfaoedd, yn iacháu'r cleifion, ac yn rhoddi ei einioes yn bridwerth dros lawer.

Drwy ddylanwad dy Lân Ysbryd yn ein calon, dyro inni sêl i ogoneddu dy enw ym mhob peth a ddywedwn ac a gyflawnwn yn ein bywyd. Credwn mai prif ddiben ein bywyd yw gogoneddu dy enw a'th fwynhau byth ac yn dragywydd, a sylweddolwn mai drwy ddylanwad dy Lân Ysbryd yn unig y llwyddwn i gyflawni'r diben aruchel hwn.

Gorchmynnaist dy bobl i'th addoli di ac i'th garu di â'u holl galon, ac â'u holl feddwl, ac â'u holl nerth. Boed i nerth dy Lân Ysbryd ynom ein galluogi i ufuddhau i'r gorchymyn hwn yn dy gysegr yr awr hon.

Credwn fod addoliad ysbrydol dy bobl yn boddhau dy galon, O! Dduw a dymunwn dy foddhau ym mhob ffordd drwy ein haddoliad. Dymunwn fawrygu dy enw sanctaidd. Dymunwn ddiolch i ti am ein bendithio ni yng Nghrist â phob bendith ysbrydol. Mawr a gogoneddus yw dy enw. Mawr a gogoneddus yw dy holl weithredoedd. Mawrygwn dy enw am yr hyn a gyflawnaist trwy fywyd, aberth, ac atgyfodiad yr Arglwydd Iesu. Trwyddo ef y gwelwn beth yw lled, hyd, uchder a dyfnder dy gariad di.

Boed inni brofi dy gariad o'r newydd yn ein calon heddiw. Yn wir, boed i'th gariad orlifo ynom fel y bydd inni gael ein hysbrydoli i rannu dy gariad yn ein cartrefleoedd ac yn ein cymdogaeth.

Pâr inni ganfod dy fod ti'n ein bendithio ni yn awr yng Nghrist Iesu, a thrwy dy Lân Ysbryd arwain ni ymhellach yn ein haddoliad, a sancteiddia fyfyrdodau ein calon, er gogoniant i'th enw. Amen.

Dewi Roberts

Addoli

Darlleniad: Salm 3

O! Arglwydd Dduw hollalluog, 'yr unig Dduw', addolwn di am nad oes Duw ond tydi. 'Mawr wyt ti, O Arglwydd Dduw, oblegid ni chlywodd ein clustiau am neb tebyg i ti, nac am un duw ar wahân i ti'. 'Nid oes Duw fel tydi yn y nef uwchben nac ar ddaear lawr,' ac 'ni all y nefoedd na nef y nefoedd dy gynnwys.' 'Mawr yw'r Arglwydd, a theilwng iawn o fawl; y mae i'w ofni'n fwy na'r holl dduwiau.'

Tydi, 'y Duw mawr, cryf ac ofnadwy', 'sy'n lladd, a gwneud yn fyw'. 'Mawr a rhyfeddol yw dy weithredoedd, O Arglwydd Dduw hollalluog, cyfiawn a gwir yw dy ffyrdd, O Frenin y cenhedloedd'. 'Pwy ymhlith y duwiau sy'n debyg i ti, O Arglwydd? Pwy sydd fel tydi, yn ogoneddus ei sancteiddrwydd, yn teilyngu parch a mawl, ac yn gwneud rhyfeddodau?' 'Sanct, Sanct, Sanct yw Arglwydd y Lluoedd; y mae'r holl ddaear yn llawn o'i ogoniant'.

'Sanctaidd, sanctaidd, sanctaidd, Dduw hollalluog!
Datgan nef a daear eu mawl i'th enw di:
Sanctaidd, sanctaidd, sanctaidd, cadarn a thrugarog!
Trindod fendigaid yw ein Harglwydd ni!'

Canmolwn di, O! Arglwydd, oherwydd 'yr wyt ti'n Dduw sy'n maddau, yn raslon a thrugarog, araf i ddigio a llawn ffyddlondeb'. 'Yr wyt ti, Arglwydd, yn dda a maddeugar, ac yn llawn trugaredd i bawb sy'n galw arnat.' 'Da yw'r arglwydd; y mae ei gariad hyd byth, a'i ffyddlondeb hyd genhedlaeth a chenhedlaeth.' Nid wyt ti'n ceryddu'n ddidrugaredd, nac yn meithrin dy ddicter am byth. 'Oherwydd fel y mae'r nefoedd uwchben y ddaear, y mae ei gariad ef dros y rhai sy'n ei ofni':

'Pa Dduw ymhlith y duwiau
Sydd debyg i'n Duw ni?
Mae'n hoffi maddau'n beiau,
Mae'n hoffi gwrando'n cri;
Nid byth y deil eiddigedd,
Gwell ganddo drugarhau;
Er maint ein hannheilyngdod,
Mae ei gariad e'n parhau.'

'Bendigedig fyddo enw'r Arglwydd o hyn allan a hyd byth.'
'Cododd waredigaeth gadarn i ni yn nhŷ Dafydd ei was.' Molwn di
am 'y newydd da am lawenydd mawr' a ddaeth i ni yng ngeni'r
Gwaredwr. Diolch am i Grist farw dros ein pechodau ni, yn ôl yr
ysgrythurau; iddo gael ei gladdu, a'i gyfodi y trydydd dydd, yn ôl
yr ysgrythurau. 'Ef yw'r iawn dros ein pechodau ni, ac nid dros ein
pechodau ni yn unig, ond hefyd bechodau'r holl fyd.' 'Teilwng
yw'r Oen a laddwyd i dderbyn gallu, cyfoeth, doethineb a nerth,
anrhydedd, gogoniant a mawl'. Ef yw'r 'cyntaf anedig o blith y
meirw', ac mae'n fyw bob amser i eiriol drosom.

'Pa le, pa fodd dechreuaf
Foliannu'r Iesu mawr?
Olrheinio'i ras ni fedraf;
Mae'n llenwi nef a llawr.'

O! Dduw Dad, clodforwn di am 'ddawn yr Ysbryd Glân'.
Addewaist roi dy Ysbryd yn dy bobl, a gwneud iddynt ddilyn dy
ddeddfau a gofalu cadw dy orchmynion. Diolchwn i ti am gyflawni
dy addewid, gan 'roi'r Ysbryd yn ernes yn ein calonnau'.
Datguddiaist i ni trwy'r Ysbryd y pethau a ddarperaist ar gyfer y
rhai sy'n dy garu. Yr Ysbryd sydd yn plymio dyfnderoedd Duw, ac
sydd yn rhoi ar wybod inni y pethau a roddaist o'th ras i ni.

Ac yn awr, i'r hwn sy'n eistedd ar yr orsedd, ac i'r Oen, y bo'r
mawl a'r anrhydedd a'r gogoniant a'r nerth byth bythoedd! Amen.

Peter Davies.

Y Rhai sy'n Gofalu

Darlleniad: Mathew 25: 31 46

Moliannwn dy enw, O! Dduw, am dy gariad mawr tuag atom. Cofiwn am y modd y bu i ti ddod i'n byd yn Iesu Grist, dy Fab, i ddangos i ni dy gariad, a diolchwn fod rhywrai ym mhob oes wedi dilyn ei esiampl ef.

Heddiw cofiwn yn arbennig am y rhai hynny sy'n gofalu am eraill. Diolchwn i ti amdanynt a'r modd y maent yn datgan dy ogoniant drwy wasanaethu eu cyd ddynion. Y mae rhai yn gweini ar y cleifion, eraill yn cysuro'r trallodus, eraill yn ymgeleddu'r digartref a'r diwaith, y ffoadur a'r sawl sydd heb gyfaill. Gad iddynt wybod dy fod ti nid yn unig yn cymeradwyo'u gwasanaeth ond yn abl i'w cynorthwyo hefyd.

Diolchwn, O! Dad, am bawb a'th deimlodd di'n agos pan oedd eu gofal yn fawr, am bob un a glywodd dy lef ddistaw fain yng nghanol dwndwr gwaith a gorchwyl. Credwn, Arglwydd, dy fod yn paratoi dy bobl at bob tasg ac yn eu nerthu ar gyfer pob gofyn: credwn nad oes ar y cynorthwywyr angen help, ac y gellir llafurio a gofalu yn ddiorffwys. Yn dy drugaredd symbyla ninnau hefyd, y rhai y mae baich ein gofal yn ysgafn, i gefnogi a chysuro'r rhai sy'n gorfod dyfalbarhau.

Meddyliwn yn arbennig am wŷr a gwragedd sy'n gofalu am aelodau o'u teulu. Maent efallai yn brysur y dydd ac yn effro'r nos, yn methu ymollwng i afael cwsg ac yn methu rhoi eu gofal heibio. O! Dad, fe wyddom y gelli di roi tangnefedd. Addewaist i'th ddisgyblion gynt dy dangnefedd di dy hun. Nid fel y mae'r byd yn rhoi yr wyt ti yn rhoi i ni. Deisyfwn felly ar i'th ysbryd ein hamddiffyn rhag pob digalondid a'n harbed rhag mynd yn ysglyfaeth i hunandosturi. Cyfeiria ni bob amser i edrych ar Iesu pan yw'r gofyn yn fawr, ac i wrando ar ei eiriau pan yw chwerwder yn agos:

'Yn wir rwy'n dweud wrthych, yn gymaint ag i chwi ei wneud i un o'r lleiaf o'r rhain, fy mrodyr, i mi y'i gwnaethoch.'

Gweddïwn, Arglwydd, nid yn unig dros y rhai sy'n gofalu o fewn cylch eu teulu a'u cyfeillion, ond hefyd dros y rhai sydd wrth eu gwaith yn gweini meddygon a gweinyddesau, cynorthwywyr cartref a gweithwyr cymdeithasol, y rhai sy'n ceisio dwyn cymorth i bobl dlawd y byd a'r rhai sy'n gweithio ymysg ffoaduriaid.

Lle mae'r dasg yn fawr a'r adnoddau'n brin, bydd di yno i'w harbed rhag teimlo fod y gwaith yn ofer. Lle mae rhwystrau'n cynyddu a'u heffeithiolrwydd i bob golwg yn lleihau, cadw hwythau rhag digalondid. A lle maent hefyd yn llwyddo ac yn canfod dioddefaint a gwendid, tristwch ac anobaith yn cilio, cadw hwy rhag balchder. Argyhoedda ni mai eiddot ti yn unig yw'r gallu tragwyddol, mai ti yn unig sydd feistr amser, ac mai ysbeidiol fyddai pob buddugoliaeth fach heb dy fuddugoliaeth fawr dy hun.

Canmolwn dy enw am Iesu Grist, dy Fab, gan gofio nid yn unig iddo ef ofalu a gweini ond iddo hefyd goncro angau a'r bedd. Gad i fywyd newydd yr atgyfodiad fod ynom ym mhob gwaith a gofal, ac i'r Crist byw fod yn ein hymyl beth bynnag a wnawn:

> 'Yn anheddau'r tlawd a'r unig
> Ar balmentydd oer y dref,
> Dangos wnawn dosturi'r Prynwr,
> Rhannwn ei drugaredd gref:
> Hyn fo'n gweddi wrth ymestyn
> At bob llwyth a gwlad sy'n bod:
> Gras, i ti, Iachawdwr, Frenin,
> Syrthied pawb ar ddeulin clod.'

Yn enw Iesu Grist ein Harglwydd, gan ofyn maddeuant am bob bai. Amen.

Elwyn Richards

Y Rhai sy'n Gofalu

Darlleniad: Philipiaid 4: 10 20

O! Dduw, ein Gwaredwr, tydi, yr hwn a ddaeth o'r nefoedd i'n daear ni i dy uniaethu dy hun â ni, tydi, yr hwn a lafuriodd fel saer, a iachaodd y cleifion, a fu'n athro i'r di ddysg, tydi, yr hwn a brofodd dlodi a newyn a syched a blinder marwol, gwrando yn awr ein deisyfiadau.

Gwrando ein gweddi dros bawb sydd, trwy ofalu am eraill, yn dilyn ôl dy droed, ac yn efelychu'r ysbryd o wasanaeth ac ymroddiad a ddangosaist yng Nghapernaum flynyddoedd maith yn ôl.

Gweddïwn dros feddygon sy'n trin corff a meddwl, a llawfeddygon sydd, â'u medrusrwydd, yn gwella clwy ac yn lliniaru poen.

Gweddïwn dros bawb sy'n gweini ar gleifion, ac yn gofalu am yr hen, y methedig, a'r amddifad.

Gweddïwn dros fydwragedd yn ein hysbytai wrth iddynt gynorthwyo mamau yn awr eu llafur i ddod â bywyd newydd i olau dydd, ac am eu gofal cyson am y teulu.

Gweddïwn dros y rhai sy'n gyfrifol am 'gymorth cyntaf' gwŷr a gwragedd yr ambiwlans, y frigâd dân, a'r bad achub. Diolchwn am eu dewrder a'u diysgogrwydd cysurlon mewn argyfwng a pherygl.

Gweddïwn dros rieni yn eu gofal cariadlon o'u plant.

Gweddïwn dros athrawon ysgolion a cholegau yn eu gwaith o hyfforddi ein plant a'n pobl ifainc.

Gweddïwn dros y rhai sy'n gofalu am ein hanghenion ysbrydol, yn offeiriaid a gweinidogion.
Gweddïwn dros y rhai sy'n gweithio dramor, megis cenhadon sy'n

rhannu'r newyddion da mewn gair a gweithred.

Gweddïwn dros weithwyr cymdeithasol a phawb sydd ynghlwm wrth waith gwirfoddol.

Gweddïwn dros bob gwaith ymchwil gan wyddonwyr fydd yn cynyddu ein gallu i drin afiechydon o bob math, ac yn gwella ein safon byw mewn amryfal ffyrdd ymhell i'r dyfodol.

Gweddïwn dros fudiadau dyngarol; mudiadau megis Cymorth Cristnogol, Oxfam, Cafod, Y Samariaid, a llu o rai eraill.

Gweddïwn dros y rhai di sôn amdanynt; y rhai sydd bob amser yn barod iawn eu cymwynas, a heb ddisgwyl cymwynas yn ôl. Pobl y gallwn ddweud amdanynt eu bod yn halen y ddaear!

Gweddïwn dros y rhai sy'n gyfrifol am gyfraith a threfn yr heddlu, cyfreithwyr, barnwyr, a'r rhai sy'n gofalu am garchardai.

A gweddïwn dros y rhai sy'n ein hamddiffyn ar dir, môr ac yn yr awyr.

O! Arglwydd, ein Tad Nefol, yr hwn yn ôl dy ragluniaeth sy'n pennu ac yn trefnu ein gwahanol ddyletswyddau, caniatâ i bawb ohonom ysbryd i ymdrechu â chalon lawen i gyflawni ein gwaith yn ein gwahanol gylchoedd fel rhai'n gwasanaethu un Meistr ac yn chwilio am un wobr. Dysg inni wneud y defnydd gorau o ba dalentau bynnag a roddaist inni, a galluoga ni i brynu'r amser gyda mawr amynedd a sêl, trwy Iesu Grist ein Harglwydd. Amen.

Dewi Roberts

Y Rhai sy'n Gofalu

Darlleniad: Salm 23

Dad pob gofal a thawel ostegwr pob storm, atat ti y trown gyda diolch am y rhai sy'n gofalu. Pobl ydynt sydd yn ymateb i gyflwr ac i sefyllfa eraill mewn cariad a thosturi.

Cofiwn am ofal Mair, mam Iesu. Gofal greddfol a naturiol mam dros ei phlentyn; gofal a barhaodd dros Iesu ar hyd ei fywyd; gofal a rannodd ym mhwysau'r groes, ac yn nioddefaint y croeshoeliad.

Diolchwn i ti am ofal mamau'r byd heddiw.
Y fam sydd, mewn cariad, yn dymuno y bydd i'r baban yn ei breichiau brofi o'th wenau di ar hyd ei oes.
Y fam sy'n rhannu yng ngofid ei phlentyn sy'n wynebu amgylchiadau anodd neu annheg.
Y fam sy'n dal i garu a phoeni pan fo'i ei phlentyn wedi ei arwain i drafferthion.
Y fam sy'n cyd ddioddef â phlentyn ar gyffuriau, neu sydd yng ngharchar.
Y fam na ŵyr beth yw hanes ei phlentyn.
Diolch am ofal mam.

Cofiwn am ofal y tad hwnnw y dioddefai ei fab o epilepsi, ac a aeth ag ef at Iesu i'w iacháu, gan gyfaddef, "Y mae gennyf fi ffydd; helpa di fy niffyg ffydd".

Diolchwn iti am ofal rhieni dros blant sy'n dioddef salwch ac afiechyd nad oes moddion i'w gael ar hyn o bryd i'w gwella. Cynnal eu breichiau wrth iddynt ofalu am holl anghenion eu plant, a phan fo'u ffydd yn diffygio, pan welant oriau'r dydd yn hir, ac oriau'r nos yn hwy, rho di dy nerth iddynt.

Cofiwn am ofal cyfeillion rhyw ŵr a oedd wedi ei barlysu, ac a'i cariodd ar ei wely at Iesu, a'i ollwng i lawr drwy do'r tŷ lle roedd Iesu, a thyrfa fawr wedi ymgynnull.

Diolch i ti am y bobl hynny sy'n barod i 'gerdded yr ail filltir' yn eu gofal dros eraill. Rhai sy'n barod i rannu'r beichiau a rhannu'r gofidiau dros gâr neu gydnabod neu gyfaill. Diolch am 'ofalwyr' felly yn ein cymdeithas, ac agor ein llygaid i weld sut y gallwn ninnau fod yn gyfryngau gofal fel hyn dros eraill.

Cofiwn am ofal y fam weddw a gollodd ei mab, a'r ddwy chwaer, Mair a Martha a gollodd eu brawd.

Cysura'r gofalwyr hynny, O! Dad, sy'n gweini dros y rhai sy'n marw. Pan ei bod hi'n anodd derbyn y drefn, pan fo'r gobeithion i gyd yn pylu, helpa hwy i wynebu'r anorfod mewn ffydd, ac i bwyso ar dy addewidion di yn Iesu Grist. Caniatâ i'r boen o golli rhywun annwyl mewn profedigaeth fod yn gyfrwng i ddod â'r rhai sydd yn eu galar a'u hiraeth i adnabyddiaeth newydd ohonot ti, ac i ymdeimlo â'th agosrwydd.

Mae'r Salmydd yn ein hatgoffa i Dduw roi i deulu dyn awdurdod ar waith ei ddwylo, a gosod popeth dan ei draed ef, ..

Erfyniwn am dy faddeuant am bob drwg a wnaed gennym i'th greadigaeth. Yn ein trychwant a'n hunanoldeb rydyn ni wedi treisio'r ddaear a rhannu ei hadnoddau yn afradlon. Cymorth ni i sylweddoli yr ymddiriedaeth fawr a roddaist ti ynom ni; a gwna ni'n ofalwyr mwy cydwybodol o'r ddaear, ac o bob peth byw arall sy'n rhannu'r ddaear yma gyda ni fel cartref.

Wrth gofio am y wraig a roes y ddwy hatling yng nghist y drysorfa,

Diolchwn am rai sydd, yn eu gofal dros dy bethau di, yn cyfrannu tuag at eu cynnal. Diolchwn am dy eglwys yn dy wlad a'n byd, ac am bob rhodd a chefnogaeth sy'n ei galluogi i weithredu yn fwy effeithiol yn dy enw di. Diolchwn am bob cymorth a chynhaliaeth a gaiff pobl ganddi a thrwyddi.

Ac wrth gofio mai 'yr Arglwydd yw fy mugail ... '

Fe'th gydnabyddwn di, Arglwydd, nid yn unig yn greawdwr a chynhaliwr, ond ti hefyd wyt ofalwr ein heneidiau. Dyro i'n heneidiau ni nawr brofi'r tangnefedd hwnnw nad yw i'w gael ond ynot ti. Maddau inni yn haeddiannau Iesu Grist bob diffyg a diofalwch, wrth i ni gyflwyno ein hunain a'n gilydd i'th ofal tragwyddol di. Amen.

Tecwyn Ifan

Sancteiddrwydd

Darlleniad: Eseia 6: 1 8

Ein Tad sanctaidd, yn yr oedfa hon yn awr fe hoffem ni unwaith eto ein cyflwyno ein hunain o'r newydd i ti. Fe wyddom nad oes ynom ddim sy'n peri ein bod yn deilwng i gael y fraint fawr hon, ac nad ydym yn wir yn fwy gwerthfawr yn dy olwg na gweddill dy blant sydd eto heb adnabod dy enw. Ond am i ti ein galw a'n gwahodd drwy dy Fab, ac am i ni gael y gras i ymateb i'th alwad, am hynny, Arglwydd, rydym am ein cyflwyno ein hunain i ti, gan ofyn i ti ein sancteiddio.

Ac wrth inni ddyfod ger dy fron, ein gweddi yw y bydd i ti siarad â ni yn awr. Dywed air dy hunan wrth galon pob un ohonom. Oherwydd ofer fydd ein hemyn a'n pregeth a'n gweddi heb adlais o'th acenion di.

Arwain ni i ganfod dirgelion yr ysgrythur, Arglwydd, a maddau inni am wrando ar ein geiriau ein hunain heb sylweddoli mai dy leferydd di sy'n gallu troi geiriau'r byd yn eiriau'r bywyd. Wedi'r cwbl, fe glywn ni'r byd yn sôn am gariad a chyfiawnder a maddeuant, ond ti dy hun yn unig sy'n sancteiddio'r geiriau hyn, ac yn Iesu Grist y gwelsom eu hystyr hwy.

Heddiw gad i ni ei weld ef yn yr oedfa hon, ac o'i weld ei adnabod, ac o'i adnabod ein cyflwyno ein hunain yn gyfan iddo. Oherwydd i ni sy'n llesg a gwan a gwamal nid oes neb arall yn ddigonol, neb arall yn ddigon cryf ei gariad. Iesu'n unig all droi ein gwendid yn wasanaeth, ein cyffredinedd yn arbenigrwydd teyrnas nefoedd.

Diolchwn am ei waith ymysg dy bobl ymhob cyfnod hyd yn awr, ac am y ffaith fod y cof am y seintiau a'r merthyron a ysbrydolwyd ganddo ef o hyd yn fyw yn yr Eglwys. Caniatâ i ninnau eto gael ein cyffroi ganddo, ac i'r goleuni a lewyrchodd ar y ffordd i Ddamascus lewyrchu ar ein bywydau ninnau, fel y byddwn ni

hefyd yn ddall i bob dim ond gogoniant dy deyrnas.
Ac i ofal y deyrnas honno fe hoffem ni yn awr gyflwyno pawb ac
arnynt angen rhan arbennig yn ein gweddi. Yn y lle cyntaf,
Arglwydd, fe weddïwn dros y claf a'r llesg a'r unig ym mhob man.
Ar ein daear fe fu Iesu Grist yn gryfder ac yn iachâd i rai fel hyn.

> 'Aeth y trallodus ar eu hynt
> Yn gwbl iach o'th wyddfod gynt.'

Felly, ein gweddi yw:
> 'Ffisigwr mawr, O! rho dy hun
> I'n gwneuthur ninnau'n iach bob un.'

Yn ogystal â thros y rhai hynny y mae iddynt obaith iachâd, fe
weddïwn hefyd, Arglwydd, dros y rhai sy'n marw, y rhai na allwn
wneud mwy drostynt na'u cyflwyno'n syml i'th ofal di. Bydd gyda
hwy a chyda'u teuluoedd, ac argyhoedda ni sy'n teimlo mor
ddiwerth wrth weld bywyd yn darfod, mai bywyd newydd yw'r
bedd i'r rhai a gred ynot.

Yn olaf, Arglwydd, fe weddïwn dros sancteiddrwydd dy enw di yn
y dyddiau hyn. Gofynnwn i ti eto ymweld â'n pobl, ac
atgyfnerthu'r rhai sy'n gweithio gwaith dy deyrnas, fel y
sylweddolwn o'r newydd na fydd ein llafur fyth yn ofer ynot.

Yn lle ein digalondid dyro ffydd, yn lle ein hansicrwydd obaith, ac
yn lle'r difaterwch sydd heddiw'n caledu'n calonnau ac yn llindagu
dy efengyl, yr awydd i ymroi gorff, meddwl ac ysbryd i waith dy
deyrnas:
> 'Arglwydd, agor di ein llygaid,
> Arglwydd, adnewydda'n ffydd,
> Maddau inni ein hanobaith
> Tro ein nos yn olau dydd;
> Dyro inni
> Obaith newydd yn dy waith.'

Yn enw Iesu Grist. Amen.

Elwyn Richards

229

Sancteiddrwydd

Darlleniad: 2 Pedr 1: 1 11

Clodforwn dy enw, O! Arglwydd dyrchafedig, ti yr hwn a fawrygir gan y seraffiaid:

'Sanct, Sanct, Sanct yw Arglwydd y Lluoedd; y mae'r holl ddaear yn llawn o'i ogoniant.'

Unwn ninnau gyda'r seraffiaid mewn moliant am dy sancteiddrwydd:

'Sanctaidd, sanctaidd, sanctaidd, Dduw Hollalluog!
  Datgan nef a daear eu mawl i'th enw di:
Sanctaidd, sanctaidd, sanctaidd, cadarn a thrugarog!
  Trindod fendigaid yw ein Harglwydd ni!'

O! Arglwydd sanctaidd, yr hwn sy'n trigo mewn goleuni anhygyrch, trig gyda ni yn awr, a thywallt dy fendith arnom yn ystod yr orig hon er dy glod. Darostwng bopeth ynom sy'n groes i'th ewyllys sanctaidd di. Cynorthwya ni i ymdrechu i wybod dy ewyllys, a thrwy hynny wybod sut i'th fodloni. Goleua ein llwybr â llewyrch dy Lân Ysbryd, fel y dilynom yn ôl camau dy Fab, yr hwn a'th lwyr fodlonodd. Cadw ni rhag cwympo i'r temtasiynau y ceisiwn eu gochel yn ein gweddïau. Na chaniatâ i'n temtasiynau fod yn fwy na'n gallu i'w gwrthsefyll.

Sancteiddia ein hysbryd yn gyfan gwbl er dy glod. Sancteiddia ein serch, ein hewyllys, ein dymuniadau, a'n myfyrdodau. Yn wir, bydded i ti sancteiddio a bywiocau ein holl gyneddfau. A dywedwn gyda'r Pêr ganiedydd:

'O! Cymer fy serchiadau'n glau,
  Fy Iesu, bob yr un;
A gwna hwy yn eisteddfa bur,
  Sancteiddiaf it dy Hun.'
'Gwna i bob meddwl, a phob chwant,
  Dynnu i fyny fry,'

Clodforwn dy enw o'r newydd am efengyl ein Harglwydd a'n
Gwaredwr Iesu Grist; yr efengyl sy'n trawsffurfio ac yn adnewyddu
ein meddwl, a'n galluogi i ganfod yr hyn sy'n dda a derbyniol a
pherffaith yn dy olwg. Bendigwn dy enw sanctaidd am i ti yn dy
drugaredd ein geni ni i fywyd newydd yng Nghrist, ac am i ti drwy
ei allu dwyfol ef roi i ni bob peth sy'n angenrheidiol ar gyfer gwir
grefydd. Mawrygwn y gras sy'n ein galluogi i farweiddio'n
chwantau twyllodrus, ac i wisgo amdanom y natur ddynol newydd
sydd wedi ei chreu ar ddelw Duw mewn cyfiawnder a
sancteiddrwydd. A thrwy nerth dy ras ynom rhedwn ras y ffydd yn
gywir, yn gadarn, ac yn selog gan ddefnyddio'n holl egnïoedd a'n
doniau er dy glod.

> 'O! Sancteiddia f'enaid, Arglwydd,
> Ym mhob nwyd, ac ym mhob dawn;
> Rho egwyddor bur y nefoedd
> Yn fy ysbryd llesg yn llawn;
> N'ad im grwydro,
> Draw nac yma fyth o'm lle.'

Na fydded i ni chwaith aros yn ein hunfan yn ein gyrfa ysbrydol
ond cryfhau yn gyson y grasusau yr wyt ti dy hun wedi eu plannu
yn ein calonnau. Trwy gymorth dy Ysbryd ynom boed inni geisio
ein gorau glas i rymuso ein ffydd â rhinwedd, a rhinwedd â
gwybodaeth, a gwybodaeth â hunanddisgyblaeth, a
hunanddisgyblaeth â dyfalbarhad, a dyfalbarhad â duwioldeb, a
duwioldeb â brawdgarwch, a brawdgarwch â chariad.
Sylweddolwn mai nerth dy Ysbryd Sanctaidd ynom a'n galluoga ni
i fod yn helaeth yn y grasusau hyn, a'n gwneud yn y diwedd yn
gymwys i'r nefol wlad i fyw, trwy Iesu Grist ein Harglwydd, yr hwn
a wnaed i ni yn gyfiawnder, a sancteiddhad a phrynedigaeth. Iddo
ef y byddo'r gogoniant yn oes oesoedd. Amen.

Dewi Roberts

Sancteiddrwydd

Darlleniad 1: Datguddiad 4
Darlleniad 2: Eseia 62

'Bydd y dyn sanctaidd yn sanctaidd yng nghwmni'r sanctaidd a'r annuwiol.' (Thomas Brooks)

'O! sancteiddia f'enaid, Arglwydd,
Ymhob nwyd ac ymhob dawn.'

Dyna'n gweddi ni, Arglwydd, wrth i ni nesáu mewn llawn hyder ffydd atat Ti. Ein dymuniad yw ar i ni gael ein sancteiddio ynot Ti, oherwydd gwyddom mai i Ti yn unig y perthyn gwir sancteiddrwydd. Nid oes dim llygredig na halogedig yn perthyn i Ti; glân a phur yw dy natur a'th gymeriad ac ni elli oddef amhurdeb a bryntni. Rwyt Ti'n perthyn i'r gogoniant tragwyddol ac i'r Goleuni na ellir ei guddio, ond eto fe ddewisaist ddod atom o ganol anllygredigaeth y gogoniant i fyd llygredig; a gwneud hynny'n rasol ym Mherson Iesu Grist. Diolch i Ti am wisgo cnawd a dod atom mewn Gwaredwr
'Er mwyn i'r brwnt gael bod yn wyn
Fel hyfryd liain main.'

Dyma yw gogoniant dy Efengyl, Arglwydd   y pur yn ymwneud â'r amhur a'r budr. Rhai felly ydym ni, O! Arglwydd. Atgoffwn ein hunain yn feunyddiol mai pridd y ddaear yw ein gwneuthuriad ac aflan yw ein cymeriad hyd nes y cyffyrddom â'th sancteiddrwydd Di drwy'r Cyfryngwr Mawr Crist Iesu. Pobl y nwydau a'r trachwantau ydym o ran naturiaeth hyd nes cyfarfod â'th lendid naturiol Di. Maddau i ni, Arglwydd, am greu llanast ac aflendid yn ein bywyd, oherwydd gwyddom yn iawn am ein diffygion personol, ein hanuwioldeb a'n hanwadalwch. Gwyddom hefyd mai ni sy'n gyfrifol am hagrwch byd a dynoliaeth. Dy ddymuniad Di yw ar i ni oll gael ein sancteiddio yn dy wirionedd. Boed i ni, felly, gredu yn dy addewid dy fod Ti yn glanhau trwy angau'r groes a'th fod trwy nerth dy Ysbryd Glân yn sancteiddio pob credadun yn y Gwirionedd. Gallwn ninnau ategu geiriau'r emynydd sy'n dweud:

'Dy Ysbryd sy'n goleuo,
Dy Ysbryd sy'n bywhau,
Dy Ysbryd sydd yn puro,
Sancteiddio a dyfrhau.'

Mawr ddiolch, felly, i Ti Arglwydd am y Sancteiddiwr Mawr a gaed yn dy Ysbryd Sanctaidd.

Cyflwynwn i Ti bawb sydd ymhell o'r sancteiddrwydd hwnnw. Diolch am nad oes neb ymhell o gyrraedd y Sanctaidd Un sy'n Dad, Mab ac Ysbryd Glân. Ond y mae yna rai, Arglwydd, nad ydynt wedi profi o'th gwmni na'th sancteiddrwydd. Sylweddolwn fod yna gannoedd a miloedd trwy'n byd sy'n byw yng nghanol llanast personol, hunanol ac emosiynol. Sylweddolwn fod yna eraill yng nghanol anawsterau cymhleth cymdeithasol ac yn byw.

'Ar balmantydd oer y dref.'
Beth a wnawn ni, Arglwydd?
Dangos wnawn dosturi'r Prynwr,
Rhannwn ei drugaredd gref.'

Ac wrth wneud hynny, safwn ninnau'n gadarn fel pobl wedi derbyn y fraint o gredu ynot Ti ac o gael ein sancteiddio fel y medrwn gyflwyno sancteiddrwydd yr Arglwydd Iesu yn ein cymunedau.

'Sanctaidd Ysbryd,
Aros mwyach gyda ni.'

Gofynnwn hyn yn enw Iesu Grist ein Ceidwad. Amen.

Iwan Ll. Jones.

Gair Duw

Darlleniad: Exodus 3: 1 15

'Y mae gair Duw yn fyw a grymus; y mae'n llymach na'r un
cleddyf daufiniog, ac yn treiddio hyd at wahaniad yr enaid
a'r ysbryd, y cymalau a'r mêr, ac y mae'n barnu bwriadau
a meddyliau'r galon.'

O! Dduw ein Tad, diolchwn i ti yn awr am y cyfle hwn i'th addoli
mewn oedfa arall. Diolchwn am bob un a fu yma o'n blaen yn
craffu ar dy Air ac yn rhoi eu ffydd yn dy addewidion. Ac wrth
nesáu at dy orsedd cyffeswn ein holl feiau ger dy fron, gan y
gwyddom nad oes dim yn guddiedig oddi wrthyt ti, a bod gennyt ti
faddeuant a thrugaredd ar ein cyfer.

Wrth ddyfod atat rydym yn ymwybodol mai yng nghwmni dy holl
ddilynwyr ar hyd yr oesoedd y deuwn. Diolchwn am iddynt hwy
dy gael yn un teilwng i roi eu hyder ynddo, ac am i ti ar hyd y
canrifoedd ddod i gymdeithas â'th bobl mewn mannau sanctaidd fel
hyn.

Rydym yn cofio i ti gyfarfod Moses yn yr anialwch lle roedd y
berth yn llosgi heb ei difa, ac i'r tân hwnnw a ysai'r berth gynnau'n
fflam yn ei galon yntau. Arglwydd da, fe hoffem ni deimlo gwres y
fflam heddiw. Rydym yn byw mewn byd sydd mor oer yn aml, byd
sy'n ddifater ac yn anystyriol o anghenion dynion. Ac mewn
awyrgylch felly, Arglwydd, y mae perygl i'n perthynas ni â thi fynd
yn oer, ac i lwydrew difaterwch ddisgyn ar ymwneud dy bobl â'i
gilydd. Felly, ein gweddi yw ar i ti adfer tipyn o wres dy fflam i
galonnau dy bobl, fel y bydd i'r byd deimlo gwres y tân sy'n llosgi
ac na all dim ei ddifa.

Ein Tad, yn ogystal â'r gwres i'n dadebru fe hoffem ni gael hefyd
beth o oleuni'r fflam yn ein bywyd. A'r Beibl yn ein dwylo rydym
yn diolch am bob un a fu'n dwyn goleuni o'th Air i oleuo bywydau
dynion. Ie, tywyll iawn fyddai'r byd heb y goleuni hwn:

'O Arglwydd, dysg im chwilio
I wirioneddau'r gair,
Nes dod o hyd i'r Ceidwad
Fu gynt ar liniau Mair;'

Ar hyd y canrifoedd yr wyt ti, ein Tad, drwy'r ysgrythur wedi
arwain rhywrai i'th adnabod yn well, ac effaith adnabyddiaeth
lwyrach ohonot ti yn ddieithriad fu dwyn goleuni i fywydau rhywrai
eraill. Rydym oll mewn dyled i'r gwŷr a'r gwragedd a'th adnabu di
drwy dy Air. Pobl a fynnodd fod eu cyd ddynion yn cael gwell
bywyd am iddynt eu gweld yng ngoleuni dy deyrnas. Mae'r hen yn
cael ymgeledd, a'r plant yn cael addysg, a'r gwan yn cael
cynhaliaeth heddiw am i rywrai sylweddoli mai dy eiddo di
oeddynt.

Ond fe wyddom, Arglwydd, er hynny, y gellir diffodd pob golau,
ac mae'r bendithion a ddaeth inni drwy'r Gair mewn perygl o fynd i
golli heddiw oherwydd ein hunanoldeb ni. Gad i ni felly glywed y
Gair yn ein barnu, ac yn treiddio hyd at ein cymhellion dyfnach;
gad i ni ganfod ynddo nid yn unig gysur, ond hefyd her a
symbyliad i weithio:

'Dysg imi gerdded mwy bob cam
Gan feddwl am d'orchmynion;
Boed ynddynt hwy fy serch a'm blys,
O wir ewyllys calon.'

O! Dduw, fe weddïwn hefyd dros y rhai hynny nad yw'r Gair eto
wedi cyffwrdd eu bywyd i'w gwared o'u dioddef. Y llu mawr yn
ein byd sydd yn byw mewn ofn ac yn marw drwy drais, y
ffoaduriaid sy'n dianc o flaen rhyfel a'r rhai sy'n marw o newyn.
Wrth eu cyflwyno i'th ofal di, fe ofynnwn hefyd am dy faddeuant,
gan weddïo y bydd i ti arwain llywodraethwyr y byd i liniaru baich
eu dioddef. Hyn a ofynnwn yn enw Iesu Grist ein Harglwydd.
Amen.

Elwyn Richards

Gair Duw

Darlleniad: 1 Ioan 2: 3 17

Ein Tad, ymgrymwn ger dy fron yn awr i gydnabod yn ddiolchgar bod dy Air yn 'llusern i'm troed, ac yn oleuni i'm llwybr'. Mawrygwn a chanmolwn dy enw mai trwy dy Air y creaist ac y cynhaliaist y byd a'r bydysawd. Gair ydyw sy'n creu ac yn cynnal, a chreaist ninnau o'r newydd drwy dy Air yn ein Harglwydd Iesu Grist. Diolchwn i ti am y Gair a ddaeth yn gnawd 'a phreswyliodd yn ein plith, yn llawn gras a gwirionedd'. Galluoga ni, drwy weinidogaeth dy Lân Ysbryd, i ddarganfod y Crist hwn yn dy Air a gweld o'r newydd ogoniant ei berson fel unig Fab a ddaeth oddi wrth y Tad ac a hysbysodd i ni ddirgelion dy deyrnas a'r bywyd tragwyddol. Cofiwn am eiriau Moses ganrifoedd yn ôl cyn dyfodiad Iesu i'n daear: 'Nid gair dibwys yw hwn i chwi, ond dyma eich bywyd; trwy'r gair hwn yr estynnwch eich dyddiau ...'

Diolchwn i ti am ein Harglwydd Iesu Grist, y Bywyd, ac am iddo ddatguddio i ni sut un wyt ti; am iddo oleuo ein llwybrau fel y medrwn gerdded yn dy oleuni di. Galluoga ni i wneud hynny, O! Dad nefol, fel y gwelwn bod angen dy oleuni arnom. Yng nghanol tywyllwch ac anobaith ein byd, boed inni ddarganfod y goleuni hwn sydd yn dy Air, fel y dilynwn ac y cyfoethogwn ein bywydau.

Cynorthwya ni, felly, i geisio arweiniad dy Air, fel bod y Gair yn troi'n wirionedd ac yn fywyd i ni:
> 'Mae dy air yn abl i'm harwain
> Trwy'r anialwch mawr ymlaen ...'

Gweddïwn am i ninnau, yng nghanol anialwch a phrofiadau bywyd, fedru pwyso ar dy Air a phrofi o'r newydd ei rym a'i gynhaliaeth. Ni fedrwn ddibynnu ar air neb arall ond dy Air di, a chofiwn i Iesu ein hatgoffa mai dy Air yw'r gwirionedd. Cofiwn hefyd eiriau Eseia:
> 'Fel y mae'r glaw a'r eira yn disgyn o'r nefoedd, a
> heb ddychwelyd yno yn dyfrhau'r ddaear, a gwneud

iddi darddu a ffrwythloni, a rhoi had i'w hau a bara
i'w fwyta, felly y mae fy ngair sy'n dod o'm genau; ni
ddychwel ataf yn ofer, ond fe wna'r hyn a ddymunaf, a
llwyddo â'm neges ...'

Dymunwn brofi o'r newydd y Gair hwn yn fyw a pherthnasol i ni
yn ein bywydau, er y gwyddom mor annheilwng ydym o gael
rhodio dan ei gyfarwyddyd a'i arweiniad. Maddau i ni, Arglwydd,
am y diffyg sêl ac ymroddiad sydd ynom i'th Air, ac am inni gefnu
ar ei wirionedd. Buom oll yn grwydredig a ffôl. Dilynasom ffyrdd
a llwybrau'r byd yn fynych a chollasom dy ffordd di. Arwain ni
eto, yn dy drugaredd, yn ôl i'r Gair, er mwyn inni ddarganfod o'r
newydd dy wirionedd i ni. Diolch i ti am drugarhau wrthym ac am
ymwneud â ni, ein bywyd a'n byd yn Iesu Grist. Dyro inni
werthfawrogi ei eiriau o'r newydd:

> 'Hyfryd eiriau'r Iesu,
> Bywyd ynddynt sydd;
> Digon byth i'n harwain
> I dragwyddol ddydd:
> Maent o hyd yn newydd,
> Maent yn llawn o'r nef;
> Sicrach na'r mynyddoedd
> Yw ei eiriau ef.'

Crea'r awydd ynom, O! Arglwydd, am y sicrwydd hwn mewn
bywyd, sef sicrwydd dy Air fel y'i llefarwyd gan Iesu. Gwêl yn
dda, O! Dad, i'n cynnal ninnau i ddarllen dy Air a myfyrio arno, fel
y gwelwn dan arweiniad yr Ysbryd Glân mai ti yw'r Arglwydd a'r
Gwaredwr yn Iesu Grist. Buom yn esgeulus o'r Gair ac aeth y Beibl
yn llyfr caeëdig yn ein hanes oll. Boed inni ei agor, ac yng
nghyfoeth ac ysblander dy Air ddarganfod eto o'r newydd fywyd a
fydd er gogoniant i'th enw sanctaidd. Hyn a ddeisyfwn, er mwyn
yr hwn a ddaeth atom i'n gwaredu, yr Arglwydd Iesu Grist. Amen.

Geraint Hughes

237

Gair Duw

Darlleniad 1: Eseia 40
Darlleniad 2: Ioan 1

'Dyma Feibil annwyl Iesu,
    Dyma rodd deheulaw Duw;
Dengys hwn y ffordd i farw,
    Dengys hwn y ffordd i fyw.
Dengys hwn y golled erchyll
    Gafwyd draw yn Eden drist,
Dengys hwn y ffordd i'r bywyd
    Trwy adnabod Iesu Grist.'

Diolch i Ti, Arglwydd, am dy Air, y Gair a greodd y bydysawd a
phopeth sydd ynddo, a'r Gair sy'n cynnal pob un ohonom ar daith
bywyd. Fe gredwn mai taith yw bywyd, a thaith ddigon helbulus ar
brydiau, ond diolch am fedru canu ar y daith am dy Air i'n harwain.

    'Mae dy Air yn abl i'm harwain
    Trwy'r anialwch mawr ymlaen.'

Gan mai ymlaen yr awn ar y daith, diolch i Ti am y Gair sy'n
arwain nid yn unig ar daith bywyd ond ar daith tragwyddoldeb, ac
mai ar dy Air y pwyswn hyd yn oed y pryd hynny. Fe gafodd
cannoedd a miloedd o bobl gynhaliaeth a chynhysgaeth yn eu
bywyd trwy rym dy Air Di. Cofiwn wrth ddarllen hanes y
proffwydi a'r apostolion gynt mai dy Air Di a'u cynhaliodd hyd yn
oed mewn amgylchiadau digon helbulus ac argyfyngus. Ond
llawenhawn mai yn dy Air Di'n unig y mae'r gallu i droi
sefyllfaoedd helbulus yn gyfle i gyhoeddi dy anchwiliadwy olud.
Mawr yw ein braint ninnau heddiw, Arglwydd, o fod yn
gyhoeddwyr a gwneuthurwyr dy Air, bawb ohonom. Diolch hefyd
nad ar gyfer rhyw ddosbarth arbennig o bobl y mae'r Gair yn addas
ond ar gyfer pawb, ym mhob oes ac ym mhob sefyllfa.

Llefara wrthym ninnau heddiw, a phâr ein bod yn gwneud iawn a llawn ddefnydd o'th Air a geir yn y Beibl sy'n gyfoes i bawb ohonom. Arglwydd, fe ddiolchwn i Ti am bob argraffiad, am bob trosiad o'th Air mewn gwahanol ieithoedd heddiw i gyflwyno'r Gair ar ei newydd wedd er mwyn creu pobl newydd i Ti. Cawsom ninnau fel cenedl drysor yn y Beibl yn ein hiaith ein hunain. Cawsom drysor hefyd yn 1988 am Gyfieithiad Newydd o'r Beibl er mwyn gwneud dy Air yn ddealladwy i genedlaethau newydd o bobl fydd yn dod i edrych a synnu o'r newydd at dy fawrion weithredoedd.

Ond Arglwydd, pâr ein bod yn ymdeimlo â'r wefr mai cnawd yw gwir sylwedd dy Air, ac mai yng ngoleuni'r Un a wisgodd blisgyn cnawd, sef Iesu Grist, y mae dod i ddeall yr hyn y mae'r Gair yn ei gyflwyno i bob oes. Maddau i ni, Arglwydd, am fod mor ddeddfol, a hyd yn oed yn gaeth i draddodiadau, pan fo Iesu Grist yn cyflwyno rhyddid bywyd newydd i ni yng ngoleuni ac yng ngobaith dy Air. Sylweddolwn mai ein braint ni yw gwrando ar Iesu, dy Fab a'n Harglwydd ninnau, ac mai llefaru dy ddymuniadau Di a wna Ef. Gwna ninnau'n rhai awyddus i wrando arno fel ein bod yn medru gweddïo o waelod calon:

> 'O! llefara addfwyn Iesu,
>   Mae dy eiriau fel y gwin,
> Oll yn dwyn i mewn dangnefedd,
>   Ag sydd o anfeidrol rin.
> Mae holl leisiau'r greadigaeth,
>   Holl ddeniadau cnawd a byd
> Wrth dy lais hyfrytaf tawel
>   Yn distewi a mynd yn fud.'

Rho, Arglwydd, gynhaliaeth dy Air i bawb sy'n simsan a sigledig heddiw, a boed iddynt deimlo grym dy Eiriau. Rho i ninnau nerth yr Ysbryd i brofi ei ogoniant yn llawn trwy Iesu Grist.

Amen.

Iwan Ll. Jones

Ein Byd

Darlleniad: Genesis 1

'Yn y dechreuad creodd Duw y nefoedd a'r ddaear.'

Ein Tad, yr hwn wyt yn y nefoedd, sylweddolwn heddiw mai dy ofal a'th gynhaliaeth sydd wedi ein cadw hyd y munudau hyn. Er inni grwydro a throi cefn a'th anwybyddu lawer gwaith, ac er inni fod yn y fan hyn o'r blaen, fe deimlwn yn awr dy gariad yn ein cofleidio a'th freichiau tragwyddol yn ein cynnal.

Am hynny, Arglwydd, gad inni unwaith eto gael yma gymdeithas â thydi, fel y bydd y munudau hyn yn funudau o weld newydd ac o adnabod llewyrch yn hanes pob un ohonom.

Diolchwn i ti yn arbennig heddiw, Arglwydd, am dy holl ddaioni tuag atom. O'n cylch ym mhob man fe welwn dy fendithion a sylweddolwn gymaint y dibynnwn arnat. Nid damwain yw hyfrydwch dy fyd di, ac nid camgymeriad yn rhaglen y bydysawd yw ein bywydau ninnau. Ond yn hytrach fe'n gosodaist mewn byd a rhoi ynddo holl fendithion dy ragluniaeth at ein gwasanaeth.

Maddau i ni felly ein bod ni mor aml wedi camddefnyddio dy roddion, wedi pentyrru cymaint ar gyfer ein hunain er inni wybod am rai oedd mewn angen yn ein hymyl.

Clodforwn dy enw, O! Dduw, am fentro ein gwneuthur yn greaduriaid a all dy dderbyn neu dy wrthod. Arglwydd, diolchwn am y rhyddid hwnnw ac am dy drugaredd yn ein dioddef er gwaetha'n gwrthryfel.

Heddiw, os yw'n bosibl, dwg ein calonnau yn ôl atat, a gwna ni unwaith eto'n bobl a fydd yn llwyr ddibynnol arnat, oherwydd os nad ymdeimlwn ni â'r ddibyniaeth honno, ni ddeuwn byth atat.

Maddau inni am bwyso ar ein golud ein hunain mor aml, am

ymddiried yn ein heiddo a'n hadnoddau gan fod yn ddibris o'th bethau di. Argyhoedda ni na allwn ond bodoli hebot, ac nad yw'r bywyd sy'n fywyd yn wir ond yn bosibl mewn perthynas â thi. Gad i ni bob dydd dreiddio fwyfwy i'r berthynas yna fel y try pethau'r byd, i ni, yn bethau'r bywyd.

Cofiwn gerbron dy orsedd hefyd, Arglwydd, am bawb nad ydynt heddiw yn gyfrannog o'n golud ni. Mewn sawl gwlad mae dy blant heddiw mewn angen ac yn dioddef newyn neu ryfel neu effeithiau trychineb naturiol. Beth bynnag fo'u hargyfyngau, bydd di gyda hwy a dyro yn ein calonnau ninnau yr awydd i'w cynorthwyo. Oherwydd fe wyddom ni, Arglwydd, nad oes gennyt ti ddwylo, nad oes gennyt ti weithwyr ar wahân i ni. Defnyddia ni, felly, yng ngwaith dy deyrnas a dyro yn ein calonnau y gras i gyflawni dy waith.

Gweddïwn hefyd, Arglwydd, dros y rhai sy'n peri dioddef a thorcalon i'w cyd ddynion. Fe wyddom ni mai creaduriaid hunanol ydym, O! Dduw, ond gwyddom hefyd y gallwn ni gael ein gweddnewid nes y byddwn fel tydi. Lle bynnag y bo trachwant heddiw, diffodd y nwyd, O! Dad; lle bynnag y bo hunanoldeb, diwalla'r angen; a lle bynnag y bo dynion a merched yn sathru ei gilydd ar lawr, bydded heddwch yn y canol. Arwain dy blant o bob lliw a llun a chenedl atat dy hun a dyro i'r teulu ar y llawr brofiad o dangnefedd y lliaws yn y nefoedd.

Yn olaf, Arglwydd, fe weddïwn drosom ein hunain yn y dyddiau hyn. Yng nghanol ein digonedd cadw ni rhag syrthio i afael materoliaeth, ac yng nghanol seciwlariaeth ein cyfnod argraffa ar ein calonnau mai pobl sydd bwysicaf yn y diwedd. Dysg ni bob dydd i estyn llaw i dderbyn gennyt ti fel y cawn y gras i rannu dy fendithion ar y ddaear.

Os oes unrhyw un yn wael heddiw, bydd di'n feddyg, O! Dad; os oes unrhyw un yn llesg, bydd yn gynhaliwr; lle mae gofalon y byd yn pwyso'n drwm, boed i'th efengyl lewyrchu yn y tywyllwch, ac yng nghanol galar, dyro'r tangnefedd na all y byd ei amgyffred. Er mwyn dy enw. Amen.

Elwyn Richards

Ein Byd

Darlleniad: Deuteronomium 6: 1 9

Trown atat yn awr, ein Duw, i ddiolch i ti fod llwybr gweddi yn agored inni. Diolchwn i ti am waith dy ddwylo:

'Pan edrychaf ar y nefoedd, gwaith dy fysedd, y lloer a'r sêr, a roddaist yn eu lle ... O Arglwydd, ein Iôr, mor ardderchog yw dy enw ar yr holl ddaear.'

Dymunwn, yn ystod y munudau hyn o weddi, gydnabod ôl dy ddwylo di yn creu a chynnal y byd. O foelni'r gaeaf, i ddeffroadau'r gwanwyn, ac ysblander a llawnder yr haf, hyd at brydferthwch lliwiau'r hydref, diolchwn i ti, ein Tad, am ein byd. Ond gorfodir ni hefyd, ein Tad, i gydnabod iti ein galw i ofalu am ein byd y byd a greaist yn ôl dy Air a'th ewyllys ac i ninnau gefnu ar dy alwad a gwadu'n cyfrifoldeb. Buom yn afradlon ein ffyrdd ac yn anghyfrifol ein stiwardiaeth. Erfyniwn am faddeuant, ein Tad, am y llanast a wnaethom o'th greadigaeth di. Gwelwn ganlyniad ein difaterwch a'n hesgeulustod yn y difa a'r dinistrio sy'n digwydd heddiw yn ein byd. Effeithiodd hynny, nid yn unig ar ein hamgylchedd ni, ond hefyd ar amgylchedd y cenedlaethau i ddod.

Trugarha wrthym, O! nefol Dad, a maddau inni ein balchder am ganiatáu'r fath ddinistrio, a hynny oherwydd elw a rhesymau economaidd. Mewn galar a thristwch cofiwn am y fforestydd a ddymchwelwyd a'r cymoedd a foddwyd; am y treisio a fu ar adnoddau'r ddaear, a hynny er elw dyn. Cofiwn yn ein gweddi am frodorion y gwledydd a orfodwyd i symud o'u cynefin, a hynny yn enw datblygiad; am y tresmasu a fu ar eiddo a'r chwalu ar gymunedau. Gwaeddodd eraill am feddrodau'u tadau ac am gynefin eu plant, ond byddar oeddem i'w cri. Maddau inni, ein Tad, am ein diffyg consýrn, am ein diffyg gofal. Daeth poen a blinder i'n byd oherwydd yr awchu am elw, a phlygwn ninnau ger dy fron mewn cywilydd am inni adael i'r cyfan ddigwydd dros y blynyddoedd, a ninnau heb ildio dim. Erfyniwn am gyfle newydd i unioni'r cam a wnaed, ac am arweiniad i wneud hynny.

Gwyddom iti alw atat genedl etholedig, a rhoddaist iddi wlad yn llifeirio o laeth a mêl. Canlyniad hynny oedd gosod cyfrifoldeb arni i ufuddhau i ti, drwy gyfamod a wnaethost â hi i ofalu am y wlad. Gwna ninnau'r un mor barod i ofalu am yr hyn a roddwyd i'n gofal ninnau fel cenedl. Deffro ynom yr awydd i ofalu am yr hyn a ddaeth yn etifeddiaeth inni yn dymhorol ac yn ysbrydol, fel y medrwn greu gwlad 'ar dy lun' a thrwy hynny ymarfer o'r newydd ein ffydd fel stiwardiaid cyfrifol a da i ti. Wedi'r cyfan, rydym yn atebol i ti am ein gweinidogaeth fel gofalwyr ein byd a'n cenedl.

Arwain ni i fod yn deilwng o'th alwad, er mwyn inni ganolbwyntio'n hegni a'n meddyliau ar y gwaith o ofalu am y winllan hon a roddwyd i'n gofal. Nid anghofiwn hanes Naboth a'r winllan a roddwyd i'w ofal ef ...

> 'Gwinllan a roddwyd i'm gofal yw Cymru fy ngwlad,
> I'w thraddodi i'm plant
> Ac i blant fy mhlant
> Yn dreftadaeth dragwyddol.'

Cyflwynwn ein treftadaeth ysbrydol i'th sylw, yn enwedig wrth inni gofio'i blinderau, a boed i ninnau fod yn agored i ymateb yn gadarnhaol a'n cyflwyno'n hunain i ofalu am ein byd. Rho inni o'r newydd brofiad o'r Ysbryd Glân i'n cymhwyso ar gyfer y gwaith. Hyn a ofynnwn yn enw Iesu Grist. Amen.

Geraint Hughes

Ein Byd

Darlleniad: Genesis 1

'Eiddo Duw yw'r byd a'i gri yw ei gael yn ôl.' (David Pawson)

'Nef a daear, tir a môr
Sydd yn datgan mawl ein Iôr.'

Diolch i Ti, Arglwydd, am blannu ynom yr ysbryd i gredu hynny o waelod calon. D'eiddo Di yw'r cyfan a grewyd, ac ni allwn ond synnu a rhyfeddu at dy fawredd a'th allu. Creaist fydysawd godidog yn llawn swyn a thlysni. Wrth i ni ddeffro bob bore, clywn adar yn canu ac anifeiliaid yn brefu, a'r cyfan fel pe baent yn dweud 'Diolch yn fawr' wrth Grëwr sydd a'i nerth a'i allu y tu hwnt i allu dynol. Ein braint ni, Arglwydd, yw cydnabod ein dyled am gael rhan yn diolch i Ti am brydferthwch y greadigaeth.

Sylweddolwn mai ni fel pobl, Arglwydd, sy'n gyfrifol am ddifetha yr hyn a grëaist Ti. Am mai pobl lygredig ydym, bu i ni ledaenu pob llygredd sy'n rhan ohonom i greu llanast yn dy fyd Di. Nid oes angen ein hatgoffa, Arglwydd, fod y canlyniadau yn ddinistriol a difaol. Am i ni gerdded ein ffyrdd ein hunain, llwyddasom i droi panorama o fyd yn anialwch. Gwelwn hynny ar hyd a lled ein daear. Nid oes angen i ni edrych ymhell, Arglwydd, am y llanast hwn. Credwn hefyd mai ni fyddai'r rhai cyntaf i gwyno a thuchan pe byddem yn gorfod

'Meddwl am fyd heb flodyn i'w harddu,
Meddwl am wlad heb goeden na llwyn,
Meddwl am awyr heb haul yn gwenu,
Meddwl am wanwyn heb awel fwyn.
Diolchwn, Dduw, am goed a haul a blodau,
Diolchwn, Dduw, rhown glod i'th Enw Di.

Meddwl am fyd heb un anifail,
Meddwl am gae heb wartheg ac ŵyn,
Meddwl am afon heb un pysgodyn,
Meddwl am wawr heb adar a'u swyn.
Diolchwn, Dduw, am dy holl greaduriaid,
Diolchwn, Dduw, rhown glod i'th Enw Di.

Meddwl am fyd heb bobl i'w lenwi,
Pobman yn wag, y strydoedd a'r tai,
Meddwl am dref heb draffig na hewlydd
Neb yma i garu, neb i faddau bai.
Diolchwn, Dduw, am deulu ac am ffrindiau
Diolchwn, Dduw, rhown glod i'th Enw Di.'

Mae meddwl y pethau hyn, Arglwydd, yn oeri ein calonnau, ac yn
fwy na hynny, yn tristáu dy Ysbryd sanctaidd.

Dymunwn ger dy fron yn awr, gyflwyno i Ti wledydd ac unigolion
sy'n goddef oherwydd ein hesgeulustod ni. Mae yna wledydd ac
ardaloedd, Arglwydd, yn goddef newyn a marwolaeth, a hynny ar
raddfa aruthrol fawr bob dydd. Sawl bywyd a gollwyd hyd yn hyn
heddiw, Arglwydd? Mae ateb, a meddwl am ateb, y math yma o
gwestiwn yn codi braw a dychryn arnom. Ein cyfrifoldeb felly yw
gwneud ein rhan

'I gario baich fy mrawd,
I weini'n dirion ar y gwan
A chynorthwyo'r tlawd.'

Hyn yn wir yw ein rhan. Gofynnwn, felly, am dy faddeuant ac am
hwb dy Ysbryd sanctaidd i gyflawni yr hyn y gelwi Di arnom i'w
wneud er mwyn Iesu Grist.

Amen.

Iwan Ll. Jones

245

Gras

Darlleniad: Effesiaid 2: 1 10

'Arglwydd grasol, dy haelioni sy'n ymlifo trwy y byd,' ac fe ddown atat heddiw i gydnabod yn ddiolchgar y gras arbennig sydd ynot ti. Cawsom ein dysgu mai at orsedd rasol y byddwn yn troi wrth weddïo, a diolchwn yn awr am hynny.

Diolch am y sicrwydd dy fod ti yn un sy'n teyrnasu. Yr ydym yn rhyfeddu wrth glywed gan y gwyddonwyr am ehangder y bydysawd ac am gymhlethdod a chywreinrwydd y cwbl, ac ofni y byddem heb wybod am ôl dy fysedd grasol di yn y llunio a'r cynnal. Nid oes un rhan o'r greadigaeth y tu hwnt i'th sylw nac un agwedd o fywyd dynoliaeth na byd nad yw'n dianc o'th ymwneud.

Diolchwn mai yn unol â'th ras yr wyt yn arglwyddiaethu drosom. Mewn byd o deyrnasu anghyfiawn, gyda gormes a grym yn cael y trechaf, ac anhrefn ac anobaith yn rhemp, diolch am y sicrwydd mai trugaredd sy'n rheoli'r bydysawd ac mai cariad anhaeddiannol sy'n delio â dynoliaeth.

Cofiwn fod dy ras di wedi ei amlygu i ni yn Iesu. Yr un a ddaeth atom yn llawn gras a gwirionedd, a ninnau'n cael derbyn o'i gyflawnder ef, gras ar ôl gras.

Dyma'r gras a fynnodd fod y tlodion yn cael clywed y newydd da. Y gras oedd yn ceisio ac yn cadw'r colledig. Y gras oedd yn cyffwrdd ac yn iacháu. Y gras oedd yn cofleidio ac yn derbyn. Y gras oedd am ryddhau dyledwyr a maddau i bechaduriaid. Y gras oedd yn agor drysau'r deyrnas i'r gwrthodedig a'r dirmygedig.

Yn arbennig, Arglwydd, cofiwn am ras Calfaria. Y gras a dderbyniodd y cwpan a'i yfed i'r gwaelod. Y gras a weddïodd am faddeuant i'w wrthwynebwyr ac a ddioddefodd drostynt. Y gras a dywalltodd ei fywyd yn aberth dros ddynoliaeth.

Yr oedd yn gyfoethog, ond fe ddaeth yn dlawd drosom, er mwyn i ni ddod yn gyfoethog trwy ei dlodi ef. Ef yn wir yw rhodd dy ras i ni.

Diolchwn, O! Dduw, am dy ras di yn ei atgyfodi ar y trydydd dydd a'th addewid mai ef yw'r blaenffrwyth, yr Adda diwethaf, y cyntaf anedig o blith y meirw, i fod ei hun yn gyntaf ymhob peth.

Y mae helaethrwydd dy ras y tu hwnt i'n deall, Arglwydd, ond gwyddom mai mewn gras yn unig y mae gwir fywyd, yn y byd hwn a'r byd sydd i ddod.

Gweddïwn am barhad gwaith gras arnom, ac am i ninnau ymdrechu i roi'r cyfle iddo i'n gwneud yn wir blant i ti. Dymunwn gael ein llenwi â gras, fel y gallwn fod yn rasol yn ein hymwneud ag eraill. Yn union fel yr wyt ti'n peri i'th haul godi ar y drwg a'r da, ac yn rhoi glaw i'r cyfiawn a'r anghyfiawn, cynorthwya ni i weithredu heb ffafriaeth, i fod yn garedig hyd yn oed wrth yr anniolchgar a'r drygionus ac i fod yn drugarog, fel yr wyt ti'n drugarog.

Uwchlaw popeth, Arglwydd, gwna ni'n rymus i gyhoeddi efengyl gras Duw, er mwyn rhoi bywyd i'r byd, a bydded i ni fod yn ymwybodol ym mhob amgylchiad, fod gras ein Harglwydd Iesu Grist gyda ni bob amser. Amen.

Robin Samuel

Gras

Darlleniad: Effesiaid 1: 3 14

'Arglwydd ein Iôr, mor ardderchog yw dy enw ar
yr holl ddaear.'

Dyrchafwn ninnau dy enw sanctaidd gyda'n gilydd yn awr gan
gydnabod o'r newydd dy arglwyddiaeth dros dy greadigaeth. Ti
a'n creaist yn ôl dy lun a'th ddelw, ond rhaid i ninnau gyfaddef, O!
Dad, inni golli'r ddelw honno. Y gwir amdanom, fel yr wyt yn
gwybod, yw inni grwydro fel defaid; troesom oll i'n ffyrdd ein
hunain a dilynasom y byd gan dy anghofio. Ond diolchwn i ti am
dy ras a'th gariad tuag atom. Ti sydd, yn dy ras, wedi'n galw'n ôl i
ddilyn dy lwybrau, a diolchwn i ti am hynny'n awr yn ein gweddi.

Diolchwn i ti am roi dy ras yn rhad inni fel y medrwn fwynhau dy
ddaioni tuag atom o'r newydd. Gwyddom, oherwydd ein cyflwr
ger dy fron, nad ydym yn haeddu dim o'th law. Ni fedrwn ennill
ffafr gennyt, na dim arall chwaith, oherwydd bod ein holl
weithredoedd fel bratiau budron. Gwir yw'r Gair amdanom oll:

'Aethom i gyd fel peth aflan, a'n holl gyfiawnderau fel
clytiau budron: yr ydym i gyd wedi crino fel deilen a'n
camweddau yn ein chwythu i ffwrdd fel y gwynt ...
cuddiaist dy wyneb oddi wrthym, a'n traddodi i afael
ein camweddau.'

Er mor anobeithiol ein cyflwr, ein Tad, diolchwn i ti nad anghofiaist
ni na'n gadael. Ni yw'r clai a thi yw'r crochenydd, ac felly plygwn
mewn edifeirwch o'th flaen a disgwyl i ti ymwneud â ni yn ôl dy
ewyllys. Dyro ras inni fedru plygu i'th ewyllys, fel y gogonedder dy
enw mawr trwom ni.

Diolchwn i ti am dy ras sy'n rhoi daioni i fywyd a chymdeithas.
Diolch am ofalu amdanom ac am y gras hwnnw sy'n gorchfygu

pob drygioni. Gwelsom ymgorfforiad o hynny ym mywyd a pherson yr Arglwydd Iesu Grist, yn ei farw aberthol ar y Groes sydd wedi dangos i ni, heb unrhyw amheuaeth, dy gariad tuag atom.

Diolchwn am y gras a roddwyd yn neilltuol i'th blant ac i'th Eglwys, ac am y bendithion lu a ddaw i'n rhan o'th law di yn ddyddiol. Diolchwn am y gras sy'n galluogi'r weinidogaeth Gristnogol i barhau yn ein byd. Diolch am dy hynawsedd tuag atom oll drwy dy Ysbryd Glân yn gweithredu ynom a thrwom. Ond yn bennaf oll diolchwn i ti am y gras a ddaeth yn Iesu Grist:

'Ar Galfaria yr ymrwygodd
Holl ffynhonnau'r dyfnder mawr;
Torrodd holl argaeau'r nefoedd
Oedd yn gyfain hyd yn awr:
Gras a chariad megis dilyw
Yn ymdywallt yma 'nghyd,
A chyfiawnder pur a heddwch
Yn cusanu euog fyd.'

Dyro inni, ein Tad nefol, gyfle mewn munudau fel y rhain i offrymu'n dawel ger dy fron o waelod ein bodlaeth, foliant a mawl i ti, fel bod hynny'n llenwi'n calonnau ac yn dathlu buddugoliaeth Iesu Grist ar ein rhan. Dyrchafwn dy enw goruwch pob enw, fel y bydd pob glin yn plygu i gydnabod dy fawredd. Am dy addewidion i ni dy blant, drwy ras ein Harglwydd Iesu Grist, diolchwn i ti; am gael profi dy gariad, moliannwn dy enw; ac am gwmpeini'r Ysbryd Glân ar bererindod bywyd, cydnabyddwn dy ffyddlondeb tuag atom.

Felly, ein Tad, yn ein gostyngeiddrwydd a'n pechod, diolchwn i ti am ein caru, am dy ras i bob un ohonom, a gweddïwn am i ti ein hadnewyddu o ran ffydd fel y medrwn fyw ein bywydau er gogoniant i ti. Hyn a ofynnwn yn enw Iesu Grist. Amen.

Geraint Hughes

249

Gras

Darlleniad: Effesiaid 2, 5

'Crefydd gras yw crefydd y Beibl.' (James Moffatt)

Diolchwn i Ti, O! Dduw am dy ras tuag atom fel pobl. Pobl sy'n haeddu dim ŷm ni, ond bod dy ras anfeidrol Di dy Hun yn cyffwrdd â'r gwannaf ohonom, ac yn cyffwrdd â ni yng nghanol ein gwendidau a'n ffaeleddau. 'Rwyt Ti'n deall pob un ohonom, ac oherwydd dy adnabyddiaeth lwyr ohonom, y mae'r gras sydd ynot yn ymdreiddio ohonot i mewn i'n bywyd sâl, tila ni. Yn dy ras y'n ceraist ni a gwneud hynny'n derfynol ym Mherson Iesu Grist, yn ei fywyd, ei Aberth a'i Atgyfodiad.

> 'Gras o'r fath beraidd sain,
> I'm clust, hyfrydlais yw;
> Hwn bair i'r Nef ddatseinio byth,
> A'r ddaear oll a glyw.'

Llaw dy ras a'n carodd, llaw dy ras a'n cynhaliodd hyd yma, a llaw dy ras fydd yn coroni'r cyfan 'draw mewn anfarwol fyd.'

Yr ydym mor aml, Arglwydd, mor hunan gyfiawn, mor ddi dosturi ac mor ddall i'n cyflwr ysbrydol ein hunain ac eraill. Maddau i ni am fethu gweld dy ras yn gweithio ynom. Maddau i ni'n fwy am wrthod i'th ras ymwneud â ni, ac fe wyddom Arglwydd, mai canlyniad hynny yw byw bywyd hunan foddhaus, beirniadol a di gariad. Pâr i ni atgoffa'n hunain yn feunyddiol mai dy ras Di yn unig a'n hachubodd o gyflog pechod i fywyd o oleuni ac i ran o dragwyddoldeb hyd nes y'n cyflawnir ni yn llawn yn y Nefoedd.

Cyflwynwn i ti heddiw, bawb sydd wedi syrthio oddi wrth ras ac sydd mewn angen am ddogn ychwanegol ohono i'w godi o bwll trueni ac anobaith. Diolch am nad yw ffynnon Dy ras byth yn sychu fel ag y mynegodd yr emynydd:

'Heddiw'r ffynnon a agorwyd
Disglair fel y grisial clir,
Y mae'n llanw ac yn llifo
Dros wastadedd Salem dir;
Bro a bryniau
A gaiff brofi rhin y dŵr.

Y mae rhinwedd gras y nefoedd
O dragwyddol faith barhad;
Nid oes darfod byth ar effaith
Perffaith haeddiant dwyfol waed:
Ac er golchi,
Nant heb lwydo, nant heb drai.'

Fel y gwyddom, Arglwydd, parhau i lifo y mae dy ras ac fe fydd yn llifo eto tra bydd sôn am Iesu a'i farwol glwy'. Boed i ninnau ymateb i'r alwad i ddod ato a derbyn yn helaeth o'i ras.

Gofynnwn hyn yn enw Iesu Grist ein Ceidwad.   Amen.

Iwan Ll Jones

Trugaredd

Darlleniad: 1 Timotheus 1: 12 17

'Trugaredd dod i mi,
Dduw, o'th ddaioni tyner.'

Dduw sanctaidd a phur, gogoneddus a pherffaith, cydnabyddwn di fel Duw cariad. Hanfod dy fod yw dy gariad, y cariad perffaith a chyflawn yna sy'n rhoi bod i'th drugaredd, y trugaredd naturiol yna sy'n cael ei ddangos i ni yn dy ddarpariaethau a'th roddion ar gyfer y ddynoliaeth. Nid Duw wyt ti sy'n dal yn ôl yn wyneb anffyddlondeb a phechod dyn, ond yn hytrach Duw yn ei drugaredd sy'n edrych y tu hwnt i'n cyflwr, ac yn rhoi i ni'r hyn oll sydd ei angen arnom i'n cynnal a'n cadw. Yng ngeiriau'r Salmydd:

'Y mae'r ddaear, O! Arglwydd, yn llawn o'th ffyddlondeb.'

Y pethau hynny yr ydym yn eu cymryd mor ganiataol ar adegau, heb sylweddoli eu bod yn arwydd o'th ddaioni a'th ofal am bob un ohonom, ac yn tanlinellu dy realiti a'th waith yn ein plith.

Eto, cydnabyddwn fod dy drugaredd yn mynd tu hwnt i gynhaliaeth bywyd, a'th gariad yn cael ei arddangos i ni, nid yn unig yn dy roddion, ond yn fwy o lawer ym mherson dy Fab, Iesu Grist, yn yr hwn y ceir trugaredd mwy gogoneddus o lawer. Y cariad yna sy'n arwydd o'th drugaredd tuag at gyflwr dyn. Gwelwn yn dy Fab dy ddarpariaeth ar ein cyfer, y ddarpariaeth yna sy'n mynd â ni o grafangau pechod ac i ganol y bywyd gogoneddus sy'n rhodd i ni. Derbyn ein diolch, felly, am iachawdwriaeth, yr iachawdwriaeth hon sy'n agor drws i drugareddau pellach, wrth i'th lân Ysbryd weithio yn ein calonnau, gan ddatguddio dy ewyllys a'th ffordd.

Yng nghysgod dy drugareddau ar ein cyfer, ac wrth i ni ym mherson dy Fab, drwy ffydd, agor ein llygaid i sylweddoli ac i gydnabod y ffynhonnell, sef tydi dy hun, cynorthwya ni, ar batrwm bywyd Iesu, i ddangos trugaredd tuag at eraill. Boed inni wneud hynny trwy amynedd a maddeuant, trwy offrwm gofal a gwasanaeth, mewn gair, gweithred a meddwl, yn ein gweinidogaeth a'n cenhadaeth, fel y gwelo eraill trwom ni, a thrwy waith dy lân Ysbryd, y cariad tragwyddol yna sydd ohonot ti, ac a enynna eto gariad yng nghalon dyn tuag atat ti dy hun.

'Dysg inni'r ffordd i weini'n llon
Er lleddfu angen byd o'r bron,
Rhoi gobaith gwir i'r gwan a'r prudd,
Ac archwaeth dwfn at faeth y Ffydd.'

Gofynnwn hyn i gyd yn enw dy annwyl Fab, Iesu Grist. Amen.

Eifion Arthur Roberts

Trugaredd

Darlleniad: Salm 103

Ein Tad nefol, erfyniwn am dy arweiniad yn ystod y munudau hyn a ninnau'n ceisio dy wyneb mewn gweddi. Munudau arbennig ydynt, oherwydd wrth inni nesáu at dy orsedd gwnawn hynny â chalonnau diolchgar i ti am dy drugaredd tuag atom. Mae'r emynydd am ein hatgoffa:

> 'Mae munud yn dy gwmni
> Yn newid gwerth y byd'

Os wyt ti am inni brofi'r munud hwn yn awr, O! Dad, yng nghanol munudau nesaf ein gweddi, boed iddo ddwyn inni brofiad adnewyddol ohonot ti. Diolchwn mai Duw trugarog a graslon ydwyt, yn araf i ddigio ac yn llawn ffyddlondeb. Daw hynny â chysur a llawenydd inni, ein Tad, yn wyneb ein hanffyddlondeb ni tuag atat. Dymunwn brofi dy drugaredd o'r newydd fel y medrwn dy ogoneddu mewn diolchgarwch, oherwydd ni wnaethost â ni yn ôl ein pechodau, ni thelaist i ni yn ôl ein troseddau, ond ceraist ni â chariad perffaith gan bellhau ein pechodau oddi wrthym. Diolchwn i ti am dy ffyddlondeb i'th blant, ffyddlondeb sydd 'o ddragwyddoldeb i dragwyddoldeb' i'r rhai sy'n dy foli. O! Dad, deisyfwn dy drugaredd i'n galluogi i'th wasanaethu o'r newydd a cheisio dy deyrnas mewn gwirionedd.

Yn bennaf, ein Tad, diolchwn i ti am dy drugaredd tuag atom yn Iesu Grist, ein Gwaredwr. Diolch i ti am iddo ddod i'n byd 'dros ein pechod ni, a hefyd bechodau'r holl fyd'. Ni ryfeddwn i'r Gair ddweud wrthym:

> 'Yn hyn y mae cariad: nid ein bod ni'n caru Duw, ond ei fod ef wedi ein caru ni, ac anfon ei Fab i fod yn iawn dros ein pechodau.'

Dymunwn brofi'r cariad hwn yn ein bywydau o'r newydd wrth inni gydnabod dy drugaredd tuag atom:

'Pwy sydd Dduw fel ti, yn maddau anwiredd, ac yn
mynd heibio i drosedd gweddill ei etifeddiaeth?
Nid yw'n dal dig am byth, ond ymhyfrydu
mewn trugaredd. Bydd yn dosturiol wrthym eto,
golch ein hanwireddau, a thafla ein
holl bechodau i eigion y môr.'

Mor fawr wyt ti, O! Dduw. Canmolwn ninnau dy enw am byth.
Gwelaist yn dda ein galw atat, ar sail dy drugaredd, i brofi o'r
newydd dy bresenoldeb yn ein bywyd. Diolch am gwmni'r Ysbryd
Glân yn ein cynorthwyo i'n hoffrymu ein hunain 'yn aberth byw,
sanctaidd a derbyniol' i ti, a thrwy hynny addoli dy enw sanctaidd.
Gelwaist ni i fyw fel plant y deyrnas, i lawenhau mewn gobaith, i
sefyll yn gadarn dan orthrymder, i weddïo'n ddi baid, i lawenhau
gyda'r rhai sy'n llawenhau, ac i fendithio'r rhai sydd am ein herlid,
heb eu melltithio o gwbl   er mor wahanol yw hynny i'r ymateb
sy'n codi o'r natur lygredig sydd ynom. Ond na, credwn i ti ein
galw yn dy drugaredd i fyw bywyd sanctaidd, bywyd sy'n deilwng
ohonot, gan fyw mewn cariad, yn union fel y carodd Crist ni, a'i
roi ei hun trosom, yn offrwm ac aberth i Dduw, yn arogl pêr.

Boed i arogl Iesu Grist yr Arglwydd aros arnom fel y byddwn oll yn
blant i ti ac yn barod i ddwyn gogoniant i'th enw glân a sanctaidd.
Hyn a ofynnwn yn enw Iesu Grist. Amen.

Geraint Hughes

Trugaredd

Darlleniad: Salm 103: 1 13

Deuwn ger dy fron â llawenydd, Arglwydd, wrth feddwl dy fod yn Dduw trugarog a graslon, yn araf i ddigio ac yn llawn ffyddlondeb. Addolwn di am dy fod yn trugarhau wrth fyd pechadurus, ac wrth bechaduriaid unigol. Cyffeswn nad ydym yn haeddu trugaredd oherwydd ein gwrthryfel naturiol yn dy erbyn, yn mynnu tynnu'n groes i ti wrth reddf. Gogoneddwn di am dy fod yn fodlon ymwneud â dynoliaeth o gwbl, yn hytrach na'i dileu, oherwydd ei hanufudd dod i ti. Cydnabyddwn dy gynhaliaeth barhaus i'th fyd.

'Nid oes terfyn ar drugaredd yr Arglwydd, ac yn sicr ni phalla ei dosturiaethau. Y maent yn newydd bob bore, a mawr yw dy ffyddlondeb.'

Diolchwn i ti am dy fod yn goddef cymaint o bechod ac annuwioldeb heb gosbi'n syth. Rhyfeddwn at amynedd dy drugaredd yn gohirio barn er mwyn rhoi cyfle i ni edifarhau.

Diolchwn i ti dy fod, yn dy drugaredd, wedi cynllunio ffordd i achub ac adfer dy bobl o fod yn bechaduriaid gwrthryfelgar, i fod yn sanctaidd a di nam ar lun a delw Crist:

'Rhyfedd na buaswn nawr
yn y fflamau.
Wedi cael fy nhorri i lawr
Am fy meiau.'

Diolchwn am gynllun costus dy achubiaeth o anfon dy unig Fab i fod yn ail Adda, i fod yn ben y greadigaeth newydd. Diolch am i ti ei roi fel aberth dros bechodau dy bobl. Diolch i ti ei roi fel oen i'r lladdfa. Diolch am iddo fod yn iawn dros ein pechodau ni. O! Arglwydd, mor fawr yw dy drugaredd. Mae gogoniant dy drugaredd yn fwy na gogoniant y creu hyd yn oed.

'Ond prawf Duw o'r cariad sydd ganddo tuag atom
ni yw bod Crist wedi marw drosom pan oeddem
yn dal yn bechaduriaid.'

Diolchwn fod cylch dy drugaredd mor eang â phob cyfandir,
pob llwyth a gwlad ac iaith. Diolchwn hefyd dy fod, yn dy
drugaredd, wedi ein galw ni'n bersonol i edifeirwch a ffydd yn dy
Fab Iesu Grist. Oni bai am dy drugaredd, ni fyddem yn credu ynot
nac yn pwyso arnat. Diolchwn yn ostyngedig. Deuwn ger dy fron
yn awr i apelio am drugaredd eto. Bendithia ni a derbyn ni nawr
mewn trugaredd. Tyrd yn agos atom mewn trugaredd.

Gofynnwn i ti, O! Arglwydd, am ras i drugarhau fel y cawsom ni
drugaredd. Helpa ni i dosturio wrth ein gilydd fel Cristnogion. Rho
inni ras i drugarhau a thosturio wrth bobl ein cylchoedd ni. Gwared
ni rhag edrych i lawr ar eraill. Cynorthwya ni i'w caru yn null
Crist, yn ôl eu hangen ysbrydol a chorfforol, a hynny trwy aberth
gwirfoddol. Helpa ni i ymwneud â phobl o bob math, er gogoniant
i'th drugaredd a'th enw di.

Derbyn ein gweddi yn enw ac yn haeddiant Iesu Grist. Amen.

John Treharne

257

Maddeuant

Darlleniad: Ioan 15: 1 17

'Uwch pob rhyw gariad is y nef
Yw cariad pur fy Nuw,
Anfeidrol foroedd dyfnion maith,
Heb fesur arno yw.'

Cydnabyddwn, O! Dad, mai hanfod dy fodolaeth yw dy gariad
'Duw cariad yw' ac o ganlyniad dy fod ti'n ymwneud â'r
greadigaeth a bywyd dyn yn ôl llinyn mesur y cariad hwn. Y cariad
yna sy'n arwyddo dy berffeithrwydd a'th ogoniant, ac sy'n cael ei
amlygu i ni yn dy ofal amdanom a'th ddarpariaeth ar ein cyfer.
Cydnabyddwn dy gariad fel cariad diderfyn. Cariad nad oes
cyfyngu arno, cariad cyflawn sy'n mynd tu hwnt i hualau'r byd
hwn, gan gofleidio dyn ymhob cyflwr a phob angen. Oherwydd
Duw fel yna wyt ti! Tad trugarog sy'n edrych ar ddynolryw yn dy
dosturi, y tosturi yna sy'n arwydd o'th gariad, ac sy'n rhoi bod i
faddeuant.

Ym mherson dy Fab, Iesu Grist, gwelwn y maddeuant yna'n troi'n
wahoddiad:

'Ond rhad anfeidrol yw ei ras,
I bechaduriaid cyndyn cas;
A garodd Ef, fe'u dwg i maes
O'u pechod ac o'u braw.'

Y maddeuant yna a welir yn nhrefn rhagluniaeth, yn dy
ddarpariaeth di, wrth i'r Iesu farw tros ein pechod, ond yn ei
atgyfodiad gogoneddus goncro'r bedd, 'colyn pechod', a'n dwyn i
gymod â thydi dy hun, fel bod dy faddeuant nid yn unig yn ffaith,
ond trwy ffydd yn brofiad ac yn realiti oddi mewn inni heddiw.
Cyffeswn ein gwendidau a'n ffaeleddau ger dy fron, yn ein
perthynas â thi ac yn ein perthynas â'n gilydd. Deisyfwn dy

faddeuant am bob peth negyddol yn ein bywydau, sy'n aml yn arwyddion o'n gwendidau a'n hanallu. Trwy brofiad dy faddeuant, cwyd ni o afael yr hyn oll sy'n groes i'th ewyllys, ac yn hyn i gyd tyn ni'n nes atat mewn gair, gweithred a meddwl.

Gofynnwn ar i ti, yn dy faddeuant, gofio'r byd. Yn sŵn ei ryfeloedd, yn wyneb anghyfiawnder, yn nioddefaint y diniwed, maddau a thrugarha wrth dy bobl. Ac yn wyneb realiti, gweddïwn ar i ti ein cymell a'n harwain i ymarfer maddeuant yn ein perthynas â'n gilydd yng nghyd destun ein bywyd fel pobl, fel eglwysi ac fel cymdeithas. Y weithred yma sy'n gyfrwng i adeiladu perthnasau gan roi bod i ymddiriedaeth a goddefgarwch, fel ein bod ni'n arwydd, a'n gweithredoedd yn dangos ôl y maddeuant mwyaf a welodd y byd hwn, sef ym mherson dy Fab, ein Harglwydd Iesu Grist. Amen.

Eifion Arthur Roberts

Maddeuant

Darlleniad: Mathew 18: 21 35

Ein Tad, cofiwn i Iesu ein dysgu, fel y dysgodd ei ddisgyblion i weddïo:

'Maddau i ni ein troseddau, fel yr ŷm ni wedi maddau i'r rhai a droseddodd yn ein herbyn.'

Sylweddolwn ar ein hunion, mor eithriadol bwysig yw'r geiriau hyn. Yn bwysig am eu bod yn dod â ni wyneb yn wyneb â'r ffaith mai Duw maddeugar wyt ti a bod disgwyl i ninnau yn ein bywydau'n hunain faddau i'r rhieny sydd wedi troseddu yn ein herbyn.

Deuwn, ein Tad, i gyffesu i ninnau droseddu yn dy erbyn di. Aeth dy gyfreithiau a'th orchmynion ymhell o'n cof a chawsom ein hunain yn dilyn ein hewyllys hunanol yn hytrach nag yn ceisio dy ewyllys di. Yn wyneb hyn, deuwn ger dy fron mewn edifeirwch ac erfyniwn arnat am dy faddeuant. Daw i'n cof eiriau Ioan Fedyddiwr pan welodd yntau'r Arglwydd Iesu'n dod ato i'w fedyddio yn afon Iorddonen: 'Dyma Oen Duw, sy'n cymryd ymaith bechod y byd'. Credwn mai dyma oedd pwrpas dyfodiad yr Arglwydd Iesu i'n byd ac mai dyma pam y bu iddo farw drosom. Daeth i'n gwaredu rhag canlyniadau'n pechod a'n hanufudd dod i Ti, a thrwy hynny ein gwahodd i dderbyn y bywyd sydd ar ein cyfer gennyt ti, yn awr ac am byth.

O! Dad, gwyddom fod dy faddeuant yn Iesu Grist ar gael i ni ar yr amod ein bod yn troi atat mewn edifeirwch a ffydd. Erfyniwn felly am gael dod o'th flaen a dechrau dy ddilyn o'r newydd yn ein bywydau. Dyro inni brofi hynny'n awr a chael cychwyn ar bererindod ffydd a fydd yn ein harwain i berthynas newydd a bywiol â thi, fel y byddwn, o hyn ymlaen, yn byw ein bywydau er clod a gogoniant i'th enw sanctaidd. Gwyddom hefyd, ein Tad, mai canlyniad yr hyn a gyflawnodd Iesu, ynghyd â'n hedifeirwch ni a'th faddeuant dithau, yw ein bod ninnau'n cael magu ffydd ynot a chael ein cyfiawnhau ger dy fron.

Dymunwn gael bod yn iawn yn dy olwg, fel y medrwn sefyll o'th flaen yn y gobaith y cawn gyfranogi o'th ogoniant. Diolchwn i ti am gymodi'r byd â thi dy hun yn Iesu Grist ac am i ninnau gael bod yn wrthrychau dy gariad tragwyddol. Do, ceraist y byd gymaint nes iti roi dy unig Fab, er mwyn i'r sawl sy'n credu ynddo ef beidio â mynd i ddistryw ond cael bywyd tragwyddol.

Ein Tad, teimlwn mor annheilwng ac mor annigonol ein geiriau i fedru dod atat fel hyn i ddiolch i ti am Iesu Grist ac am yr hyn a gyflawnodd drosom, a ninnau wedi dy wrthod mor aml. Down mewn cywilydd ac mewn euogrwydd am inni wadu aberth Iesu Grist yn ein bywydau. Ond gwyddom iti ein caru a'th fod yn barod i faddau. Do, ceraist ni cyn ein bod.

> 'A'i briod Fab a roes
> Yn ôl amodau hen y llw,
> I farw ar y groes.'

Diolchwn i ti am gael sefyll o'th flaen yng nghyfiawnder Iesu Grist, gan nad oes unrhyw gyfiawnder ynom ni ein hunain. Diolch i Iesu orchfygu, gan hwyluso'r ffordd inni ddod atat yn hyderus ac yn ffyddiog na fyddi yn ein gwrthod nac yn cefnu arnom. O! diolch, ein Tad, am iti ollwng dros gof ein pechodau ni drwy'r hyn a wnaeth Iesu ar ei Groes. Moliannwn dy enw wrth inni gofio am eiriolaeth dy Fab drosom:

> 'O! Dad, maddau iddynt, oherwydd ni
> wyddant beth y maent yn ei wneud.'

a chlodforwn dy enw oherwydd:

> 'Euogrwydd fel mynyddoedd byd,
> Dry'n ganu wrth y Groes.'

Derbyn ein diolch eto, ein Tad, am iti ein barnu a maddau inni yng ngwaed Iesu a'n caru fel pe bai dim ond un ohonom i'w garu. Yn Iesu Grist. Amen.

Geraint Hughes

Maddeuant

Darlleniad: Mathew 18: 21 35

Arglwydd ein Duw, deuwn ger dy fron â diolch ac â mawl yn ein calonnau, wrth nesáu at Dduw sydd yn maddau. Oni bai am hyn ni fyddai modd inni ddod ger dy fron o gwbl. Rhyfeddwn at y ffaith dy fod yn maddau holl bechodau dy bobl, yn wir dy fod yn eu taflu i eigion y môr.

> 'Pa dduw sy'n maddau fel Tydi
> Yn rhad ein holl bechodau ni?'

Er nad oes modd inni dalu am dy faddeuant, sylweddolwn yn ostyngedig ei fod wedi costio'n ddrud iawn i ti. Credwn dy fod yn maddau ac yn dileu pechod dy bobl oherwydd bod Crist dy Fab wedi offrymu ei hun yn iawn drosom ni. Credwn fod ein pechod dychrynllyd ni wedi ei gyfrif iddo ef yn ei farwolaeth, a bod ei gyfiawnder ef yn cael ei gyfrif i ni trwy ffydd ynddo.

> 'Caed trefn i faddau pechod
> Yn yr Iawn,
> Mae iachawdwriaeth barod
> Yn yr Iawn,
> Mae'r Ddeddf o dan ei choron,
> Cyfiawnder yn dweud, Digon!
> A'r Tad yn gweiddi, Bodlon!
> Yn yr Iawn;
> A diolch byth, medd Seion,
> Am yr Iawn.'

Diolchwn fod dy faddeuant yn ein rhyddhau o gaethiwed pechod. Diolch bod gennym ryddid oddi wrth gondemniad pechod, sef marwolaeth dragwyddol. Diolch ein bod yn rhydd oddi wrth gaethiwed pechod, yn rhydd i beidio â phechu, trwy nerth dy lân Ysbryd. Diolchwn hefyd y byddwn yn gwbl rydd o olion pechod yn ein hysbryd a'n corff yn niwedd y byd.

'Felly os yw'r mab yn eich rhyddhau chwi, byddwch yn rhydd mewn gwirionedd.'

Diolch, hefyd, am y rhyddhad a ddaw i bechadur wrth wybod bod ei bechodau wedi eu maddau yn enw Iesu Grist. Diolch bod pwysau euogrwydd pechod yn cael ei symud. Diolch bod rhestr ein dyledion, ein biliau yn y nef, wedi eu croesi, trwy aberth Calfaria. Diolch nad oes angen edrych dros ein hysgwydd at y gorffennol, ond bod i ni obaith byw i'r dyfodol. Diolch bod ein maddeuant yn dibynnu ar haeddiant y Groes ac nid ar ein haeddiant ni, oherwydd nid ydym yn haeddu dim ond melltith y nef.

'Euogrwydd fel mynyddoedd byd
Dry'n ganu wrth dy Groes.'

Helpa ni i faddau i eraill fel yr wyt ti wedi maddau i ni. Gwared ni rhag meddwl bod gennym yr hawl i wrthod maddeuant, tra ydym ni, fel Cristnogion, yn byw arno o ddydd i ddydd. Rho i ninnau ras i faddau heb gyfiawnhau pechod, yn ôl dull ein Harglwydd bendigedig. O! Dad, gwna ni'n faddeugar!

Gofynnwn heddiw eto am dy faddeuant. Deuwn eto i geisio glanhâd trwy waed y groes. Deuwn eto at y ffynnon sydd yn golchi'r mwyaf ffiaidd, heb sychu byth.

'Arglwydd, maddau eto i minnau,
Ar faddeuant 'rwyf yn byw:'

Clodforwn di'n awr, O! Arglwydd grasol, am dy faddeuant, ac edrychwn ymlaen at glodfori gogoniant dy ras i dragwyddoldeb maith. Amen.

John Treharne

263

Ein Gwlad

Darlleniad: Llyfr y Pregethwr 44: 1 15

Creawdwr byd a lluniwr cyfandiroedd, yr hwn yn ei allu a'i ddoethineb a greodd drefn allan o anhrefn, ffurf allan o ddim, a chreadigaeth allan o bosibilrwydd, cydnabyddwn di fel awdur y byd a phob peth sy'n ymlusgo ar hyd wyneb daear, fel rhoddwr bywyd yn yr hwn yr ydym yn symud ac yn anadlu.

Ti, O! Dad, yn dy ddoethineb a greodd ddyn ar dy lun dy hun, i deyrnasu ar diroedd a'r hyn oll sydd arnynt. Derbyn ein diolch, felly, am y rhodd o fywyd, ac am gylch y bywyd yna, sef ein gwlad. Diolchwn i ti am harddwch ei mynyddoedd a'i harfordiroedd, ei chreigiau a'i llynnoedd, y llecynnau gogoneddus yna sy'n abl i greu ynom yr ymdeimlad o agosatrwydd atat ti. Y tirwedd sy'n aml iawn yn gyfrwng i'n gwneud ni y bobl ydan ni, gan roi bod i ffrwyth ym meysydd diwylliant a thraddodiadau. Cydnabyddwn gyfoeth cynnyrch y canrifoedd, yn farddoniaeth, yn llenyddiaeth, yn gerddoriaeth, yn orchestion gwleidyddol, yn ddatblygiadau a chynnyrch diwydiannol, ond yn fwy na dim, ein hiaith cyfrwng ein datgan a'n cyfleu. Gwarchod hi, yn wyneb bygythiadau cenhedloedd eraill, a thywys ni yn ein defnydd ohoni i'r blynyddoedd sydd i ddod.

Cyffeswn ger dy fron gyflwr ein bywydau yn y presennol sefyllfa'n gwlad a'i phobl. Wrth inni gydnabod y rhodd o iaith a'r hyn oll sy'n deillio ohonom, efallai fod y cyfan wedi mynd i olygu mwy i ni. Y rhodd yn mynd i olygu mwy na'r rhoddwr, a'r greadigaeth wedi mynd i olygu mwy na'r creawdwr. Cyflwynwn i'th ddwylo gyflwr ein gwlad. Cydnabyddwn nad wyt yn cael y lle teilyngaf posibl yn ein bywyd. Gyda thristwch y cydnabyddwn y troi cefn amlwg ar efengyl dy Fab, y troi yma sy'n rhoi bod i'r holl bethau negyddol hynny yn ein hanes. Deisyfwn dy faddeuant, ond ynghlwm wrth y deisyfiad yna erfyniwn hefyd am gymorth ac am nerth. Yn wyneb newidiadau cymdeithasol, wrth i bobl wynebu temtasiynau'r oes, gweddïwn ar i ti ogoneddu pob ymdrech i gadw'r fflam i losgi. Gweddïwn dros waith yr Eglwys yn ein gwlad, am bregethu'r efengyl, ac am y Cymry sy'n dal i ymateb i alwad a her yr efengyl, ac yn hynny warchod y pethau gorau, y gwirioneddau hynny sydd ohonot ti ac yn rhodd ar ein cyfer ym mherson dy Fab, Iesu Grist. Derbyn, felly, waith dy blant; bydded i ti yn dy drugaredd ddyrchafu'r cyfan a:

> '... deued dydd pan fo awelon Duw
> Yn chwythu eto dros ein herwau gwyw
> A'r crindir cras dan ras cawodydd nef
> Yn erddi Crist, yn ffrwythlon iddo ef,
> A'n heniaith fwyn â gorfoleddus hoen
> Yn seinio fry haeddiannau'r addfwyn Oen.' Amen.

Eifion Arthur Roberts

Ein Gwlad

Darlleniad: Salm 33:12

O! DDUW
Ein Duw
RHOWN GLOD, DIOLCH A MAWL
Y parch a'r bri i ti am y Gymru hon
AM DY RODD I NI MEWN IAITH, DIWYLLIANT A HANES.

AM Y GORFFENNOL
Rhown ddiolch
AM YR ENWOG A LAFURIODD HYD FLINDER, HYD ABERTH
Rhown ddiolch
AM Y NODEDIG A LAFURIODD DAN DDIRMYG A PHOEN, A
GADAEL BENDITH AR EU HÔL
Rhown ddiolch
AM Y NIFEROEDD DI SÔN ERAILL A FU'N DYFAL LAFURIO
ER NA CHLYWODD Y GENEDL FAWR DDIM AMDANYNT
Rhown ddiolch
AM I TI EIN BENDITHIO Â SEINTIAU DEWRION AC
ARWEINYDDION; GWŶR A GWRAGEDD O DDAWN,
DEWRDER A DYSG
Rhown ddiolch
YMHYFRYDWN YN EU HESIAMPL A'U LLAFUR.

O! DDUW
Ein Duw
AM Y PRESENNOL
Rhown ddiolch
GWELI DI EIN RHINWEDDAU ...
Gweli di ein gwendidau

DEISYFWN ARNAT
Derbyn ein gweddi
RHAG RHITH O GREFYDD HEB EI GRYM

O! Dduw, gwared ni
RHAG CYMDEITHAS HEB EI CHYDWYBOD
O! Dduw, gwared ni
RHAG DIBRISIO EIN HIAITH
Goriad ein gorffennol,
EIN TOCYN I'R DYFODOL
O! Dduw Dad, gwared ni dy bobl
RHAG RHANIADAU   TRADDODIAD AC ARFER
Hil a dosbarth
rhwng y braf eu byd a'r tlawd
RHAG RHANIADAU SY'N LLADD BRAWDOLIAETH AC YN
        GWENWYNO CYMDEITHAS
O! Dduw, ein Duw, gwared ni
DYRO I'TH BOBL LYWODRAETH UNION A CHYFRAITH
GYFIAWN, YMDRECH ANGERDDOL A GWELEDIGAETH
GREADIGOL
I ymgnawdoli dy gariad ym mywyd ein gwlad.

O! DDUW
Ein Duw
AM Y DYFODOL
Rhown ddiolch
OS GWELI DI'N DDA
Dyro inni ryddid
HEDDWCH A LLAWENYDD
Dyro ras inni
DDERBYN YN SIRIOL Y PETHAU NA ELLIR EU NEWID
Y dewrder i newid y pethau y gellir eu newid
A'R DOETHINEB I WYBOD Y GWAHANIAETH
RHYNGDDYNT
O! Dduw
EIN DUW
Clyw ein gweddi. Amen.

Owain Llyr Evans

Ein Gwlad

Darlleniad 1: Rhufeiniaid 9: 3 10
Darlleniad 2: Rhufeiniaid 4

Yr ydym yn falch iawn, Arglwydd, o'th gydnabod a'th addoli fel creawdwr yr holl fydysawd. Ti yw ein creawdwr ni, ac ynot ti yr ydym ni'n byw, yn symud ac yn bod; dy hiliogaeth di ydym.

Yr ydym hefyd yn cydnabod dy ddoethineb a'th ras yn gwahanu dynoliaeth i genhedloedd trwy gymysgu eu hieithoedd, a'u gwahanu oddi wrth ei gilydd. Diolchwn i ti am ddyfesio ffordd i'n gwaredu rhag pechod Babel, sef uno i gystadlu â Duw.

Rhyfeddwn a dotiwn at yr amrywiaeth gyfoethog a ddaeth allan o hyn. Diolch am ieithoedd a thafodieithoedd gwahanol, am amrywiol ddiwylliannau a lliwiau croen. Diolch nad yw pawb yn unffurf, unwedd, ac nad yw'n byd yn un undonog.

Er gwaethaf gwrthryfel dynoliaeth yn dy erbyn ers dyddiau Adda ac Efa, diolchwn hefyd dy fod wedi caru'n byd cyfan gymaint, nes iti roi dy unig Fab yn Waredwr er mwyn i bob un ac unrhyw un sy'n credu ynddo gael bywyd tragwyddol yn hytrach na distryw a cholled. Diolchwn bod ein Harglwydd Iesu wedi marw ar y Groes dros ei bobl o bob llwyth a gwlad ac iaith.

Gorfoleddwn yn y ffaith ei fod yn fwriad gennyt erioed i gynnwys pob math o bobl yn dy deyrnas dragwyddol. Bendigwn dy enw am fod dy Efengyl yn creu teulu byd eang newydd yng Nghrist, o holl gyfandiroedd y byd, gan ein cynnwys ni hefyd.

Diolchwn am iti awgrymu hyn wrth Abraham mewn cyfamod, trwy ddweud y byddai holl genhedloedd y ddaear yn cael eu bendithio trwy ei had, sef Crist. Diolch am ddangos y mynnet drugarhau wrth bobl Ninefe yn amser Jona. Diolch am eiriau dy Fab yn dangos y byddai'r newyddion da ynddo fe yn cael ei gyhoeddi trwy'r byd i gyd cyn ei ail ddyfodiad.

Diolch felly, fod lle i Gymru yn dy gynlluniau a'th fwriadau grasol di. Diolchwn yn ostyngedig ein bod wedi cael yr Efengyl yn ein gwlad ers canrifoedd maith, a'i bod yn dal yn ein tir heddiw. Diolch bod Efengyl Crist wedi bod yn rhan annatod o ddwylliant Cymru ers amser cynnar ar ôl Crist. Diolch, Arglwydd, am y bendithion cyfoethog a ddaeth i'n gwlad trwy gyfrwng dy efengyl sanctaidd. Diolchwn hefyd fod Cymru wedi bod yn gyfrwng helaeth iawn i fendithio rhannau eraill o'r byd trwy ledaenu'r efengyl.

Gwared ni rhag unrhyw beth sydd yn gwrthryfela yn dy erbyn di ym mywyd ein gwlad heddiw. Cydnabyddwn fod elfennau cryf o annuwioldeb yn ein nodweddu bellach. Sylweddolwn fod anghrediniaeth yn broblem oddi allan ac oddi mewn i'n heglwysi. Nertha dy blant i frwydro yn erbyn heresi a diffyg parch at dy air sanctaidd lle'i ceir. Gwared ni hefyd rhag balchder cenedlaethol di Dduw a diddiolch. Gwared ni rhag bod yn amharod i ddysgu oddi wrth genhedloedd eraill.

Yn dy drugaredd, Arglwydd, rho inni ras i'th orseddu yn frenin Cymru. Gad inni gofio bod cyfiawnder yn dyrchafu cenedl. Erfyniwn arnat i'n cadw a'n gwarchod rhag colli'r breintiau a gawsom mor helaeth gennyt. Rho i ni edifeirwch lle bo angen hynny. Rho i'th blant ac i arweinwyr dy bobl faich Nehemeia dros eu gwlad.

Derbyn ein diolch a'n herfyniadau taer, yn enw ac yn haeddiant Iesu Grist. Amen.

John Treharne

Yr Ysgol Sul

Darlleniad: Luc 2: 41 52

'Am yr Ysgol rad Sabothol,
Clod, clod i Dduw!'

Cydnabyddwn di, O! Dduw, fel un sy'n ei ddatguddio ei hun i ni yn
dy greadigaeth. Yng ngeiriau'r emynydd:

'Mae'r nefoedd faith uwchben
Yn datgan mawredd Duw;
Mae'r haul a'r lloer a'r sêr i gyd
Yn dweud mai rhyfedd yw.'

Yn Dduw sy'n llond pob lle, ac yn bresennol ymhob man. Mae holl
drefn natur yn dy ddangos am y Duw wyt ti, gan danlinellu dy
ogoniant a'th ryfeddod. Ond fe'th welwn yn mynd â'r datguddiad
yna ymhellach, drwy roi canolbwynt arbennig iddo, a hynny ym
mherson dy annwyl Fab, Iesu Grist, yr hwn y down i wybod
amdano yn yr ysgrythur, ac a ddatguddir i ni trwy waith dy lân
Ysbryd. Derbyn ein diolch, felly, am yr ysgrythur, yn yr hon y
down i wybod, a thrwy ffydd i gredu ac i dderbyn ein
hiachawdwriaeth a'n gobaith.

Cydnabyddwn nad yno y gorffen y datguddiad, ond dy fod ti'n
ddyddiol yn dysgu rhywbeth newydd i ni, yn amgylchiadau a
sefyllfaoedd bywyd, ond yn fwy felly wrth inni ddarllen ac astudio
dy Air a'i gynnwys ... wrth inni ddod i ddeall proffwydoliaethau a
doethinebau, wrth inni gydganu Salmau, wrth inni ymgyfarwyddo â
hanesion unigolion, wrth inni gael cipolwg ar gyflwr eglwysi.
Oherwydd Duw tragwyddol wyt ti, a'th ymwneud â dyn yr un o oes
i oes.

Derbyn, felly, ein diolch am waith yr Ysgol Sul, am ei hanes yn y
gorffennol; am yr unigolion hynny a fu'n gyfrifol am sefydlu a

darparu a chynnal; am ymroddiad ei hathrawon ac am gyfoeth dysg ei disgyblion. Diolchwn am y gofal, y cymorth a'r arweiniad, ynghyd â'r ddisgyblaeth a gawsom wrth fynychu'r sefydliad annwyl hwn sydd mor agos at galonnau pawb ohonom.

Sylweddolwn, O! Dad, nad unigolion ynghlwm wrth ein gorffennol ydym ond, yn hytrach, pobl yn byw yn y presennol. Cyffeswn angen ein hoes am ddealltwriaeth sylfaenol o'r efengyl, ac am ddysgu ac ailddysgu hanfodion y ffydd. Cyflwynwn felly i'th ddwylo waith ac ymdrech yr Ysgol Sul heddiw. Mewn oes o ddiffyg amser, mewn oes o ddiffyg diddordeb, yn wyneb cymdeithas fodern a thechnolegol, diolchwn am y fendith a'r llawenydd sy'n dal i gael ei brofi drwyddi, am gyfoeth yr adnoddau sydd ar gael i'w chynorthwyo yn ei gwaith, ac am ymroddiad ei hathrawon a'i disgyblion. Gweddïwn ar i ti ogoneddu'r cyfan, ac y gwelir ffrwyth y llafur ym muchedd y credinwyr ac ym mywyd yr Eglwys. Gad i'w tystiolaeth lifo i heolydd ein cymdeithas, gan gyfeirio cerddediad dyn at yr hwn y tardd pob doethineb ohono, yr hwn sy'n ffynhonnell pob gwirionedd, sef tydi dy hun. Gofynnwn hyn oll, yn enw'r Athro mawr ei hun, Iesu Grist dy Fab. Amen.

Eifion Arthur Roberts

Yr Ysgol Sul

Darlleniad: Diarhebion 22

Gweddi ar ddechrau'r Ysgol Sul

Deuwn atat yn llawen,
  ein Harglwydd byw,
  ein hathro bendigedig.
Deuwn yn deulu,
  yr ifanc yn ymelwa ar ffrwyth profiad yr hen,
  a'r hen yn derbyn her ffresni ac egni'r ifanc.
A phawb ohonom yn derbyn gennyt drysor dy Air.
Hyfryd eiriau yn ein hadeiladu,
  dwysbigo,
  cysuro,
  puro,
  goleuo ac ysbrydoli.

Arwain ni, bawb sy'n dysgu a phawb a ddysgir. Arwain ni, yn blant a phobl ifainc a rhai hŷn, i chwilio, trin a thrafod, ond yn bennaf oll i fwynhau dysgu gennyt ac amdanat. Amen.

Gweddi ar derfyn yr Ysgol Sul

Deuwn atat, Arglwydd, ar derfyn y cyfnod hwn yng nghwmni ein gilydd i gydnabod ein diolch am yr arweiniad a gawsom ac am y paratoi a fu ar ein cyfer. Diolch am gwmni cyfeillion, am y parodrwydd i rannu a goddef syniadau gwahanol ac amrywiaeth barn; a'r cyfan yn gymorth inni i gyd i ddeall yn well dy Air a'th ewyllys ar ein cyfer. Ac mewn byd lle mae cymaint yn chwilio, mewn cymdeithas lle mae cymaint o gwestiynau'n cael eu holi a chyn lleied o atebion yn cael eu cynnig, boed i'r gwefusau sydd wedi datgan dy glod fynd allan bob amser gan gyffesu dy wirionedd.

Boed i'r clustiau a glywodd y gwirionedd amdanat fynd allan a gwrando'n feunyddiol am yr hyn sy'n dda, yn gywir ac yn wir. Boed ein bywydau, sydd wedi eu cysegru i ti, fod bob amser yn deilwng ohonot ac yn cael eu byw er clod a gogoniant i'th enw mawr. O! Dduw bendigedig, clyw ein gweddi. Amen.

Gweddi gyffredinol dros yr Ysgol Sul

Diolchwn i ti, ein Tad a Thad ein Harglwydd Iesu Grist, am orffennol yr Ysgol Sul. Diolchwn am Griffith Jones, Llanddowror a Thomas Charles o'r Bala. Diolchwn am i bobl gynt drwy gyfrwng yr Ysgol Sul ddarganfod yn y geiriau y GAIR.

Ac wrth ddiolch i ti am ddoe, am yr hyn fu'r Ysgol Sul, cyflwynwn i ti weithgarwch y presennol. Diolchwn am waith Cyngor yr Ysgolion Sul, a'r athrawon hynny sy'n dysgu ac yn hyfforddi plant, pobl ifainc ac oedolion yn dy Air o Sul i Sul.

Ac os ydym heddiw'n gweddïo ac yn gweithio yn unol â'th ewyllys di ac o dan arweiniad dy Ysbryd, os gweli'n dda, boed dy fendith ar ddyfodol yr Ysgol Sul. Boed i'r had a heuir heddiw ddwyn ffrwyth yfory. Er gogoniant i'th enw. Amen.

Owain Llyr Evans

Yr Ysgol Sul

Darlleniad: Salm 119: 97 112

Diolchwn, Arglwydd, am etifeddiaeth gyfoethog yr Ysgol Sul yn ein gwlad. Diolch am weledigaeth Griffith Jones i hyfforddi a pharatoi pobl i ddeall iaith pregeth a iaith yr efengyl. Diolch iddo ddod â'r efengyl i feddyliau a chalonnau'r werin o bob oed. Diolch am ei faich dros achubiaeth y Gymru Gymraeg yn ei ddydd. Helpa ni, Arglwydd i barhau ei weledigaeth, a'i addasu yn ôl amgylchiadau ein dyddiau ni, heb newid yr Efengyl tragwyddol yn Iesu Grist. Helpa ni i barhau i gyflwyno neges y creu, y cwmp a'r cyfiawnhad sydd i bechadur yn Iesu Grist.

Diolchwn yn ostyngedig iawn am ddylanwad adeiladol yr Ysgol Sul ar genedlaethau o blant, ieuenctid a phobl ifanc. Diolchwn am yr Ysgol Sul fel cyfrwng i'w gwreiddio yn y gwirionedd Cristnogol. Diolch bod llawer o blant ac ieuenctid wedi medru defnyddio'r wybodaeth a gawsant yn yr Ysgol Sul i droi at yr Arglwydd Iesu fel eu Gwaredwr personol yn nes ymlaen mewn bywyd wrth weld eu hangen amdano yn gliriach.

'Hyffordda blentyn ar ddechrau ei daith, ac ni thry oddi wrthi pan heneiddia.' Diolch hefyd fod addysg yr Ysgol Sul wedi bod yn gyfrwng i lawer Cristion blymio'n ddyfnach i wirioneddau'r Beibl. Diolchwn am athrawon a fu, ac sydd yn dysgu plant neu oedolion. Diolch am y rhai sydd yn hau had y goleuni mewn gobaith. Diolch am athrawon Ysgol Sul sydd fel cyfaill annwyl i blentyn mewn bywyd. Diolch am eu hymdrechion yn paratoi gwersi, yn eiriol dros ddisgyblion mewn gweddi, yn estyn cyfeillgarwch, yn ogystal â'u hyfforddiant. Diolch am ddynion a merched a fu'n meithrin disgyblion 'yn nisgyblaeth a hyfforddiant yr Arglwydd'.

Diolch yn fawr am bob un sydd ynghlwm wrth waith yr Ysgol Sul yn ein dyddiau dyrys ni. Gweddïwn i ti, Arglwydd, fendithio'r holl waith sydd yn cael ei wneud. Gofynnwn i ti hyfforddi'n cenhedlaeth ni eto trwy dy air a thrwy gyfrwng yr Ysgol Sul. Gofynnwn i ti, yn dy ras, i arwain Cymry Cymraeg i'th adnabod, ac i brofi iachawdwriaeth yn Iesu Grist.

Helpa ni i sicrhau bod ein gwersi yn cyfleu gwirionedd a phwyslais Beiblaidd, ac yn cyfleu gogoniant yr Arglwydd Iesu Grist. Gwared ni rhag colli gweledigaeth dros yr Ysgol Sul. Gwared ni rhag anghofio ei gweinidogaeth allweddol oddi mewn i eglwys Iesu Grist. Gwared ni rhag gollwng cyfrifoldeb addysg foesol ac ysbrydol ein plant a'n hieuenctid yn llwyr i gyrff seciwlar. Rho i ni frwdfrydedd a ffresni wrth hyfforddi pobl yn ofn yr Arglwydd, ac wrth gyfleu iddynt dy gariad anfeidrol at fyd colledig.

O! Arglwydd, tania ni, trugarha wrthym a defnyddia ni yng ngwaith yr Ysgol Sul, er gogoniant i'r Arglwydd Iesu, yr hwn yr oedd ei ddisgyblion yn ei alw'n athro. Amen.

John Treharne

Yr Eglwys

Darlleniad: Mathew 16: 13 20

Ein Tad nefol a sanctaidd, wrth feddwl am dy Eglwys cofiwn eiriau
Iesu wrth Seimon Pedr:

'Ar y graig hon yr adeiladaf fy eglwys, ac ni chaiff holl
bwerau angau y trechaf arni.'

Mae'r geiriau hyn yn galondid mawr i ni yng nghanol y dirywiad
ysbrydol sydd yn ein gwlad. Tristwch mawr i ni, O! Arglwydd, yw'r
ffaith nad yw'r ieuenctid yn gweld yr Eglwys yn berthnasol i'w
bywyd a bod nifer y ffyddloniaid yn lleihau o flwyddyn i flwyddyn:

> 'Tyred, Ysbryd yr addewid,
> O'r ucheldir pur i lawr,
> Yn dy ddoniau cadwedigol,
> Er aileni tyrfa fawr;'

O! Dduw ein Tad, mae llawer o bobl yn ansicr ynglŷn â'r hyn yw'r
eglwys ddelfrydol. Gwyddom nad yw'r Eglwys yn berffaith yr ochr
hon i'r nefoedd. Mae ynddi lawer o wendidau a ffaeleddau, ond
gallwn weld wrth ddarllen y Beibl yr hyn y dylai hi fod.

O! Arglwydd ein Duw, erfyniwn arnat i roddi dy eneiniad ar
bregethu'r efengyl er mwyn i eneidiau gael eu hachub ac i'r saint
gael eu hadeiladu yn y ffydd. Cynorthwya ni i sylweddoli mai
cyhoeddi dy neges fawr di ydym, a boed inni weld mor bwysig yw i
bawb ohonom ddysgu neges dy Air sanctaidd:

> 'Boed y gair yn llosgi eto
> Yn anniffodd dan y fron,
> Fel bo angerdd yn y neges,
> A pherswâd yn treiddio hon;
> Wedi'r erfyn
> Boed cymodi â thydi.'

Diolchwn i ti am ein llyfrau emynau sy'n ein galluogi ni i ganu mawl i'th enw a rhannu profiadau dwfn awduron yr emynau. Diolchwn hefyd bod emynau ar gael ar gyfer oedolion, ieuenctid a phlant fel y caiff aelodau'r teulu cyfan gyfle i ddyrchafu eu lleisiau mewn clod a moliant i ti.

Taer erfyniwn am dy fendith ar waith yr Ysgol Sul lle mae oedolion ac ieuenctid a'r plant yn cael cyfle i ddod at ei gilydd i drafod a dysgu dy Air sanctaidd. Dyro dy arweiniad i'r athrawon sy'n paratoi gwersi ar gyfer eu dosbarthiadau er mwyn eu dysgu amdanat ti:

> 'Am yr Ysgol rad Sabothol,
> Clod, clod i Dduw!
> Ei buddioldeb sydd anhraethol;
> Clod, clod i Dduw!
> Ynddi cawn yr addysg orau,
> Addysg berffaith Llyfr y llyfrau:
> Am gael hwn yn iaith ein mamau,
> Clod, clod, i Dduw!'

Arglwydd Dduw ein hiachawdwr, clodforwn dy enw mawr am bopeth a wnaethost er ein mwyn yn dy Fab, Iesu Grist. Rydym yn wir ddiolchgar am bob cyfle a gawn i ddod gyda'n gilydd at fwrdd y cymun. Wrth gyfranogi o'r bara, cofiwn am gorff toredig ein Harglwydd Iesu Grist yn dioddef a marw trosom; ac wrth yfed o'r cwpan cofiwn am y gwaed a dywalltwyd er maddeuant pechodau. O! Arglwydd ein Duw, deuwn at y bwrdd i amlygu ein ffydd yng Nghrist a'i waith ar y Groes a agorodd y ffordd i bechadur wneud ei gymod gyda thi.

O! Dad sanctaidd, cawn ein disgrifio fel Eglwys fel yr hon a bwrcasodd ef â'i briod waed. Bendithia dystiolaeth dy Eglwys yn y winllan yr wyt ti wedi gweld yn dda i'w gosod fel ei bod yn cyrraedd allan i'r byd o'i chwmpas gyda chenhadaeth Iesu Grist. Gwrando'n gweddi yn ei enw mawr. Amen.

Brian Wright

Yr Eglwys

Darlleniad: Mathew 21: 12 17

Mae'n anodd arnom, Arglwydd,
ar drothwy canrif newydd,
yng nghanol yr holl ddryswch,
heb wybod i ba gyfeiriad i droi
na pha beth i'w weiddi.

Mae'n anodd arnom, Feistr,
wedi ein hesgymuno gan gymdeithas,
wedi ein gwthio i gornel,
yn gorfod gwylio gwaethaf diawlineb dyn,
a llithro gyda'r llif.

Aethost i'r deml, Arglwydd,
i ganol y prynu a'r gwerthu;
pobl yn mynd a dod
driphlith draphlith.
Aethost i ganol y sŵn a'r annibendod,
i ganol y clebran crefyddol.
Aethost i daflu'r cyfan allan ...
Allan lawr y grisiau ...
Allan trwy'r drysau
Allan i'r gwter.
Yn gwmni i ti roedd y cleifion a'r plant,
llu o blant yn cadw sŵn, yn canu, yn gweiddi, yn chwerthin ...
Plant yn rhedeg o gwmpas fel pethau ddim yn gall.

Tyrd, os gweli di'n dda, i deml dy Eglwys heddiw.
Gyr allan yr hyn oll sy'n atal ei heffeithiolrwydd yn dy fyd.
Gyr allan ein hofnau a'n hansicrwydd
ofn mentro; ofn newid; ofn arbrofi.
Tafla i lawr gadeiriau ein crefydd denau, ddof.
Dymchwel fyrddau ein rhagfarn a chenfigen,
Maddau inni ein hystrydebau.

'N'ad im fodloni ar ryw rith
O grefydd, heb ei grym;
Ond gwir adnabod Iesu Grist
Yn fywyd annwyl im.'

Boed i ninnau fel y cleifion hynny
deimlo dy nerth yn ein hadnewyddu.
Boed i ninnau fel y plant hynny
allu gweiddi yn y deml,
Hosanna, hosanna i Fab Dafydd!

Yn wir, Arglwydd,
ynot ti llawenhawn,
atgyfnerthwn,
gorfoleddwn.
Awn allan gyda thi,
nid yn ein dillad dydd Sul glân
ond yn ein dillad gwaith.
Awn allan gyda thi, ein Bendigeidfran,
i bontio'r agendor rhwng y materol a'r ysbrydol,
y seciwlar a'r cysegredig;
rhwng dy Eglwys a'th fyd ...
rhwng Duw a phobl. Amen.

Owain Llyr Evans

Yr Eglwys

Darlleniad: Rhufeiniaid 12

Deuwn ger dy fron, Arglwydd, i'th addoli am dy fod yn ymwneud â dyn o gwbl, ac ystyried ei wrthryfel yn dy erbyn mewn pechod. Addolwn di am dy fod wedi mynd gymaint pellach na hynny, ac wedi penderfynu ers tragwyddoldeb i gael teulu o bobl a fyddai'n bobl i Ti, ac a fyddai'n perthyn i'th deyrnas.

Diolch am dy ras tuag at Noa a'i deulu, at Abraham, Isaac a Jacob a'u had yn Israel. Diolch am dy gyfamod ag Abraham, am i ti fodloni ymrwymo dy hun wrth dy bobl, sef teulu'r ffydd. Diolch am dy amynedd parhaus tuag at dy bobl yn eu gwrthryfel yn dy erbyn di a'th orchymynion, a'th weision y proffwydi. Diolch i ti ymwneud â nhw mewn cariad ar hyd cyfnod yr Hen Destament. Diolch am roi y Ddeddf mewn cariad. Diolch am system yr aberthau yn arwyddo dyfodiad y Meseia, mewn cariad. Diolch am dy rybuddion a'th ddisgyblaeth gariadus. Diolch am roi iddynt wlad yr addewid, ac am eu dychwelyd yno ar ôl y gaethglud i Fabilon. Diolch am dy amddiffyn drostynt yn erbyn eu gelynion, ac am dy eiddigedd fel gŵr priod ac fel dyweddi ac fel Tad.

Diolch yn fawr am ymestyn ffiniau dy deulu yn y Testament Newydd i bob llwyth, gwlad ac iaith. Diolch am yr holl ddarluniau cyfoethog i ddisgrifio pobl dy deyrnas. Diolch am ddarlun y praidd a'r bugail da. Diolch am fugail sydd wedi rhoi ei einioes dros y defaid, ac sydd yn eu hamddiffyn trwy fod yn ddrws i'r gorlan. Diolch am ddarlun y maes lle mae'r gwenith yn cyd dyfu â'r efrau tan Ddydd y Farn. Diolch am ddarlun y wir winwydden a'r canghennau, ac am berthynas fywiol Cristnogion â Christ yn ogystal â chyda'i gilydd. Sylweddolwn dy fod yn disgwyl inni ddwyn ffrwyth yr Ysbryd Glân er gogoniant i'th enw.

Diolch am y darlun o'r Eglwys fel corff Crist. Diolch ein bod yn aelodau i Grist trwy ffydd fyw yn y Pen. Diolch bod i bob aelod ei le a'i waith, pa mor ddi nod bynnag y bo. Sylweddolwn fod disgwyl i'th gorff i barhau gweinidogaeth Crist yn y byd heddiw.

Diolch am y darlun o deulu Duw. Teulu o Iddewon a chenedl ddynion, caeth a rhydd, gwryw a benyw, du a gwyn. Diolch am gael ein mabwysiadu i'th deulu trwy ymddiried yn bersonol yn Iesu Grist fel ein Harglwydd a'n Gwaredwr. Diolch felly fod Cyd Gristnogion yn frodyr yn chwiorydd a bod Crist ei hun yn frawd i ni. Diolch am y darlun o'r eglwys fel teml Dduw. Rhyfeddwn at y syniad o gynulliad dy bobl fel preswylfod sanctaidd i Dduw. Diolch eto bod lle i bob carreg ym muriau'r Deml, cerrig nadd, cerrig wyneb neu gerrig llanw, ond iddynt fod mewn cysylltiad byw â'r Pen conglfaen a wrthodwyd gan yr adeiladwyr, sef Iesu.

Yna, diolchwn am ddarlun o'r eglwys fel priodferch Crist. Diolch ei bod wedi ei galw i fod yn wraig y brenin yn y palas nefol. Sylweddolwn fod rhaid inni ymdrwsio gyda help yr Ysbryd Glân ar gyfer dydd y briodas, sef ail ddyfodiad Iesu Grist. Diolch y caiff dy eglwys fod fel priodferch brydferth berffaith yn nydd Iesu Grist, 'a gogoniant Duw ganddi... ei llewyrch fel llewyrch gem dra gwerthfawr, fel maen iasbis, fel grisial.' Diolch i ti, Arglwydd, am y fraint gyfoethog o berthyn i eglwys Iesu Grist. Helpa ni i werthfawrogi'n braint, ac i werthfawrogi'n heglwys leol, y gymuned fyd eang o Gristnogion, yn ogystal â'r cwmwl o dystion sydd wedi mynd o'n blaen ni.

Helpa ni i gofio mai eiddo Crist yw'r Eglwys, ac mai ei ewyllys ef yw ei busnes pennaf hi. Helpa ni i ufuddhau i'r comisiwn mawr o fynd i'r holl fyd gyda'r nerth o'r uchelder, ac i barhau gweinidogaeth Iesu yn ein dyddiau ni. Arglwydd, derbyn ein mawl a'n gweddïau, trwy Iesu Grist. Amen.

John Treharne

Y Digartref

Darlleniad 1: Mathew 8: 18 20
Darlleniad 2: Luc 10: 25 37

Ein Tad nefol a sanctaidd, diolchwn dy fod yn Dduw sy'n gwrando ac yn ateb gweddïau dy bobl. Cynorthwya ni wrth inni weddïo inni anghofio ein hunain a'n cymhellion hunanol ac i ddod â'r rhai digartref ger dy fron mewn gweddi.

Teimlwn yn hyderus i droi atat yn enw Iesu Grist oherwydd dy fod yn Dduw graslon a thrugarog. Wrth feddwl am y digartref, cofiwn eiriau Iesu ei hun am 'Fab y dyn heb le i roi ei ben i lawr'. Diolch dy fod yn gallu uniaethu gyda dyn yn ei angen. Mae ein dinasoedd a'n trefi mawr yn llawn o bobl nad oes ganddynt le i roi eu pen i lawr. Maent yn cerdded y strydoedd heb unman arbennig i fynd nac unrhyw beth o werth i'w wneud, a hynny o ddydd i ddydd.

Gwyddom, O! Dad, nad ydym yn byw mewn byd delfrydol, a bod problemau a themtasiynau bywyd yn rhan fawr o'r rheswm pam y mae llawer yn ddigartref. Nifer wedi eu cael eu hunain yn y cyflwr hwn oherwydd torpriodas; pobl ifainc yn dianc o'u cartrefi ac yn mynd i'r dinasoedd, ac yn fuan yn dod yn rhan o fyddin y digartref. Mae llawer yn ddigartref, O! Dad, oherwydd eu bod yn gaeth i'r ddiod feddwol a chyffuriau eraill; eraill o blith y digartref yn troi at y ddiod feddwol a chyffuriau er mwyn cael cysur yn eu sefyllfa, am na wyddant at bwy i droi.

> 'O! gwared ni rhag in osgoi
> Y sawl ni ŵyr at bwy i droi;
> Gwna ni'n Samariaid o un fryd,
> I helpu'r gwael yn hael o hyd.'

O! Dduw tragwyddol, mae sylwi ar y rhai digartref yn gorwedd ar y llawr mewn cyflwr truenus yn ein hatgoffa o ddameg y Samariad trugarog, y truan a adawyd ar lawr. Mae'r digartref fel y truan hwn wedi eu brifo a'u harcholli ac mewn angen mawr am gymorth. Mor rhwydd, O! Arglwydd, yw pasio heibio a gwneud dim. Diolchwn, yn unigolion ac eglwysi sy'n gwasanaethu yn dy enw ac yn ymateb i'r angen fel y Samariad trugarog gynt trwy roi gwin ac olew ar eu doluriau:

> 'Dysg i'w llygaid allu canfod
> Dan drueni dyn ei fri;
> Dysg i'w dwylaw estyn iddo
> Win ac olew Calfari.'

Gweddïwn dros y llywodraeth leol sydd i ofalu am gartrefu pobl eu hardal, ond sydd oherwydd cyni economaidd yn ei chael yn amhosibl i gyfarfod yr angen. Mae'r cyfrifoldeb yn syrthio ar gymdeithasau gwirfoddol fel Shelter i geisio cynorthwyo gyda'r broblem fawr hon. Gofynnwn iti fendithio'r mudiadau a'r eglwysi hynny sy'n estyn eu dwylo i gynorthwyo'r digartref trwy gynnig lloches, lluniaeth, dillad cynnes, cwmni, cynhesrwydd a chyfeillgarwch. Estyn iddynt dy law; dyro iddynt dy gymorth.

> 'Dysg inni'r ffordd i weini'n llon,
> Er lleddfu angen byd o'r bron;
> Rho obaith gwir i'r gwan a'r prudd,
> Ac archwaeth ddwfn at faeth y ffydd.'

O! Arglwydd trugarog, nid yw'r rhan fwyaf ohonom yn deall yr hyn yw baich colli cartref a theulu; nid ydym yn rhoi digon o amser i feddwl a gweddïo dros y rhai sydd wedi dioddef y profiad arswydus o weld eu bywyd yn torri'n deilchion.

O! Arglwydd ein Duw, er bod llawer ohonom yn byw mewn ardaloedd lle nad oes pobl ddigartref, paid â gadael i hynny fod yn esgus inni anghofio ein cyfrifoldeb tuag at y rhai sy'n fyr o'n breintiau ni. Crea'r awydd ynom i gefnogi'r mudiadau a'r eglwysi sy'n estyn cymorth i'r digartref yn ein dinasoedd a'n trefi; annog ni i anfon ein rhoddion ariannol ac unrhyw gyfraniadau eraill er mwyn eu cynorthwyo yn eu gwaith a gwneud hynny er clod a gogoniant i'th enw mawr di. Amen.

Brian Wright

Y Digartref

Darlleniad: Salm 34:18

'Homeless   Please Help.'
Darllenais y geiriau wrth fynd heibio ...
rhoddais wên iddo wrth fynd heibio ...
do, es heibio a llais bach yn lleddfu fy nghydwybod:
'Paid â phoeni, nid dy gyfrifoldeb di mohono.'
Ond, Arglwydd, gwnest ni'n gyfrifol am ein gilydd,
am gymydog ... a dieithryn.

Arglwydd, mae gan lwynogod ffeuau,
a chan adar yr awyr nythod,
ond gan Fab y Dyn nid oedd lle i roi ei ben i lawr.
Fe wyddost am grwydro, am fyw ar drugaredd eraill.
Oes, mae gennyt gydymdeimlad â'r digartref.
Yn ystod dy fywyd gwrthodaist gamu dros yr amddifad a'r
diymgeledd a'u hanwybyddu.
Dyro, os gweli'n dda, i drigolion ein dinasoedd cardbord,
a'r byd yn oer a thywyll a digariad iddynt, wres a goleuni dy
gariad.
Dyro iddynt ryw arwydd o'th gydymdeimlad,
rhyw argoel o'th bresenoldeb yng nghanol eu hynt a'u helynt.
Gwna hynny ynom a thrwom ni.

Ninnau,
sy'n rhy aml fel y Lefiad a'r offeiriad yn cerdded heibio;
yn arswydo rhag ein cyfrifoldeb.
Ninnau,
heb awydd baeddu ein dwylo yn dy wasanaeth.
Ninnau,
yn gwrthod cyfieithu geiriau yn weithredoedd.
Ninnau,
a'n ffydd heb ddillad gwaith.

Ninnau, bob un ohonom
 yn rhan o'r system sy'n llethu, bychanu a dibrisio;
 yn cadw dyndod llawn oddi wrth ein cyd aelodau, a ninnau
o'th deulu mawr.
Os gweli'n dda,
deffra ein cydwybod,
goleua ein dychymyg.
Atgoffa ni o'r newydd am esiampl y Samariad Trugarog:
'Caru dynion a'u gwasanaethu,
dyma'r ffordd i garu Iesu.'
Atgoffa ni dy fod ti ym mhawb a phawb ynot ti.
Os gwelwn un o'th blant,
un o'n brodyr neu'n chwiorydd heddiw ar lawr,
n'ad inni gerdded heibio a gwadu ein cyfrifoldeb,
rhag inni orfod holi ryw ddydd,
'Arglwydd, pryd y'th gwelsom di'n newynog neu'n
sychedig
neu'n ddieithr neu'n noeth neu'n glaf neu yng ngharchar
heb weini arnat?' 'Yn wir, rwy'n dweud wrthych, yn
gymaint ag i chwi beidio â'i wneud i un o'r rhai lleiaf hyn,
nis gwnaethoch i minnau chwaith.' Amen.

         Owain Llyr Evans

Y Digartref

Darlleniad: Deuteronomium 15: 7 11

Ein Tad, diolchwn i ti dy fod yn Dduw sydd wedi gofalu amdanom. Mae dy fendithion yn dod inni bob bore o'r newydd, ac yr ydym yn medru tystio i dy ddaioni mewn amryw byd o ffyrdd hyd yn oed heddiw. Yr wyt yn Dduw sy'n fawr dy ofal tuag at ddynion sy'n dy esgeuluso yn barhaus. Diolch i ti, O! Arglwydd, er ein bod ni'n anffyddlon, rwyt ti'n parhau yn ffyddlon.

Diolch am dy ffyddlondeb yn Iesu Grist. Diolch am un a ddaeth yn ddyn, sy'n ein hadnabod, yn adnabod ein gwendid, yn adnabod ein hangen, yn adnabod y temtasiynau, yr anhawsterau, y rhagluniaethau croes sy'n gymaint rhan o'n bywyd yn aml. Diolch fod Iesu wedi gwisgo cnawd, ac yn y cnawd hwnnw wedi cyrraedd holl amrywiaeth amgylchiadau ein bywyd.

Diolch fod Iesu'n awr yn y nef, yn barod i eiriol drosom, ac yn abl i adnabod y deisyfiadau na allwn eu mynegi'n gywir o dy flaen. Diolch Ei fod yn abl hyd yn oed i roi geiriau inni, pan fydd ein geirfa ni'n rhy gyfyng.

O ganol ein cysuron, o ganol ein hyder yn dy ofal, cyflwynwn y di gartref ger dy fron yn awr. Gwelsom ddarluniau lu, ar y teledu, yn y papur, o bobl sy'n byw o dan gysgod pont, mewn drws siop, a'r cardfwrdd yn garthen drostynt. Rydym am gydnabod fod hyn yn haws i ni na dod wyneb yn wyneb â hwy. I ni sydd yng nghanol ein digon, efallai yn ein tyb ni ar gyfrif cefndir, neu ymdrech, neu lafur, mae yn hawdd beirniadu, ac esgusodi ein hunain rhag cymryd fawr o sylw ohonynt. Rydym yn adnabod ein balchder, O! Arglwydd; rydym yn adnabod ein hymffrost, y modd y mae yn brigo i'r wyneb, gan symud unrhyw gyfrifoldeb tuag at y bobl hyn o'n meddwl yn llwyr.

Gofynnwn i ti, O! Dad, i ddelio â ni, er mwyn delio â'r digartref yn ein gwlad. Arglwydd, gweddïwn y bydd i'n calon galed gael ei thoddi fel cwyr, yn wyneb fflam dy gariad di. Yr ydym yn cael fod y tlawd yn cael ei gasau gan hyd yn oed ei gydnabod, ond mae digon o gyfeillion gan y cyfoethog. Cydnabyddwn hefyd mai'n gnawdol yr ydym yn rhesymu yn aml, heb adnabod wyneb ein Gwaredwr yn wyneb y tlawd, y digartref, yr esgymun. Yr ydym yn galw am galon ar ddelw yr hwn a'i gwnaeth, yn llawn o'i gariad Ef, calon fo wedi ei meddu yn gloi gan y cariad hwn, sy'n agor ein dwylo i weini'n dirion mewn byd, lle mae y cyfoethog a'r tlawd ochr yn ochr.

Arglwydd, rwyt wedi ein bendithio ni'n helaeth, rwyt wedi rhoi mwy na digon inni, ac eto mae ein pechod yn golygu ein bod angen mwy a mwy, ac nad oes gennym ond y rhan leiaf i rannu. Nid ydym yn rhoi yn llawen, y mae ein llaw dde'n gwybod yn dda am weithred y llaw chwith, y mae eisiau personol yn flaenoriaeth ar angen arall.

Arglwydd, maddau inni a dyro dy Ysbryd Glan i'n sancteiddio yn bobl i ti, i'r graddau y byddwn yn dy wasanaethu y bydd i ni gofio yr un a fethodd â chael lle i roi ei ben i lawr. Clyw ni o Iesu, er mwyn dy enw. Amen.

Meirion Morris

Rhyddid

Darlleniad 1: Genesis 2: 15, 3: 1 24
Darlleniad 2: Rhufeiniaid 5: 12 23

Ti, O! Dduw, yw awdur bywyd a chynhaliwr popeth byw. Creaist ddyn ar dy lun a'th ddelw dy hun a byd llawn prydferthwch iddo breswylio ynddo. Lluniaist ef o lwch y tir, ac anadlu yn ei ffroenau anadl einioes, a daeth y dyn yn greadur byw. Gosodaist ef yn yr ardd a rhoddaist iddo ryddid i fwyta o bob coeden ac eithrio pren gwybodaeth da a drwg, oherwydd o fwyta o hwnnw buasai'n sicr o farw.

Cynorthwya ni i sylweddoli nad rhyddid llwyr a roddaist ond rhyddid amodol. Rhoddaist ryddid i gerdded gyda thi, i weithio i ti, i gytuno â thi ymhob peth; ond ni roddaist i ddyn ryddid i anufuddhau i ti a gwneud yn ôl ei ddymuniad ei hun.

Agor ein llygaid fel y deallwn y math o ryddid a roddaist inni. O! Arglwydd ein Duw, doedd yr un gwaharddiad a roddaist yn ddim i'w gymharu â mawredd y rhyddid a roddaist. Dewis dyn yn ei ffolineb yw gwrthod dy amod er mor fychan ydyw, a byw yn ôl ei ddewis ei hun. Nid yw'n awyddus i ti fod yn Arglwydd ar ei fywyd; yn hytrach, mae'n ei osod ei hun ar yr orsedd ac yn mynnu cael penrhyddid. Oddi ar ddyddiau dyn yn yr ardd, mae wedi gwrthryfela yn dy erbyn gan wrthod dy berson a'th awdurdod. Cofiwn eiriau'r Apostol Paul:

'Oherwydd er iddynt wybod am Dduw, nid ydynt wedi rhoi gogoniant na diolch iddo fel Duw, ond, yn hytrach, troi eu meddyliau at bethau cwbl ofer; ac y mae wedi mynd yn dywyllwch arnynt yn eu calon ddiddeall. Er honni eu bod yn ddoeth, y maent wedi eu gwneud eu hunain yn ffyliaid.'

Anfonaist y dyn cyntaf o'r ardd, ac o ganlyniad yr ydym bob un wedi ein geni y tu allan i Eden, y ffordd at bren y bywyd yn cael ei

gwarchod gan geriwbiaid â chleddyf fflamllyd fel na allwn fynd ato.
Mae dyn, O! Dad, wedi colli ei frenhiniaeth a'i goron:
> 'Yn Eden cofiaf hynny byth
> Bendithion gollais rif y gwlith;
> Syrthiodd fy nghoron wiw.'

O! Arglwydd trugarog, mae ar bobl angen rhyddid oddi wrth nifer o
wahanol bethau sy'n eu cadw mewn caethiwed. Y mae ar rai eisiau
rhyddid o afael afiechyd sy'n gwneud bywyd yn anodd i fyw.
Diolchwn am y meddyginiaethau sy'n gwella rhai ohonom, ond
gwyddom y bydd eraill yng nghaethiwed afiechyd ar hyd eu hoes.
Gweddïwn yn arbennig drostynt. Mae llawer hefyd, O! Arglwydd,
ac arnynt angen rhyddid oddi wrth y gorffennol. Ni allwn newid y
gorffennol ond, Arglwydd, fe all y gorffennol ein newid ni. Mae
rhai'n teimlo euogrwydd mawr oherwydd yr hyn a fu, ac eraill yn
methu maddau'r hyn a ddigwyddodd. Mae arnynt angen eu
rhyddhau o afael y gorffennol, yn bennaf trwy dderbyn dy
faddeuant di, trwy gael y gallu i faddau i eraill, a hefyd faddau
iddynt eu hunain fel y cânt brofi llawenydd a buddugoliaeth. Mae
yna nifer hefyd, O! Dad nefol, ac arnynt angen rhyddid o afael
pethau. Mae cymaint o bethau ar gael yn y byd a hawdd yw inni
fynd yn gaeth iddynt a chael ein rheoli ganddynt. Cofiwn eiriau
Iesu, 'Ni allwn wasanaethu dau feistr'. Mae arnom angen rhyddid o
afael pethau fel y cawn drysori pethau'r nefoedd sy'n dragwyddol,
nid pethau'r byd sydd dros dro yn unig. Gweddïwn hefyd dros y
rhai sy'n gaeth i gyffuriau a diod feddwol, y rhai sydd wedi dechrau
trwy arbrofi ond bod hynny wedi arwain at gaethiwed sydd wedi
dryllio a difetha eu bywydau. Diolchwn i ti dy fod wedi rhyddhau
llawer eisoes o afael y caethiwed hwn gan ddefnyddio eu tystiolaeth
i gynorthwyo'r rhai sy'n parhau'n gaeth, yn y gobaith y cânt
hwythau hefyd ryddid.

Anfonaist dy Fab dy hun i'r byd i brynu ein rhyddid o afael pechod.
Y canlyniad fu iddo farw ei hun yn ein lle ar y Groes, ac rydym
ninnau'n rhydd unwaith eto i'th garu a'th wasanaethu mewn ufudd
dod a ffyddlondeb. Boed i lawer mwy brofi buddugoliaeth Calfaria
a rhyddid yn yr Arglwydd Iesu Grist, fel bod cân y gwaredigion i'w
chlywed yn dyfod o'u genau yn awr a hyd byth. Amen.

Brian Wright

Rhyddid

Darlleniad: Salm 140

Arglwydd Iesu
byw a bendigedig,
daethost i 'bregethu'r newyddion da i
dlodion, i gyhoeddi rhyddhad i garcharorion, ac adferiad golwg
i ddeillion, i beri i'r gorthrymedig gerdded yn rhydd, i gyhoeddi
blwyddyn ffafr yr Arglwydd'.

Ein Harglwydd,
buost dan glo,
a'r milwyr yn dy daro, dy chwipio a'th wawdio;
dy drin yn sarhaus gan osod gwisg ysblennydd amdanat,
ymgrymu ger dy fron ac yna gwasgu coron o ddrain am dy
ben.

Fe wyddost yn iawn beth yw creulondeb.
Fe wyddost beth yw artaith ac unigrwydd caethiwed.

Yn dy enw,
gweddïwn dros dy bobl,
ein brodyr a'n chwiorydd a garcharwyd ar gam   carcharorion
cydwybod.
Y rhai a daflwyd i'r carchar oherwydd eu syniadau a'u daliadau.
Yn cael eu poenydio mewn rhyw swyddfa, cell neu seler y funud
hon, rywle yn y byd.

Gweddïwn am gyfiawnder.
Erfyniwn am ryddid.
Gweddïwn am dy nerth a'th arweiniad i'r holl ymdrechion
heddychlon i gynorthwyo a dadlau plaid y carcharorion hyn,
er mwyn eu sicrhau nad yw'r byw wedi anghofio amdanynt.
Gweddïwn drosom ein hunain fel dy bobl.
Carcharorion ydym oll.

Rhai ohonom yn gaeth i afiechyd a llesgedd; eraill mewn
cadwynau gwendid a methiant.
(Eiliad o dawelwch.)
Rhai ohonom yn gaeth i amheuaeth ac ansicrwydd; eraill mewn
cadwynau gofid ac ofn.
(Eiliad o dawelwch.)
Rhai ohonom yn gaeth y tu mewn i furiau rhagfarn; eraill wedi
eu drysu gan amgylchiadau blin ac anodd.
(Eiliad o dawelwch.)
Rhai ohonom yn gaeth y tu mewn i furiau traddodiad ac arfer;
eraill wedi eu drysu gan unigrwydd.
(Eiliad o dawelwch.)
Rhai ohonom yn gaeth i waith beunyddiol digyfeiriad a di
nod; eraill yn weision i dipiadau'r cloc.
(Eiliad o dawelwch.)
Rhai yn gaeth i gyffuriau a diod; eraill yn weision i ffasiwn   yn
arswydo rhag bod yn 'square'.
(Eiliad o dawelwch.)
Rhai ohonom yn gaeth i ormes hunanoldeb; eraill yn ildio'n
barhaus i'r farn gyhoeddus.
Ie, Arglwydd, carcharorion ydym.
Erfyniwn am ryddhad, am gael clywed 'goriad dy gariad yn y
clo yn agor drws ein carchar.
Dyro inni'r ewyllys a'r nerth i gerdded drwyddo   gyda thi.
Amen.

Owain Llyr Evans

Rhyddid

Darlleniad: Ioan 8: 31 36

Ein Tad, yr hwn wyt yn y nefoedd, rydym am ddiolch i ti dy fod yn dy gariad wedi cofio amdanom, wedi cofio am ein hanghenion, yn dymhorol a thragwyddol. Diolch dy fod wedi anfon Iesu i'n byd, i arddangos dy gariad a'th dosturi tuag atom. Diolch fod bywyd yn enw yr Iesu, fod bywyd yn ei ddyfodiad, fod bywyd yn ei farwolaeth, fod bywyd yn ei atgyfodiad, bywyd sy'n parhau yn ddi ddarfod, bywyd sy'n gyflawn, bywyd o ystyr a chyfeiriad a phwrpas.

Gwyddom, O! Arglwydd, nad oedd yn bosibl i ni adnabod y bywyd hwn, heb i Iesu ei egluro inni, heb i'r Ysbryd Glân oleuo ein calon a'n deall i'w adnabod. Yr oeddem yn ddall o Dad, ein clustiau yn fyddar i dy lais di, a ninnau wedi ein caethiwo yn ein natur, yn ein pechod, heb fedru ymryddhau i'th adnabod a'th ddilyn.

Diolch fod y cadwynau hyn wedi eu malu yn chwilfriw wrth groesbren Calfaria; diolch fod yr Arglwydd wedi torri y cadwynau a'm daliodd yn gaethwas cyhyd. Tra yr oeddem yn byw hebot, nid oedd y caethiwed hwn yn amlwg inni, nid oedd yn ein poeni; ond wedi i ti ddod heibio ein bywyd, wedi i'th Ysbryd ddechrau ei waith, rhaid oedd cael rhyddid, rhaid oedd cael bywyd.

Diolch fod y Mab yn rhyddhau'n wir y sawl sy'n dod ato am faddeuant a thrugaredd, a diolch mai rhyddid i wasanaethu dy enw mawr, ac nid penrhyddid yw hwn. Diolch am y rhyddid a gawn mewn gweddi, mewn addoliad, wrth ddarllen dy air, y rhyddid i dy glywed di yn siarad, i ddarganfod dy ewyllys, i dy garu a'th ddilyn, i ddyrchafu enw yr Arglwydd Iesu. Gweddïwn, O! Arglwydd, ar i'th Ysbryd i ryddhau unigolion, i ryddhau cynulleidfaoedd yn ein tir, fel bod ein haddoliad yn addoliad mewn ysbryd a gwirionedd.

Rydym, O! Arglwydd, wedi blino ar y rhyddid mae y byd yn ei gynnig y rhyddid oedd yn tynhau'r maglau, y cadwynau, oedd yn peri i'n henaid fod yn fwyfwy anfodlon, y rhyddid oedd yn gwadu hawliau a rhyddid eraill; y pen rhyddid sy'n manteisio ar wendid ac yn elwa ar draul ein cymydog; y rhyddid yr oeddem yn sôn amdano, pan oedd ein calon yn gwybod am gaethiwed, y bodlonrwydd yr oeddem yn ei gyhoeddi, pan oedd ein henaid yn anfodlon.

Gweddïwn, O! Arglwydd, dros fyd sy'n brwydro beunydd dros hawliau unigolion, pan mae'r rhain yn aml yn dod ar draul hawliau rhai eraill. Gweddïwn dros fyd lle mae rhieni yn medru pledio'u hangen am ryddid, wrth wadu hawl plentyn i gael ei eni. Dros fyd lle mae pobl yn pledio'u rhyddid i wledda, pan mae eraill yn newynu, eu rhyddid i ddefnyddio dy roddion di i fodloni chwant a hunanoldeb. Gweddïwn dros fyd lle cawn y gri fod rhyddid pobl i feddiannu arfau yn rhagori ar ryddid pobl a phlant i gael eu diogelu, i gael byw. Cydnabyddwn, O! Arglwydd, nad yw ein deall, nac ychwaith ein rheswm, yn rhydd o gaethiwed pechod, nad yw dy Air yn rhan o'n dirnadaeth nac ychwaith ein rheswm.

Diolch fod y Mab yn medru rhoi rhyddid i bawb a ddaw ato. Tyn ni, O! Arglwydd, at yr Iesu, fel y byddwn yn rhydd yn wir. Er mwyn ei enw. Amen.

Meirion Morris

Iechyd

Darlleniad: Salmau 42 a 43

O! Arglwydd trugarog a graslon, diolchwn i ti am rodd werthfawr iechyd. Heb iechyd ni allwn fyw ein bywydau fel y dymunwn. Gwyddom na allwn gymryd ein hiechyd yn ganiataol gall rhywbeth ddigwydd mewn eiliad i beri inni ei golli, boed am amser byr neu am amser hir.

Ein Tad nefol, gwyddom fod yna nifer helaeth o gyflyrau a all arwain at golli iechyd a bod nifer yr afiechydon yn ddi rif. Sylweddolwn mor fregus yw bywyd pob un ohonom, a chymaint yr ydym yn dibynnu arnat ti, pa un ai ydym glaf neu iach.

Diolchwn i ti ein bod yn gallu troi at dy Air sanctaidd a darganfod fod yna bobl sy'n dioddef o'r un problemau ac anhwylderau â ni. Diolch ein bod yn gallu cael cysur, cymorth a bendith trwy ddarllen am eu profiadau.

Fel y Salmydd gynt, O! Arglwydd, mae bywyd llawer wedi chwalu'n deilchion. Anodd iddynt yw meddwl y cânt fyth ddod allan o bwll tywyll iselder. Teimlant weithiau dy fod ti wedi pellhau oddi wrthynt ac nad wyt yn poeni amdanynt.

Galluoga ni, O! Dad, fel y Salmydd gynt, i weddïo arnat am dy oleuni a'th wirionedd i'n harwain a'n dwyn i'th fynydd sanctaidd ac i'th drigfan. Yna cawn edrych arnat ti yn lle arnom ein hunain, edrych i'r dyfodol yn lle i'r gorffennol, gorffwys ar dy addewidion yn lle chwilio am resymau am ein cyflwr, a chael buddugoliaeth dros y cyfan yn dy enw mawr.

Deuwn ger dy fron yn awr, O! Arglwydd, i weddïo dros y rhai sy'n dioddef oherwydd methiant a siom. O! Dduw trugarog, rydym i gyd yn gwybod beth yw siom pan fo ein breuddwydion yn torri'n deilchion gan ein gorfodi i newid ein cynlluniau. Gwyddom nad wyt ti erioed wedi rhoddi addewid y buasai hi'n heulog a chlir yn gyson, ond fe'n rhybuddiaist y cawn brofi amser pan fydd hi'n stormus ac yn dywyll arnom. Gan ein bod yn byw mewn byd pechadurus, gwyddom fod siom yn un o ffeithiau caled bywyd. Fel y dywedir yn dy air, 'ni pherthyn i'r teithiwr drefnu ei gamre'.

Gweddïwn dros bawb sy'n dioddef poenau bywyd boed hynny'n gorfforol, yn feddyliol, yn emosiynol neu'n ysbrydol. Cofiwn am y rhai sy'n dioddef poen cyson yn ddyddiol ac yn cael bywyd yn anodd ei fyw. Rwyt ti'n gwybod yn iawn pa bryd y byddwn yn mynd i mewn i ffwrnais dioddefaint. Rwyt ti'n gofalu drosom tra ydym yno, ac rwyt ti hefyd yn gallu ein hachub oddi yno. Diolchwn i ti am y cyffuriau sydd ar gael i leddfu poen ac i'n helpu i deimlo'n well. Dyro inni hefyd y ffydd i bwyso ar dy eiriau fel y ceir hwy ym mhroffwydoliaeth Eseia,

'Paid ag ofni, oherwydd gwaredaf di; galwaf ar dy enw; eiddof fi ydwyt. Pan fyddi'n mynd trwy'r dyfroedd, byddaf gyda thi; a thrwy'r afonydd, ni ruthrant drosot. Pan fyddi'n rhodio trwy'r tân, ni'th ddeifir, a thrwy'r fflamau ni losgant di. Oherwydd myfi, yr Arglwydd dy Dduw, Sanct Israel, yw dy waredydd.'

O! Arglwydd trugarog, mae salwch yn ymyrryd â'n bywyd, yn torri ar draws ein prysurdeb ac yn ein gorfodi i arafu a gorffwys. Diolchwn i ti am feddygon a llawfeddygon a'r meddyginiaethau a'r triniaethau sydd ar gael er mwyn ein gwella. Rydym yn ddiolchgar am ofal y nyrsys ar y wardiau a'r llu pobl eraill sy'n gweithio yn ein hysbytai er lles ein hiechyd.

Gweddïwn dros y rhai sy'n dioddef o afiechyd meddwl ac wedi colli eu hunanhyder a'u hunan barch. Diolchwn am y gofal sydd ar gael ar eu cyfer mewn ysbyty ac yn y gymuned. Pan ddaw methiant a siom, digalondid ac anobaith i bwyso arnom, a phoen afiechyd a gwendid corff a meddwl i'n blino, diolchwn am y gallu i ymddiried y cyfan i ti yn enw Iesu Grist a chael nerth a chysur ynot er clod i'th enw mawr. Diolchwn i ti am waith gwerthfawr y weinidogaeth iacháu sy'n gweddïo a chynorthwyo'r rhai sy'n wael ac mewn gwendid. Gweddïwn am dy fendith ar y gwaith ac ar y rhai sy'n ymddiried ynddo a thrwyddo. Yn enw Iesu Grist ein Harglwydd. Amen.

Brian Wright

Iechyd

Darlleniad 1: Llyfr y Pregethwr 3: 1 15
Darlleniad 2: Mathew 4: 23 35

O! Dduw, ein Tad, cydnabyddwn gyda'n gilydd mai ti a'n creaist ac mai ti sy'n ein cynnal. Ynot ti yr ydym ni'n byw, yn symud ac yn bod. Diolchwn i ti dy fod wedi'n creu ar dy lun ac ar dy ddelw. Trwy hynny, rhoddaist ynom ddyhead diflino amdanat dy hun ac nid oes diwallu arno nes inni orffwys ynot ti. Drwyddot ti y cawn ein cyflawni a thrwyddot ti y cawn ein hiechyd. Tydi, O! Dduw, yn Iesu Grist, yw ffynhonnell fawr pob dim. Ohonot ti y daw'r cyfan ac ynot ti y mae ein holl ddyheu ni. Diolchwn i ti am amlygu'r cyfan yn Iesu Grist.

> 'Efe yw ffynnon fawr pob dawn,
> Gwraidd holl ogoniant dyn;
> A rhyw drysorau fel y môr
> A guddiwyd ynddo'i hun.'

Diolchwn i ti, O! Dduw, am ein hiechyd. Gwnaethost ti bob peth er gogoniant i'th enw ac er budd i ddynion. Yr wyt ti yn dy gariad anfeidrol yn ewyllysio ein ffyniant a'n daioni. Nid ydym ni'n llwyddo i gynorthwyo'n gilydd nac i'n cynorthwyo'n hunain fel y dylem oherwydd ein cyndynrwydd a'n hunanoldeb.

O! Dduw trugarog, cynorthwya ni, dy bobl, i edrych ar ein bywyd yn ei gyfanrwydd, yn gorff a meddwl ac ysbryd. Galluoga ni i dderbyn Iesu Grist yn arglwydd ar bob rhan o'n bywyd.

Diolchwn i ti am gynhaliaeth i'n cyrff ac am amrywiaeth diddiwedd yr ymborth. Diolchwn i ti am y gallu i ddewis y pethau sy'n fuddiol a llesol. Trwy hyn, gallwn gyflawni'n gorchwylion er ein budd ein hunain a'n cyd ddynion. Galluoga ni i osgoi pob dim sy'n gwneud drwg i'n cyrff, yn arbennig y pethau y gwyddom eu bod yn gwneud difrod i ni ond y cawn hi'n anodd ymatal rhagddynt.

Diolchwn i ti am bob cyfrwng i oleuo'n meddwl, i ddeffro'n dychymyg, ac i gynnal ein diddordeb, i'n gwneud yn gymeriadau byw. Mawrygwn di am ehangu'n meddyliau trwy ddiwylliant o bob math ac am gyfoethogi'n profiadau trwy ffurfiau amrywiol celfyddyd. Uwchlaw pob dim, cadw'n meddyliau ar Iesu Grist fel y gallwn osgoi pob meddwl drwg ac amhur, a byw yn anhunanol.

Diolchwn i ti, O! Dduw, am gynhaliaeth i'r ysbryd. Canmolwn di am dy Eglwys, ac am gyfle i uno â'n gilydd mewn cymundeb â thi, i feithrin ein hysbryd trwy ddyrchafu dy enw. Diolchwn i ti am feibl, am gymundeb â Iesu Grist, am gymdeithas â'n gilydd, am arweiniad yr Ysbryd Glân. Gwyddom na allwn fyw yn llawn heb amcan i'n bywyd. Llwfr a diymadferth ydym heb dy ysbrydoliaeth di. Gwarchod ni rhag hunandosturi a hunanoldeb, chwerwedd ac eiddigedd, a dyro inni ffydd a gobaith a chariad, gwir elfennau'r Ysbryd.

Os daw afiechyd i'n rhan, galluoga ni i'w wynebu'n ddewr a chadarnhaol. Dysg ni i edrych i'r dyfodol a dal ein gafael yn ein gobaith ynot ti. Dyro inni chwilio am yr hyn y gallwn ei gael o'n profiad. Dyro inni weld o'r newydd y gallwn gymryd y pethau pwysicaf yn ganiataol, a bod ansicrwydd yn ein dysgu i werthfawrogi'r pethau sy'n bwysig.

Dyro inni weld ein perthynas â'n teulu, ac â'n ffrindiau, ac â chymdeithas ac â bywyd mewn goleuni gwahanol. Ein gweld ni'n hunain mewn ffordd newydd trwy ddysgu amynedd, dealltwriaeth a chydymdeimlad. Gweld y gallwn fod yn gyfoethocach ac yn gryfach ac yn fwy diddorol oherwydd inni gael y profiad.

Dyro inni weld yn gliriach ein bod yn dy law di beth bynnag a ddigwydd, gan sylweddoli nad oes yna ddim a all ein gwahanu ni oddi wrth dy gariad di yn Iesu Grist. Dyro flas maddeuant i ni fel na all dim ddod rhyngom a thi. Arwain ni i'r sicrwydd mai ynot ti y mae ein cyfiawnder ni, er gogoniant i'th enw yn Iesu Grist. Amen.

John Owen

297

Iechyd

Darlleniad 1: Galarnad 3: 19 33
Darlleniad 2: Hebreaid 4: 16 18

Down atat yn awr, O! Arglwydd ein Duw, yr un sy'n llywodraethu yn y nefoedd. Down o flaen y Duw sy'n Frenin y brenhinoedd ac yn Arglwydd yr arglwyddi. Cydnabyddwn fod pob nerth a gallu yn y byd a'r nef yn perthyn i ti, ac eto fod y llwybr hwn yn agored inni. Llwybr rhydd i ni'r annheilwng, y rhai sy'n glaf ar gyfrif ein pechod, yn medru rhodio yn iach drwy y gras sydd i ni yn Iesu Grist dy Fab. Diolch fod ei aberth Ef yn medru golchi ein pechod a'n hanheilyngdod ymaith, yn medru codi craith ein heuogrwydd, yn tynnu maes y gwenwyn a roes y sarff i ni, ac wrth y gwenwyn hwnnw yn marw ar Galfari. Diolch, O! Dad, bod iachawdwriaeth i bechadur yng nghlwyfau yr Arglwydd Iesu, bod gwellhâd yn ei ddioddefaint ef, fod moddion yn ei greithiau.

O! Arglwydd, wrth i ni ystyried y modd y bu i'r Iesu ein hiacháu, yr ydym yn gweld yn ei Groes ef hefyd foddion i'n cynnal a'n cadw hyd yn oed ynghanol afiechyd a phoen ein cyrff marwol. Diolch fod gennym ni un yn y nefoedd sydd wedi dioddef hyd at angau, sy'n awr yn cydymdeimlo â rhai sydd hefyd yn dioddef mewn corff darfodedig. Gwelwn o ddydd i ddydd arwyddion amlwg yn ein cyrff, nad oes i ni yma ddinas barhaus. Ynghanol ein nerth cawn olwg ar ein gwendid; ynghanol ein bywyd yr ydym yn gweld marwolaeth; ac eto, O! Dad, yr ydym ar yr un pryd yn cael fod ein Gwaredwr croeshoeliedig yn medru cyfarfod â ni ynghanol ein hangen.

Cyflwynwn i'th sylw y sawl sydd heddiw yn dioddef ar gyfrif eu hiechyd. Gwyddom am deulu, am gymdogion, am gydnabod sy'n awr yn wynebu dyfodol ansicr. Gwyddom am rai sydd ddim yn mynd i ddod yn iach eto, yn gorfod dod i delerau â diwedd oes, a'u teuluoedd yn gorfod wynebu y golled, a'r bwlch fydd yn agor.

Gweddïwn dros y bobl hynny sy'n wynebu llawdriniaethau, mewn ansicrwydd, mewn gofid, mewn ofn. Arglwydd, nesâ at dy bobl.

Gweddïwn, O! Arglwydd, dros y rhai sy'n dioddef yn feddyliol. Cofiwn am y rhai sy'n cael eu gorchuddio gan amheuon, gan ofnau, gan anobaith. Gweddïwn dros rai sydd heno yn gweld bywyd yn ddi gyfeiriad a di bwynt, y rhai sydd wedi profi fod sŵn y byd a geiriau gwag yn annigonol, y rhai sy'n brwydro o bosibl gydag anghrediniaeth. Arglwydd boed i'th wawr lewyrchu i dywyllwch eu sefyllfa.

Gweddïwn dros y rhai sy'n dibynnu ar gymorth eraill, dros y rhai sy'n gweini, dros y rhai sy'n gofalu, ac o ganol ein gwynfyd, yr ydym yn cofio am eu hadfyd, ac yn diolch dy fod yn Iesu, yn Dad, yn Frawd, yn briod i dy bobl. Diolch, O! Dduw, nad yw dy bobl yn angof gennyt, ac yr ydym yn gweddïo y bydd i ti ddiogelu na fydd teulu poen yn angof gennym ni ychwaith. Yr ydym am gael gweini ac ymweld, gan fod yr Arglwydd wedi tywallt ei gariad yn ein calon. Gweddïwn na fydd i brysurdeb ofer gau ein llygaid i'r cyfle a gawn i wasanaethu'r Iesu drwy ofalu am y rhai sydd mewn angen.

Arglwydd, gwrando ein gweddi, yn enw'r Iesu. Amen.

Meirion Morris

Y Synhwyrau

Darlleniad 1: Salm 139
Darlleniad 2: 1 Corinthiaid 12: 12 31

Deuwn atat yn awr, ein Duw, gan gredu mai ti a greodd y byd ac sy'n llywodraethu arno. Gallwn weddïo gyda'r Salmydd:

'Ti a greodd fy ymysgaroedd a'm llunio yng nghroth fy mam. Clodforwn di, oherwydd yr wyt yn ofnadwy a rhyfeddol, ac mae dy weithredodd yn rhyfeddol. Yr wyt yn fy adnabod mor dda.'

Ti, ein Creawdwr a'n lluniwr, a roddodd inni ein synhwyrau i'w defnyddio'n bennaf er clod a gogoniant i'th enw, ac yna er ein lles ein hunain a'n cyd ddyn. Sylweddolwn mor werthfawr yw'r gallu i glywed, gweld, cyffwrdd, arogli a blasu.

O! Arglwydd ein Duw, rydym yn euog o beidio â sylweddoli gwir werth y synhwyrau. Rydym yn defnyddio pob un ohonynt bob dydd a dylem gofio diolch i ti amdanynt bob dydd. Rydym yn mwynhau clywed gwahanol bethau ac mae'r gallu gennym i wahaniaethu rhwng gwahanol fathau o sŵn, rhwng un llais a'r llall, gwahanol ganeuon yr adar a sŵn yr anifeiliaid, yr afon a'r môr, a llu o bethau eraill. Rydym yn mwynhau gwrando ar wahanol fathau o ganu a cherddoriaeth. Rhaid cyfaddef ger dy fron, O! Arglwydd, fod yna hefyd lawer o bethau nad ydym yn hoffi eu clywed   fel sŵn y bwled a'r bom, poen a dioddefaint, gofid a galar. Mae nifer fawr o bobl y byd, O! Dduw, yn byw yn sŵn y pethau hyn yn ddyddiol. Gweddïwn yn daer trostynt y bydd eu sefyllfa'n newid ac y daw heddwch i dawelu sŵn y trais. Gweddïwn hefyd dros y rhai sydd heb y gallu i glywed, wedi eu geni'n fyddar neu wedi colli eu clyw trwy ddamwain neu afiechyd. Nid ydynt yn gallu mwynhau'r pethau yr ydym ni sy'n clywed yn eu mwynhau.

Gweddïwn yn yr un modd dros y rhai sy'n ddall, y rhai sy'n methu gweld prydferthwch dy greadigaeth, y gwahanol liwiau   fel yr haul yn dawnsio ar y dŵr, y sêr yn disgleirio yn y nen, y golygfeydd rhyfeddol a grewyd gennyt. Er ein bod yn cael llawer o bleser wrth ddefnyddio ein llygaid, cawn brofi gofid a thristwch hefyd wrth weld poen tlodi a newyn, erchylltra rhyfel, dinistr a thrychineb, a gweld poen anobaith ar wynebau pobl. Wrth weld y pethau hyn, ysgoga ni, fel eglwysi ac unigolion, i wneud yr hyn a allwn i gynorthwyo'r difreintiedig. Diolchwn i ti am y gallu i gyffwrdd gwahanol bethau a sylweddoli'r gwahaniaeth rhwng y llyfn a'r cwrs, y caled a'r meddal, y poeth a'r oer. O! Arglwydd, mae'r ffordd yr ydym yn cyffwrdd yn gallu bod mor wahanol   gallwn gyffwrdd mewn cariad neu mewn casineb, mewn hapusrwydd neu dristwch, yn dyner neu'n llawdrwm.

Rydym yn ddiolchgar i ti am y gynhaliaeth yr wyt yn ei pharatoi ar ein cyfer yn feunyddiol. Diolchwn am y gallu i gael blas rhyfeddol ar dy roddion hael. Gwyddost yn dy ddoethineb nad ydym bob un wedi cael ein gwneud yr un fath. Mae rhai ohonom yn hoffi pethau melys, eraill yn hoffi pethau sawrus, eraill wedyn yn hoffi pethau sur neu hallt. Diolchwn i ti, O! Dad, am baratoi ar gyfer pawb ohonom fel bod digon i'w gael at ddant pawb. Gweddïwn dros y rhai sydd wedi colli blas ar fwyd oherwydd afiechyd neu boen. Boed i'th law dyner orffwys arnynt i'w hadfer er clod i'th enw.

Diolchwn i ti, O! Dad, am y gallu i arogli. Cawn brofi aroglau hyfryd y wlad   y cae gwair, y blodau a'r planhigion; aroglau glan y môr   y gwymon a'r pysgod. Rydym yn mwynhau arogl gwahanol fwydydd wrth eu coginio. Gwyddom hefyd fel y mae arogl yn rhybuddio dyn o berygl   fel y mae arogl mwg, er enghraifft, yn arwydd o dân.

Rhoddaist ti bwrpas i bob un o'r synhwyrau. Rydym yn wir ddiolchgar i ti amdanynt. Amen.

Brian Wright

301

Y Synhwyrau

Darlleniad 1: Caniad Solomon 2: 8   3:6
Darlleniad 2: Job 38

O! Dduw, ein Tad, a ddygodd drefn allan o'r tywyllwch ac a greodd
y nefoedd a'r ddaear, diolch i ti am ein creu ni ar dy lun a'th ddelw.
Lluniaist ni o'r llwch ac anadlaist ynom anadl y bywyd. Diolch am
i ti wrth ein llunio roddi inni synhwyrau fel y gallwn fwynhau dy
greadigaeth. Maddau ein bod ni'n stiwardiaid mor sâl. Gofynnwn i
ti flaenllymu ein synhwyrau fel y byddwn yn fwy effro i'r
gogoniannau o'n cwmpas. Adfer ynom ryfeddod y plentyn fel y
gallwn ddotio o'r newydd at gyfoeth dy gread.

Diolch i ti am lygaid i weld. Ymhyfrydwn yn adnewyddiad bywyd
yn y gwanwyn   y lili swil yn ymwthio o'r ddaear a'r briallu ym
môn y clawdd. Gwelwn arwyddion bywyd newydd wrth weld yr
ŵyn bach yn prancio yn y caeau. Yna, daw'r haf a'i holl gyfoeth
i'n syfrdanu o'r newydd, a phan feddyliwn ein bod wedi gweld
eithaf pob prydferthwch fe ddaw'r hydref a'i liwiau ysblennydd.
Hyd yn oed yn noethni'r gaeaf, fe welwn harddwch ysgerbydau'r
coed a mantell yr eira fel clogyn dros gopa'r mynydd. Agor ein
llygaid, Arglwydd, i weld rhyfeddodau dy gread. Gad inni hefyd
weld prydferthwch a daioni yn ein cyd ddynion. Maddau inni ein
bod yn fwy parod i weld y beiau. Tyn, O! Arglwydd, y trawst o'n
llygaid bob un. Gad inni hefyd godi ein llygaid yn fynych at Groes
Calfaria lle y gwelwn nid yr hagrwch yn y farwolaeth araf,
arteithiol, ond prydferthwch y cariad mawr a amlygwyd yno.

> 'Dyma gariad fel y moroedd,
> Tosturiaethau fel y lli,
> T'wysog Bywyd pur yn marw
> Marw i brynu'n bywyd ni.'

Diolchwn hefyd am gael clustiau i glywed. Eto, diolchwn am gael
clywed y synau hyfryd o'n cwmpas   cân yr adar a murmur y nant,
sŵn plant yn chwerthin a sŵn y gwynt a'r glaw yn eu tro. Maddau

inni ein bod yn gwneud cymaint o sŵn diangen i darfu ar
gydbwysedd sŵn dy gread. Cofiwn am y rhai sy'n gorfod dioddef
gormod o sŵn oherwydd eu bod yn byw mewn tai a fflatiau sy'n
rhy agos at ei gilydd. Cofiwn am y rhai sy'n byw yn sŵn rhyfel,
plant bach na chlywodd erioed sŵn amgenach. Maddau inni'r
llygredd a grëwn drwy wneud gormod o sŵn yn ein mynd
diddiwedd. Dysg inni werthfawrogi tawelwch, a hyffordda ni i
wrando am y llef ddistaw fain.

Diolchwn i ti ein bod yn medru teimlo, O! Arglwydd. Rhyfeddwn
wrth weld cyffyrddiadau mor ysgafn, ond O! mor effeithiol, yn y
byd o'n cwmpas. Dotiwn at sensitifrwydd planhigion a phryfetach
yn eu hymateb i'w gilydd. Dysg ninnau i werthfawrogi'r
cyffyrddiad a all ein hiacháu. Diolch am ddwylo meddygon a
nyrsys sy'n defnyddio'u cyffyrddiad er lles llawer. Diolch am y
rhai a deimlodd y cyffyrddiad dwyfol yn eu bywydau ac a fedrodd
rannu'r profiad gyda ni.

Diolchwn ein bod yn medru arogli, Arglwydd. Arogli'r gwyddfid
yn y perthi a rhosynnau haf yn ein gerddi. Diolch am arogl bwyd
sy'n codi archwaeth arnom. Dotiwn at y cymysgedd o aroglau a
geir mewn ambell siop ffrwythau ffres a blodau, arogl bara'n crasu
ac aroglau coffi a chaws. Diolch amdanynt. Wrth ddiolch, cofiwn
gyda gofid am y rhai sydd heb ddim. Cyffeswn unwaith yn rhagor
ein hamharodrwydd i rannu. Cyffeswn hefyd ein bod wedi llygru'r
awyr ag aroglau drwg nwyon gwenwynig. Maddau inni, O!
Arglwydd, a helpa ni i fyw yn well wrth inni adael i bersawr
Rhosyn Saron lenwi ein bywyd.

Tydi, Arglwydd, sy'n rhoddi inni flas ar fyw. Diolch i ti hefyd am y
fraint o fedru blasu dy roddion inni mewn bwyd a diod. Rhoddaist
inni'r gallu i wahaniaethu rhwng y melys a'r chwerw, a diolch i ti
dy fod yn rhoddi nerth inni droi'r dyfroedd chwerwaf eu blas yn
felys yn dy gwmni di.

Wrth inni ddiolch, Arglwydd, am dy roddion o synhwyrau i ni,
cyflwynwn i ti bawb sydd wedi colli un neu fwy o'r synhwyrau   y
deillion, y byddar a'r rhai na fedrant arogli, teimlo na blasu.
Derbyn hwy fel ninnau i'th ofal, drwy Iesu Grist ein Gwaredwr.
Amen.

John Owen

303

Y Synhwyrau

Darlleniad: Salm 96

Ein Tad, rydym am ddod o dy flaen yn awr, ac am dy adnabod mewn ffordd real a phersonol. Rydym am i ti agor ein llygaid i weled yr Iesu. I 'mestyn a'i gyffwrdd a dweud ein bod yn ei garu. Agor ein clustiau, a dysg inni wrando. Agor ein calon i nabod Iesu.

Diolch mai ti yw ein creawdwr. Rwyt wedi ein gwneud yn rhyfeddol; rwyt wedi creu ynom bob cymal ac asgwrn, a phob un o'n cyhyrau, i gyd weithio i'n cynnal ac i'n nerthu. Wrth inni ddod i wybod mwy a mwy am ein cyfansoddiad, O! Dad, gwelwn mor fawr wyt ti. Mae'r gwyddonwyr wedi ein dysgu mor gymhleth, mor fanwl yw ein gwneuthuriad, ac yr ydym am ganmol enw y gwneuthurwr. Yr ydym am ganmol dy Fab, trwyddo ef y gwnest di bob peth, a hebddo Ef, ni wnaed dim. Mae ein creadigaeth yn dangos yn ei chymhlethdod fod gennym grëwr, mai nid ar ddamwain, neu o ganlyniad i gyd ddigwyddiad yr ydym yr hyn ydym. Mae'r cyfan yn moli gwaith dy law.

Yr ydym yn diolch i ti, O! Dduw, ein bod nid yn unig wedi ein creu mewn cymlethdod, ond yn ychwanegol at hyn dy fod wedi rhoi i ni synhwyrau i fedru amgyffred ein hunain a'r byd o'n hamgylch. Diolch am gael gweld prydferthwch ar bob llaw, prydferthwch dy greadigaeth, yn ei gogoniant a'i harddwch. Ar y mynydd ac yn y dyffryn, wrth y môr ac ar lan afon gwelwn holl ryfeddod y Duw sydd wedi gwneud popeth yn dda. Diolchwn am gael gweld gwên, am gael gweld ceinder blodyn, am y wawr, y machlud, a'r llu pethau sy'n amlygu dy gariad di. Arglwydd, rydym yn gweld hagrwch, rydym yn gweld galanastra hefyd, sy'n ein sobri, ac yn ein hatgoffa nad ydi y byd ddim fel y bwriedaist ef. Gwelwn hefyd hagrwch pechod sy'n peri inni dristáu.

Diolch am gael clywed sŵn yr adar, sŵn y gwynt, sŵn y plant, sŵn y chwarae, sŵn cerdd a chân, lleisiau o bob cyfeiriad.

Moliannwn di am glust i glywed, i'n calonogi, i'n hannog, i'n dysgu, i'n cysuro, i glywed llais cariad ac anwylyd. Yr ydym yn clywed sŵn y gynnau hefyd, sŵn crio y boen a'r anobaith. Clywn lef y tlawd, yr amddifad, y digartref a'r diymgeledd, clywn leisiau yn serio ein cydwybod, clywn leisiau yn ein galw i gydymdeimlad ymarferol. Caniatâ i ni sydd â chlustiau glywed ac ymateb i'r hyn a glywn.

Diolch am fedru arogli, am fedru cyffwrdd, am fedru blasu, am y cyfoeth a ddaw wrth brofi yn ymarferol dy ddaioni yn dy greadigaeth, a'r amrywiaeth sydd yno i bob un ohonom. Mae ein synhwyrau yn ein llawenhau, yn ein rhybuddio, yn ein tristáu, yn codi ofn a dychryn, yn ehangu yn rhyfeddol ein profiad o fywyd. Ond yr ydym am gofio am y rhai hynny heddiw sydd ddim yn gweld, yn clywed, yn arogli, yn teimlo, yn blasu, a chyflwynwm hwy, ynghyd â'r rhai sy'n eu cynorthwyo i ti, gan ddiolch amdanynt. Arglwydd, boed inni edrych am gyfle i fod yn llygaid, yn glustiau yn wir, yn bum synnwyr, i'r bobl hyn. Dangos inni'r cyfle i gynorthwyo a chyfoethogi eu profiad hwy, er dyrchafu dy enw, ac enw Iesu, ein Harglwydd. Amen.

Meirion Morris

Undod

Darlleniad: 1 Corinthiaid 1: 10 18, 3: 1 9

Ein Tad, yr hwn wyt yn y nefoedd, gweddïwn dros dy Eglwys yn ein hoes ac yn ein dyddiau. Llanw dy Eglwys â'th lân Ysbryd. Rhoddaist dy gysegr i'th bobl gynt, i'th bobl fedru dy addoli di yno. Fe'i gwnaethost yn breswylfod brydferth i'th bobl a hiraethai ac a ddyheai am dy gynteddau.

Diolch am y rhai sydd wedi canu mawl i ti ar hyd y canrifoedd yn dy Dŷ. Atgoffa ni, serch hynny, nad wyt ti'n preswylio mewn temlau o waith llaw. Yn hytrach, diolchwn i ti am y man cyfarfod. Yr wyt ti wedi trefnu ffordd, oherwydd ein gwendid a'n pechod ni, i ni gael cymdeithas â thi. Diolch am dy addewid mawr yno y byddaf yn cyfarfod â thi.

Diolch am ffyddlondeb ein Gwaredwr i'r deml ac i'r synagog. Âi yno yn ôl ei arfer. Diolch iddo am ein dysgu mai tŷ gweddi yw dy deml di. Cofiwn, ein Tad, ei dristwch llethol wrth weld camddefnyddio dy gysegr.

Diolch am ei addewid mawr lle mae dau neu dri wedi dod at ei gilydd yn ei enw, ei fod ef yno yn bendithio. Argyhoedda ein hoes ni o bwysigrwydd y gymdeithas y cwrdd â'n gilydd yn dy enw di i addoli ... addoli drwy'r weddi, y gân, y bregeth a'r sacramentau.

Ein Tad, gweddïwn dros dy Eglwys heddiw. Glanhâ dy Eglwys, yr Eglwys sydd i fod yn halen y ddaear ac yn oleui'r byd. Pryderwn, ein Tad, am gyflwr dy Eglwys yn ein gwlad ni ein hunain ac yn ein byd. Gofidiwn fod yr Eglwys yn rhwymedig mor rhwymedig nes bod ei thystiolaeth yn wan. Maddau, Arglwydd, ein bod yn aml yn addoli adeiladau yn fwy na'th addoli di, yr unig wir a bywiol Dduw. Argyhoedda ni, ein Tad, ein bod yn gwastraffu arian ac adnoddau i gadw adeiladau, pan fedrem ddefnyddio'n hadnoddau'n well mewn gwasanaeth i'th deyrnas di. Boed inni fod yn fwy unol, O! ein Tad.

Diolchwn am dystiolaeth ein henwadau yn y gorffennol. Nertha ni i weld cyfoeth ein gilydd, i ddefnyddio ein gwahanol safbwyntiau er gogoniant i ti. Pâr, O! Arglwydd, inni fedru gwneud hyn gyda'n gilydd, ac nid ar wahân. Maddau, Arglwydd, mor ystyfnig y medrwn fod. Gofynnwn i ti dosturio wrthym am ein bod hyd yn oed yng ngwaith yr Eglwys yn ceisio plesio pobl. Cofiwn i'th Fab sôn am bobl yr oedd yn ddewisach ganddynt gael clod gan ddynion na chan Dduw.

Ein Tad, argyhoedda'r eglwysi o'r newydd o'u gwendidau. Tywys hwy i geisio arweiniad o'th Air di. Pâr fod dy Air yn llusern ac yn llewyrch. Gwna ni yn ufudd i'th Air, a rho oleuni dy Ysbryd inni fedru deall dy Air a gwybod sut y mae'n siarad â ni heddiw.

Gweddïwn dros drefi ac ardaloedd Cymru sy'n medru bod mor unol ymhob peth ond wrth dy addoli ar dy ddydd. Cymer drugaredd ar ein dyddiau. Tyrd â'th bobl i fod yn un yn Iesu Grist. Er mwyn ei enw ef. Amen.

Gareth Alban Davies

Undod

Darlleniad 1: Ioan 17: 20 26
Darlleniad 2: Effesiaid 2: 11 22

Trown atat gyda'n gilydd, O! Dduw ein Tad, gan geisio gweld pob
dim yn dy oleuni di a sylweddoli fod y cyfan yn un ynot ti.
Deisyfwn dy addoli oherwydd mai tydi sy'n haeddu mawl, diolch a
gwerthfawrogiad. Ynot ti yn unig y mae undod llawn.

'Addolwn Dduw ein Harglwydd mawr
Mewn parch a chariad yma'n awr;
Y Tri yn un a'r un yn Dri
Yw'r Arglwydd a addolwn ni.'

Rhyfeddwn yn ddiddiwedd at amrywiaeth diderfyn y bydysawd a'r
cwbl sydd ynddo, o'r mymryn lleiaf i'r ehangder mwyaf.

Cawn ein swyno a'n cyfareddu gan y sêr di ri, maint y gwagle a
hynafiaeth ryfeddol y cread; gan y môr a'i symudiadau, ei ddyfnder
a'i ddirgelwch, a'i greaduriaid bach a mawr; gan y mynyddoedd a'r
ceunentydd, lliw ac amrywiaeth y coed a'r planhigion, a'r newid o
dymor i dymor; gan y rhywogaethau di ben draw o adar a
chreaduriaid a phryfed; gan bobl o wahanol liw a hil, eu gwahanol
ieithoedd a'u diwylliannau.

Eto, gwyddom am yr unoliaeth berffaith sydd rhwng pob peth a'i
gilydd. Er bod amrywiaeth a gwahaniaethau, llawenhawn yn yr
undod, a gadarnheir gan neges y Gair:

'Gwnaeth ef hefyd o un dyn yr holl genedloedd,
i breswylio ar holl wyneb y ddaear.'

Diolchwn i ti, ein Tad, am undod dy Eglwys ac am y patrwm a
osodaist ynddi hi ar gyfer bywyd. Diolchwn am eiriau Iesu Grist
sy'n sail i bob dim ac yn symbyliad parhaus:

'Rwy'n gweddïo ar iddynt oll fod yn un, ie, fel yr wyt ti, O! Dad, ynof fi a minnau ynot ti, iddynt hwy hefyd fod ynom ni, er mwyn i'r byd gredu mai tydi a'm hanfonodd i.'

Cyffeswn na fu inni lwyddo i amlygu'r unoliaeth hon yn nhrefn allanol yr Eglwys. Ni allwn fod yn gytûn o ran syniadau oherwydd ein rhagfarnau. Ni allwn ddeall ein gilydd oherwydd ein cyndynrwydd. Ni allwn wrando ar ein gilydd oherwydd ein balchder. Ni allwn ddysgu oddi wrth ein gilydd oherwydd ein hunanbwysigrwydd.

Gweddïwn am ostyngeiddrwydd i allu cymryd ein harwain gennyt ti, i ddysgu o'r newydd oddi wrth yr undod sydd yn y cread, ynot Ti, ac sy'n gynhenid yn dy Eglwys. Dysg ni i edrych ar undod trwy'r darlun a gawn ohono yn ein corff. Nid oes terfyn ar amrywiaeth y corff mae'n undod llwyr, er bod i bob aelod a chymal ei swyddogaeth. Wrth inni edrych arnom ein hunain, dyro inni weld bywyd oll yn undod perffaith. O weld y cyfan yn un ynot ti, dyro inni'r weledigaeth a'r dyfalbarhad i ymlid pob pechod a thywyllwch sy'n rhannu ac yn rhwygo. Arwain ni at undod.

Dyro inni faddeuant am ein teimladau a'n methiannau. Glanha ni oddi wrth ein cyndynrwydd a'n balchder, a dyro inni'r dyhead am fod yn fwy tebyg i Iesu Grist, 'yr hwn, ac efe yn ffurf Duw, ni thybiodd yn drais fod yn ogyfuwch â Duw'. Ef yw'r patrwm. Ef yw'r grym. Ef yw'r nod ar gyfer undod llawn. Tywys ni i'n rhoi ein hunain yn llwyr i Iesu Grist. Er mwyn ei enw. Amen.

John Owen

Undod

Darlleniad: Effesiaid 4: 1 16

Mawrygwn dy enw, O! Dduw, dy fod yn un Duw, yn Dad, yn Fab ac Ysbryd Glân. Y tri yn un a'r un yn dri yw'r Arglwydd a addolwn ni. Diolchwn am y cytundeb sydd heddiw yn y nefoedd o ran dymuniad, o ran pwrpas, o ran trugaredd a thosturi a chariad. Diolchwn hefyd am y modd y bu iti osod undod ar waith yn dy grëadigaeth, y modd mae pob peth yn cyd weithio, y modd y mae'r amrywiaeth yn dod yn un i ddwyn lles a bywyd a chynhaliaeth. Gwelwn ym myd natur, O! Arglwydd, sut y mae pob amlygiad o waith dy law yn cytuno ag undod gwaith dy law.

Yr ydym yn diolch am undod ein corff, fel y mae pob cymal a chyhyr yn gweithio drwy'i gilydd i lwyddo a chynnal ein bywyd ni. Wrth inni ystyried y modd yr wyt yn diogelu hyn oll, suddwn o dan donnau o ryfeddod a syndod. Diolchwn i ti, O! Dad, am y modd y mae hyn i gyd i fod yn ddarlun i ni o fywyd dy bobl a bywyd dy eglwys. Yr ydym yn darllen dro ar ôl tro yn dy air, am dy ddymuniad yn achos dy bobl, i fod yn un. Clywn eiriau ein Harglwydd, yn gweddïo yn yr ardd ar inni fod yn un, i adlewyrchu yr undod sydd ynot ti.

Canmolwn dy enw am yr undod sy'n bodoli rhwng dy bobl o Arglwydd. Diolchwn eu bod yn un yn eu profiad o dy ras di yn Iesu Grist, yr un yw eu galwad, yr un yw y maddeuant a'r trugaredd y maent wedi eu hadnabod. Diolch mai'r un yw'r greadigaeth newydd yr wyt ti wedi ei chreu o'u mewn, a'r un yw gwrthrych eu serch a'u cariad yn awr. Diolch mai eu diben pennaf yw dy ogoneddu di, dy fwynhau, a gweithio i helaethu terfynau dy deyrnas, ac i ddyrchafu enw yr Arglwydd Iesu yn y byd. Diolch am y cyfleon amrywiol yr wyt yn rhoi i dy bobl i sôn wrth eraill am dy ddaioni yn eu hanes, a'r modd yr ydym yn cael rhannu â'n gilydd wrth weddïo, wrth ddarllen dy Air, ac wrth addoli gyda'n gilydd.

Diolchwn am y gwahaniaethau sydd rhyngom o ran y modd yr wyt ti wedi ein creu. Eto, medrwn fod yn un ynot ti. Rydym yn cydnabod yr amrywiaeth yr wyt ti wedi ei fwriadu, ac ar yr un pryd yn cofio nad ydy yr amrywiaeth yma i beri rhaniadau ymhlith dy bobl. Gofynnwn iti roi inni ras i sicrhau bod yr amrywiaeth a grëaist o ran doniau a gallu, yn gyfle i gyfoethogi dy Eglwys. Gofynnwn i ti ein helpu i wahaniaethu rhwng yr hyn sy'n angenrheidiol a'r hyn sy'n ymylol ym mywyd dy Eglwys.

Gweddïwn am ras i geisio undod yn y gwirionedd, y gwirionedd amdanat ti, ac am dy ymwneud grasol â ni yn Iesu Grist dy Fab. Gweddïwn y byddi'n tywys ein harweinwyr i geisio yr hyn sy'n rhyngu dy fodd yn yr Eglwys, ac yn ein tywys ninnau i weld o'r newydd mai er dy fwyn di, ac er mwyn byd sydd angen adnabod dy gymod, y'n galwyd ni i'r gymdeithas hon. Arglwydd, delia â'th Eglwys, delia â ninnau, er mwyn Iesu Grist ein Harglwydd. Amen.

Meirion Morris

Doniau

Darlleniad 1: Exodus 31: 1 6
Darlleniad 2: Mathew 25: 14 30

Ein Tad, yr hwn wyt yn y nefoedd, deuwn ger dy fron o'r newydd i'th addoli. Deuwn i ofyn am dy arweiniad hebot ti ni fedrwn ni wneud dim. Diolchwn dy fod yn derbyn rhai fel ni, a gad inni gofio'n barhaus mai ti yw ein gwneuthurwr ni, mai ynot ti yr ydym yn byw, yn symud ac yn bod.

Bendigwn dy enw mawr am y cyfoeth doniau sy'n perthyn i ni. Rydym i gyd yn wahanol, ond mae gan bob un ohonom ei gyfraniad er lles dynoliaeth. Maddau mor hunanol yw ein hoes llafuriwn er ein lles ein hunain, gan anghofio eraill.

Diolchwn am bobl sydd wedi medru newid cyfeiriad hanes, y rhai hynny sydd wedi cysegru eu doniau i geisio gwneud ein byd yn lle gwell i fyw.

Diolch am y gwyddonydd a'i ddarganfyddiadau; am y ddawn i ddarganfod sut i wella a lleddfu poen; am y ddawn i drin y ddaear; y ddawn i ddod â thechnoleg fodern i afael gwareiddiad. Ond erys y tristwch, Arglwydd, fod camddefnyddio ar ddoniau fel hyn. Gwnawn fwy a mwy o arfau dinistriol; camddefnyddiwn ddefnyddiau crai ein byd; mae ein dyfeisgarwch yn dod â dinistr. Newidiwn ffordd o fyw'r canrifoedd yn y fforestydd, gan wneud y tlawd yn dlotach a'r cyfoethog yn gyfoethocach.

Diolch am feddygon a nyrsys. Bendigwn dy enw am y doniau a gawsant i wella clwyf ac esmwytháu cur. Ond, ein Tad, mae arnom angen dy arweiniad di yn yr oes newydd, pan yw person yn chwarae duw â bywydau. Arbrofi ar groth a defnyddio rhannau o gorff fel darnau o beiriant. Rho d'arweiniad yn ein dyddiau.

Diolch, Arglwydd, am yr athrawon sydd â'r cyfrifoldeb aruthrol o gychwyn plant ar daith bywyd. Athrawon ysgol a darlithwyr coleg sy'n rhoi cyfeiriad i'n hieuenctid. Dyro drefn yn ein dyddiau, dyddiau â chymaint o gwyno am brinder adnoddau.

Diolch am y bardd a'r llenor a'r cerddor. Am y cyfansoddiadau sy'n cyfoethogi ein meddyliau ac yn rhoi blas i oriau hamdden. Diolch am y gerdd a'r gân a'r gynghanedd.

Diolch i ti am arweinwyr gwlad ac ardal. Gad iddynt sylweddoli'r cyfrifoldeb sydd ar eu hysgwyddau. Maddau i arweinwyr y gwledydd gymaint yr anhrefn a'r dioddef y medrant eu hachosi. Sobra hwy i feddwl am eraill, yn hytrach nag am eu buddiannau eu hunain.

Diolchwn am bawb sy'n gweithio â'u dwylo ymhob dull a modd er ein cysuro ni.

Diolch am bregethwyr y Gair, am weinidogion a chenhadon. Diolchwn am y rhai sy'n ymdrechu i daenu'r efengyl yn ein gwlad ac ymhob cwr o'r byd. Diolchwn am ddoniau'r bobl hyn.

Bendigwn dy enw am y llu aneirif sy'n gweithio heb feddwl am dâl na chlod. Y fam yn ei chartref, yr aelod yn yr eglwys, y rhai sy'n casglu at achosion da, a'r rhai sy'n gofalu am yr unig a'r diymgeledd.

Diolch am dy Fab, Iesu Grist er iddo ef fod yn gyfoethog, daeth yn dlawd er ein mwyn ni. Gadael y nef o'i fodd a dod fel gwas. Dod i wasanaethu, nid i'w wasanaethu.

Atgoffa ni, beth bynnag yw ein doniau, mai oddi wrthyt ti mae'r cyfan wedi dod. Beth sydd gennym nad ydym wedi ei dderbyn?

Derbyn ni yn enw Iesu Grist, dy Fab, wedi maddau ein beiau yn ei enw. Amen.

Gareth Alban Davies

Doniau

Darlleniad 1: 1 Corinthiaid 12
Darlleniad 2: Luc 19: 11 27

Diolch i ti, ein Tad, am y gras a'r bywyd newydd a roddaist inni trwy aberth Iesu trosom. Pâr i ni, felly, beidio â chydymffurfio â'r byd hwn, ond gadael i ti ein trawsffurfio drwy adnewyddu ein meddyliau a'n galluogi i ganfod beth yw dy ewyllys, beth sy'n dda, yn dderbyniol ac yn berffaith yn dy olwg. Diolch am ein creu yn unigolion ac am roddi inni'r ewyllys i ddewis ein llwybr yn y byd. Diolch i ti am y doniau a roddaist i bob un ohonom doniau gwahanol ond pob un yn rhodd gennyt ti. Helpa ni i ddatblygu'r ddawn neu'r dalent a roddaist inni a dysg ni i rannu â'n gilydd a chydweithio er gogoniant i ti. Diolchwn i ti am rai a dderbyniodd ddoniau arbennig iawn gennyt ac a gysegrodd y doniau hynny er clod a gogoniant i ti.

Diolchwn i ti am ddawn yr arlunydd sy'n medru cyflwyno inni neges weladwy a chofiadwy. Yn y dyddiau pan oedd llawer yn anllythrennog, fe roddaist ti i'r arlunydd ddawn i adrodd stori ystyrlon wrthynt mewn lliw, er mwyn eu helpu i'th addoli di. Diolch am brydferthwch eglwysi lle gweli mor amlwg ddoniau'r arlunydd a'r cerflunydd. Mae eu gwaith yn dal drwy'r oesau i ni ei edmygu a'i werthfawrogi. Diolch am luniau enwog sy'n rhoi mynegiant mor glir i ddigwyddiadau neu brofiadau. Diolch am y lluniau a'r cerfluniau sy'n portreadu dioddefaint Iesu drosom, a diolch am y rhai sy'n dangos Iesu atgyfodedig mewn mawredd, yn orchfygwr angau a'r bedd. Gwerthfawrogwn hefyd y rhai a fu'n rhoi ar gynfas beth o ryfeddod dy gread, yn lluniau coed a blodau, anifeiliaid ac adar, mynyddoedd a dyffrynnoedd. Mae'r oll yn gysegredig. Agor ein llygaid ninnau i'r gogoniannau hyn.

Diolchwn i ti hefyd am ddawn y llenor, y bardd a'r emynydd. Meddyliwn am yr Esgob Morgan a fu mor ddiwyd yn cyfieithu'r Beibl ac yn ei gyflwyno i ni mewn iaith gyhyrog a graenus. Diolch amdano ef a'i gydweithwyr ac am y rhai a fu ar ei ôl yn llafurio yn yr un maes. Diolchwn am ein cyfieithiad diweddar o'r Beibl ac am ddoniau'r ysgolheigion a'r llenorion a fu wrthi am flynyddoedd yn gweithio'n galed i'w gyflwyno i ni. Helpa ni i werthfawrogi eu hymdrech. Diolchwn am amryfal lenyddiaeth, yn farddoniaeth a rhyddiaith a gyfansoddwyd i fawrygu'th enw, i ddyrchafu Crist ac i ehangu'r deyrnas. Diolch am y beirdd hynny a fedrodd rannu gyda ni brofiadau personol, ac am ambell emynydd a gyffyrddodd dant ein calon. Gyda hwy medrwn orfoleddu, cyffesu ein pechodau, a'n hailgyflwyno'n hunain wrth ryfeddu at degwch Iesu.

> 'Rhosyn Saron yw ei enw,
> Gwyn a gwridog, teg o bryd;
> Ar ddeng mil y mae'n rhagori
> O wrthrychau penna'r byd.'

Diolch am eiriau ac am y rhai sy'n gwybod sut i'w trin. Bu'r cerddor yntau wrthi gyda'i ddawn yn cyfansoddi miwsig ar gyfer yr emynau a'r farddoniaeth. Diolchwn am ddoniau'r cerddorion ac yn arbennig am y rheiny a roddodd inni weithiau fel y *Meseia* a chyfansoddiadau cyfoethog a mawreddog eraill. Diolchwn hefyd am leisiau cyfoethog sy'n cael eu defnyddio i ganu mawl i ti. Wrth inni fawrygu'r doniau, gad inni gofio mai eiddot ti yw pob dawn.

Molwn, felly, y rhai enwog am eu doniau arbennig, y rhai a ddaeth â chyfoeth a lliw i'n bywydau bob dydd. Ond na ad i ni anghofio'r rhai na adawodd enw ar eu hôl, y rhai distadl a ddefnyddiodd eu doniau cyffredin hyd eithaf eu gallu. Mae gan bawb ohonom ryw ddawn neu'i gilydd y gallwn ei ddatblygu. Boed inni beidio â chwerwi os na chawsom ddawn fawr neu dalent anghyffredin. Yn hytrach boed inni ymroi i ymarfer y dalent a roddwyd i ni. Gwna ni'n well gweision i ti yn ein meysydd arbennig, a dyro inni'r gostyngeiddrwydd i fodloni ar feithrin un dalent er gogoniant i ti. Pa dasg bynnag y gofynnir inni ei chyflawni, boed inni wneud hynny'n llawen.

Cyflwynwn ein hunain i ti gan ofyn am faddeuant am bob bai drwy Iesu Grist ein Gwaredwr. Amen.

John Owen